Wilhelm Raabe

Die Chronik
der Sperlingsgasse

Nachwort von
Ulrike Koller

Philipp Reclam jun. Stuttgart

Der Text folgt: Wilhelm Raabe: Sämtliche Werke. (Braunschweiger Ausgabe.) Im Auftrag der Braunschweigischen Wissenschaftlichen Gesellschaft nach dem Tode von Karl Hoppe besorgt von Jost Schillemeit. Band 1. Bearbeitet von Karl Hoppe und Max Carstenn. Zweite, durchgesehene Auflage. Göttingen: Vandenhoeck & Ruprecht, 1980.

Umschlagabbildung: Federzeichnung von Wilhelm Raabe.

Universal-Bibliothek Nr. 7726
Bibliographisch ergänzte Ausgabe 1997
Gesamtherstellung: Reclam, Ditzingen. Printed in Germany 2003
RECLAM und UNIVERSAL-BIBLIOTHEK sind eingetragene Marken
der Philipp Reclam jun. GmbH & Co., Stuttgart
ISBN 3-15-007726-5

www.reclam.de

Pro domo

Wenn es gewittert, verkriechen sich die Vögel unter dem Busch. Das wäre fast als ein gutes und warnendes Beispiel auch für dieses kleine Buch zu nehmen; es will sich aber nicht warnen lassen, und vielleicht darf es auch nicht.

Als vor zehn Jahren hinten in der Türkei die Völker aufeinanderschlugen, da regte es zum erstenmal seine Flügel und flatterte unbesorgt aus, wie finster auch der Himmel sein mochte. Mancherlei Wechsel der Zeit erfuhr es, und es wäre kein Wunder, wenn so viele fallende Trümmer es längst mit tausend Genossen unter berghohem Schutt begraben hätten; aber es fand seinen Weg, kam zu vielen Leuten, und sie nahmen es gut auf mit allen seinen Fehlern und Wunderlichkeiten.

Wenn es aber auch nur unter *einem* Dach eine trübe Stunde verscheucht, eine schwere Stunde sanfter gemacht hätte, wie Herr Hartmann von der Aue sagt; wenn es nur ein Lächeln, nur eine Träne hervorgerufen hätte, so wäre sein Wirken und Sein nicht vergeblich gewesen.

Nun hängen wieder die Wolken drohend herab; der Krieg schlägt mit gewappneter Faust dröhnend an die Pforten unseres eigenen Volkes, und es ist niemand, so hoch oder niedrig ihn das Leben gestellt habe, der sagen kann, welch ein Schicksal ihm die nächste Stunde bringen werde. Es steht zu keiner Zeit ein Glück so fest, daß es nicht von einem Windhauch oder dem Hauch eines Kindes umgestürzt werden könnte; wieviel weniger jetzt! In solcher Zeit ständen die Menschen am liebsten mit leeren, müßigen Händen, horchend und wartend; aber das ist nicht das Rechte. Es soll niemand sein Handwerksgerät, die Waffen, mit welchen er das Leben bezwingt, in dumpfer Betäubung fallen lassen. Ein Geschlecht gebe seine Arbeit an das folgende ab, und, gottlob, jener Epochen, in welchen die Menschheit ihre Mühen ganz von neuem aufnehmen mußte, weil die Sturmflut alles vorige fortgespült hatte, sind wenige.

Auch in diesem Sinne ist nichts zu hoch und nichts zu gering, und in diesem Sinne finden auch diese Blätter die Berechtigung, ihren Flug durch die stürmische Welt abermals vertrauensvoll zu beginnen. Mögen sie neue Freunde zu den alten gewonnen haben, wenn wieder zehn Jahre ihres flüchtigen Daseins dahingegangen sind!

Stuttgart, im Februar 1864

Der Verfasser

Es ist eigentlich eine böse Zeit! Das Lachen ist teuer geworden in der Welt, Stirnrunzeln und Seufzen gar wohlfeil. Auf der Ferne liegen blutig dunkel die Donnerwolken des Krieges, und über die Nähe haben Krankheit, Hunger und Not ihren unheimlichen Schleier gelegt; – es ist eine böse Zeit! Dazu ist's Herbst, trauriger melancholischer Herbst, und ein feiner, kalter Vorwinterregen rieselt schon wochenlang herab auf die große Stadt; – es ist eine böse Zeit! Die Menschen haben lange Gesichter und schwere Herzen, und wenn sich zwei Bekannte begegnen, zucken sie die Achsel und eilen fast ohne Gruß aneinander vorüber; – es ist eine böse Zeit! – Mißmutig hatte ich die Zeitung weggeworfen, mir eine frische Pfeife gestopft, ein Buch herabgenommen und aufgeschlagen. Es war ein einfaches altes Buch, in welches Meister Daniel Chodowiecki gar hübsche Bilder gezeichnet hatte: Asmus omnia sua secum portans, der prächtige Wandsbecker Bote des alten Matthias Claudius, weiland homme de lettres zu Wandsbeck, und recht ein Tag war's, darin zu blättern. Der Regen, das Brummen und Poltern des Feuers im Ofen, der Widerschein desselben auf dem Boden und an den Wänden – alles trug dazu bei, mich die Welt da draußen ganz vergessen zu machen und mich ganz in die Welt von Herz und Gemüt auf den Blättern vor mir zu versenken.

Aufs Geratewohl schlug ich eine Seite auf: Sieh! – da ist der herbstliche Garten zu Wandsbeck. Es ist ebenso nebelig und trübe wie heute; leise sinken die gelben Blätter zur Erde, als bräche eine unsichtbare Hand sie ab, eins nach dem andern. Wer kommt da den Gang herauf im geblümten bunten Schlafrock, die weiße Zipfelmütze über dem Ohr? – Er ist's – Matthias Claudius, der wackere Asmus selbst! – Bedächtiglich schreitet er einher, von Zeit zu Zeit stehenbleibend; jetzt ein welkes Blatt aufnehmend und das zierliche Geäder desselben betrachtend; jetzt in die nebelige Luft hinaufschauend.

Er scheint in Gedanken versunken zu sein. Denkt er vielleicht an den Vetter oder den Freund Hein, an den Invaliden Görgel mit der Pudelmütze und dem neuen Stelzbein, denkt er an die neue Kanone oder an das Ohr des schuftigen Hofmarschalls Albiboghoi? Wer weiß! – Sieh! wieder bleibt er stehen. Was fällt ihm ein!? Lustig wirft er die weiße Zipfelmütze in die Luft und tut einen kleinen Sprung: ein großer Gedanke ist ihm »aufs Herz geschossen« – das große neue Fest *der Herbstling* ist erfunden – der Herbstling, so anmutig zu feiern, wenn *der erste Schnee* fällt, mit Kinderjubel und Bratäpfeln und Lächeln auf den Gesichtern von jung und alt! –

Wenn der erste Schnee fällt – – – wie ich in diesem Augenblick wieder einmal einen Blick zur grauen Himmelsdecke hinaufwerfe, da – kommt er herunter – wirklich herunter, *der erste Schnee!*

Schnee! Schnee! der erste Schnee! –

In großen wäßrigen Flocken, dem Regen untermischt, schlägt er an die Scheiben, grüßend wie ein alter Bekannter, der aus weiter Ferne nach langer Abwesenheit zurückkommt. Schnell springe ich auf und ans Fenster. Welche Veränderung da draußen! Die Leute, die eben noch mürrisch und unzufrieden mit sich und der Welt umherschlichen, sehen jetzt ganz anders aus. Gegen den Regen suchte jeder sich durch Mäntel und Schirme auf alle Weise zu schützen, dem Schnee aber kehrt man lustig und verwegen das Gesicht zu.

Der erste Schnee! der erste Schnee!

An den Fenstern erscheinen lachende Kindergesichter, kleine Händchen klatschen fröhlich zusammen: welche Gedanken an weiße Dächer und grüne, funkelnde Tannenbäume! Wie phantastisch die Sperlingsgasse in dem wirbelnden, weißen Gestöber aussieht! Wie die wasserholenden Dienstmädchen am Brunnen kichern! Der fatale Wind! –

»Gehorsamster Diener, Herr Professor Niepeguck! Auch im ersten Schnee?«

»Ärztliche Verordnung!« brummt der Weise und lächelt herauf zu mir, so gut es Würde und Hypochondrie erlauben.

Auf der Sophienkirche schlägt's jetzt! – Erst vier? und schon fast Nacht! – »Vier!« wiederholen die Glocken dumpf über die ganze Stadt. Jetzt sind die Schulen zu Ende! Hurra – hinaus in den beginnenden Winter: die Buben wild und unbändig, die Mädchen ängstlich und trippelnd, dicht sich an den Häuserwänden hinwindend.

Hier und dort blitzt nun schon in einem dunkeln Laden ein Licht auf, immer geisterhafter wird das Aussehen der Sperlingsgasse.

Da kommt der Lehrer selbst, seine Bücher unter dem Arm; aufmerksam betrachtet er das Zerschmelzen einer Flocke auf seinem fadenscheinigen schwarzen Rockärmel. Jetzt ist die Zeit für einen Märchenerzähler, für einen Dichter. – Ganz aufgeregt schritt ich hin und her; vergessen war die böse Zeit; – auch mir war, wie weiland dem ehrlichen Matthias, ein großer Gedanke »aufs Herz geschossen«. »Ich führe ihn aus, ich führe ihn aus!« brummte ich vor mich hin, während ich auf und ab lief, wie verwundert mich auch alle meine Quartanten und Folianten von den Büchergestellen anglotzten, wie spöttisch auch das Allongeperückengesicht auf dem Titelblatt der dort aufgeschlagenen Schwarte hergrinste!

»Ein Bilderbuch der Sperlingsgasse!«

»Eine *Chronik der Sperlingsgasse*!«

Ein Kinderkopf drückt sich drüben im Hause gegen die Scheibe, und der Lampenschein dahinter wirft den runden Schatten über die Gasse in mein dunkles Fenster und über die Büchergestelle an der entgegengesetzten Wand. Ein gutes, ein glückliches Omen! Grinst nur, ihr Meister in Folio und Quarto, ihr Aldinen und Elzevire! Ein Bilderbuch der Sperlingsgasse; eine Chronik der Sperlingsgasse! Ich mußte mich wirklich setzen, so arg war mir die Aufregung in die alten Beine gefahren, und benutzte das gleich, um ein Buch Papier zu falzen für meinen großen Gedanken und einen letzten Blick hinauszuwerfen in den ersten Schnee. Bah! – Wo war er geblieben? Wie ein guter Diener war er, nachdem er die Ankunft seines Meisters, des gestrengen Herrn Winters, verkündet hatte, zurückgekehrt, ohne eine Spur zu hinterlassen. – – –

Ich bin ein einsamer alter Mann geworden! Die bunten, ewig wechselnden, ewig neuen Bilder dieses großen Bilderbuches, *Welt* genannt, werden meinen alten Augen dunkler und dunkler; mehr und mehr verschwimmen sie, mehr und mehr fließen sie ineinander. Ich bin mit meinem Leben da angelangt, wo, wie in jenem Übergang vom Wachen zum Schlaf, die Erlebnisse des Tages sich noch dumpf im Gehirn des Müden kreuzen, wo aber bereits die dunkle, traum- und geistervolle Nacht über alles, Gutes und Böses, ihren Schleier breitet. Ich bin alt und müde; es ist die Zeit, wo die Erinnerung an die Stelle der Hoffnung tritt.

Schaue ich auf aus meinen Träumen, so sehe ich zwar dasselbe Lächeln, dasselbe Schmerzenszucken auf den Menschengesichtern um mich her wie vor langen, blühenderen Jahren, aber wenn auch Freude und Leid dieselben geblieben sind auf der alten Mutter Erde: die Gesichter selbst sind mir fremd – ich bin allein! – Allein und doch nicht allein. Aus der dämmerigen Nacht des Vergessens taucht es auf und klingt es; Gestalten, Töne, Stimmen, die ich kannte, die ich vernahm, die ich einst gern sah und hörte in vergangenen bösen und guten Tagen, werden wieder wach und lebendig; tote, begrabene Frühlinge fangen wieder an zu grünen und zu blühen; vergessener Kindermärchen entsinne ich mich; ich werde jung und – fahre auf und – erwache!

Versunken ist dann die Welt der Erinnerung, mich fröstelt in der kalten, traurigen Gegenwart, drückender fühle ich meine Einsamkeit, und weder meine Folianten noch meine anderen mühsam aufgestapelten gelehrten Schätze vermögen es, die aufsteigenden Kobolde und Quälgeister des Greisenalters zu verscheuchen. Sie zu bannen schreibe ich die folgenden Blätter, und ich schreibe, wie das Alter schwatzt. Für einen Freund will ich diese Bogen ansehen, für einen Freund, mit dem ich plaudere, der Geduld mit mir hat und nicht spöttelt über Wiederholungen – ach, das Alter wiederholt ja so gern –, der nicht zum Aufbruch treibt, wo die vertrocknete Blume irgendeiner süßen Erinnerung mich fesselt, der nicht zum Bleiben nötigt, wo ein trübes Angedenken unter der Asche der Vergessenheit noch leise fortglimmt. Eine *Chronik* aber nenne ich diese Bogen, weil ihr Inhalt, was den Zusammenhang betrifft, gar sehr jenen alten naiven Aufzeichnungen gleichen wird, die in bunter Folge die Begebenheiten aus Vergangenheit, Gegenwart und Zukunft erzählen; die jetzt eine Schlacht mitliefern, jetzt das Erscheinen eines wundersamen Himmelszeichens beobachten; die bald über den nahen Weltuntergang predigen, bald wieder sich über ein Stachelschwein, welches die deutsche Kaiserin im Klostergarten vorführen läßt, wundern und freuen. Und wie die alten Mönche hier und da zwischen die Pergamentblätter ihrer Historien und Meßbücher hübsche, farbige, zierlich ausgeschnittene Heiligenbilder legten, so will auch ich ähnliche Blätter einflechten und durch die eintönigen, farblosen Aufzeichnungen meiner alten Tage frischere, blütenvollere Ranken schlingen.

Ich, der Greis – der zweiten Kindheit nahe, will von einem Kinde erzählen, dessen Leben durch das meinige ging, wie ein Sonnenstrahl, den an einem Regentage Wind und Wolken über die Fluren jagen; der im Vorbeigleiten Blumen und Steine küßt und in derselben Minute das glückliche Gesicht der Mutter über der Wiege, die heiße Stirn des Denkers über seinem Buche und die bleichen Züge des Sterbenden streifen kann. Ich schreibe keinen Roman und kann mich wenig um den schriftstellerischen Kontrapunkt bekümmern; was mir die Vergangenheit gebracht hat, was mir die Gegenwart gibt, will ich hier, in hübsche Rahmen gefaßt, zusammenheften, und bin ich müde – nun so schlage ich dieses Heft zu, wühle weiter in meiner schweinsledernen Gelehrsamkeit und kompiliere lustig fort an meinem wichtigen Werke De vanitate hominum, einem ausnehmend – dicken Gegenstande.

Am 20. November.

Ich liebe in großen Städten diese ältern Stadtteile mit ihren engen, krummen, dunkeln Gassen, in welche der Sonnenschein nur verstohlen hineinzublicken wagt; ich liebe sie mit ihren Giebelhäusern und wundersamen Dachtraufen, mit ihren alten Kartaunen und Feldschlangen, welche man als Prellsteine an die Ecken gesetzt hat. Ich liebe diesen Mittelpunkt einer vergangenen Zeit, um welchen sich ein neues Leben in liniengraden, parademäßig aufmarschierten Straßen und Plätzen angesetzt hat, und nie kann ich um die Ecke meiner Sperlingsgasse biegen, ohne den alten Geschützlauf mit der Jahreszahl 1589, der dort lehnt, liebkosend mit der Hand zu berühren. Selbst die Bewohner des ältern Stadtteils scheinen noch ein originelleres, sonderbareres Völkchen zu sein, als die Leute der modernen Viertel. Hier in diesen winkligen Gassen wohnt das Volk des Leichtsinns dicht neben dem der Arbeit und des Ernsts, und der zusammengedrängtere Verkehr reibt die Menschen in tolleren, ergötzlicheren Szenen aneinander als in den vornehmern, aber auch öderen Straßen. Hier gibt es noch die alten Patrizierhäuser – die Geschlechter selbst sind freilich meistens lange dahin –, welche nach einer Eigentümlichkeit ihrer Bauart oder sonst einem Wahrzeichen unter irgendeiner naiven, merkwürdigen Benennung im Munde des Volks fortleben. Hier sind die dunkeln, verrauchten Kontore der alten gewichtigen Handelsfirmen, hier ist das wahre Reich der Keller- und Dachwohnungen. Die Dämmerung, die Nacht produzieren hier wundersamere Beleuchtungen durch Lampenlicht und Mondschein, seltsamere Töne als anderswo. Das Klirren und Ächzen der verrosteten Wetterfahnen, das Klappern des Windes mit den Dachziegeln, das Weinen der Kinder, das Miauen der Katzen, das Gekeif der Weiber, wo klingt es passender – man möchte sagen dem Ort angemessener – als hier in diesen engen Gassen, zwischen diesen hohen Häusern, wo jeder Winkel, jede Ecke, jeder Vorsprung den Ton auffängt, bricht und verändert zurückwirft! –

Horch, wie in dem Augenblick, wo ich dieses niederschreibe, drunten in jenem gewölbten Torwege die Drehorgel beginnt; wie sie ihre klagenden, an diesem Ort wahrhaft melodischen Tonwogen über das dumpfe Murren und Rollen der Arbeit hinwälzt! – Die Stimme Gottes spricht zwar vernehmlich genug im Rauschen des Windes, im Brausen der Wellen und im Donner, aber nicht vernehmlicher als in diesen unbestimmten Tönen, welche das Getriebe der Menschenwelt hervorbringt. Ich behaupte, ein angehender Dichter oder Maler – ein Musiker, das ist freilich eine andere Sache – dürfe nirgend anders wohnen als hier! Und fragst du auch, wo die frischesten, originellsten Schöpfungen in allen Künsten entstanden sind, wo wird meistens die Antwort sein: in einer *Dachstube!* – In einer Dachstube im Wineoffice Court war es, wo Oliver Goldsmith, von seiner Wirtin wegen der rückständigen Miete eingesperrt, dem Dr. Johnson unter alten Papieren, abgetragenen Röcken, geleerten Madeiraflaschen und Plunder aller Art ein besudeltes Manuskript hervorsuchte mit der Überschrift: Der Landprediger von Wakefield.

In einer Dachstube schrieb Jean Jacques Rousseau seine glühendsten, erschütterndsten Bücher. In einer Dachstube lernte Jean Paul den Armenadvokat Siebenkäs zeichnen und das Schulmeisterlein Wuz und das Leben Fibels! – –

Die Sperlingsgasse ist ein kurzer, enger Durchgang, der die Kronenstraße mit einem Ufer des Flusses verknüpft, welcher in vielen Armen und Kanälen die große Stadt durchwindet. Sie ist bevölkert und lebendig genug, einen mit nervösem Kopfweh Behafteten wahnsinnig zu machen und ihn im Irrenhause enden zu lassen; mir aber ist sie seit vielen Jahren eine unschätzbare Bühne des Weltlebens, wo Krieg und Friede, Elend und Glück, Hunger und Überfluß, alle Antinomien des Daseins sich widerspiegeln.

»In der Natur liegt alles ins Unendliche auseinander, im Geist konzentriert sich das Universum in einem Punkt«, dozierte einst mein alter Professor der Logik. Ich schrieb das damals zwar gewissenhaft nach in meinem Heft, bekümmerte mich aber nicht viel um die Wahrheit dieses Satzes. Damals war ich jung, und Marie, die niedliche kleine Putzmacherin, wohnte mir gegenüber und nähte gewöhnlich am Fenster, während ich, Kants Kritik der reinen Vernunft vor der Nase, die Augen – nur bei ihr hatte. Sehr kurzsichtig und zu arm, mir für diese Fensterstudien eine Brille, ein Fernglas oder einen Operngucker zuzulegen, war ich in Verzweiflung. Ich begriff, was es heißt: Alles liegt ins Unendliche auseinander.

Da stand ich eines schönen Nachmittags, wie gewöhnlich, am Fenster, die Nase gegen die Scheibe drückend, und drüben unter Blumen, in einem lustigen, hellen Sonnenstrahl, saß meine in Wahrheit ombra adorata. Was hätte ich darum gegeben, zu wissen, ob sie herüberlächele!

Auf einmal fiel mein Blick auf eines jener kleinen Bläschen, die sich oft in den Glasscheiben finden. Zufällig schaute ich hindurch nach meiner kleinen Putzmacherin, und – ich begriff, daß das Universum sich in einem Punkt konzentrieren könne.

So ist es auch mit diesem Traum- und Bilderbuch der Sperlingsgasse. Die Bühne ist klein, der darauf Erscheinenden sind wenig, und doch können sie eine Welt von

12

Interesse in sich begreifen für den Schreiber und eine Welt von Langeweile für den Fremden, den Unberufenen, dem einmal diese Blätter in die Hände fallen sollten.

Am 30. November.

Der Regen schlägt leise an meine Scheiben. Was und wer der sonderbare lange Gesell ist, der vorgestern da drüben in Nr. elf eingezogen ist, in jene Wohnung, wo auch ich einmal hauste, wo einst auch der Doktor Wimmer sein Wesen trieb, hab ich noch nicht herausgebracht. – Es ist recht eine Zeit, zu träumen. Ich sitze, den Kopf auf die Hand gestützt, am Fenster und lasse mich allmählich immer mehr einlullen von der monotonen Musik des Regens da draußen, bis ich endlich der Gegenwart vollständig entrückt bin. Ein Bild nach dem andern zieht wie in einer Laterna magica an mir vorbei, verschwindend, wenn ich mich bestrebe, es festzuhalten. O, es ist wahrlich nicht das, was mich am meisten fesselt und hinreißt, was ich auf das Papier festbannen kann; – ein ganz anderer Maler müßte ich sein, um das zu vermögen.

Das verschlingt sich, um sich zu lösen; das verdichtet sich, um zu verwehen; das leuchtet auf, um zu verfliegen, und jeder nächste Augenblick bringt etwas anderes. Oft ertappe ich mich auf Gedanken, welche aufgeschrieben kindisch, albern, trivial erscheinen würden, die aber mir, dem alten Mann, in ihrem flüchtigen Vorübergleiten so süß, so heimlich, so beseligend sind, daß ich um keinen Preis mich ihnen entreißen könnte.

Nur das Konkreteste vermag ich dann und wann festzuhalten, und diesmal sind es Bilder aus meinem eigenen Leben, die ich hier dem Papier anvertraue.

Was ist das für eine kleine Stadt zwischen den grünen buchenbewachsenen Bergen? Die roten Dächer schimmern in der Abendsonne; da und dort laufen die Kornfelder an den Berghalden hinauf; aus einem Tal kommt rauschend und plätschernd ein klarer Bach, der mitten durch die Stadt hüpft, einen kleinen Teich bildet, bedeckt am Rande mit Binsen und gelben Wasserlilien, und in einem andern Tal verschwindet. Ich kenne das alles; ich kann die Bewohner der meisten Häuser mit Namen nennen; ich weiß, wie es klingen wird, wenn man in dem spitzen, schiefergedeckten Turm jener hübschen alten Kirche anfangen wird zu läuten. Habe ich nicht oft genug mich von den Glockenseilen hin und her schwingen lassen?

Das ist Ulfelden, die Stadt meiner Kindheit, – das ist meine Vaterstadt!

Und schau, dort oben in dem Garten, der sich von jenem zerbröckelnden, noch stehenden Teil der Stadtmauer aus den Berg hinanzieht, gelagert unter einem blühenden Holunderstrauch, die drei Kinder. Da sitzt ein kleines Mädchen mit großen, glänzenden Augen, dem wilden Franz aus dem Walde zuhörend. Franz Ralff, aufgewachsen im Wald und jetzt in der Zucht bei dem Vater der kleinen Marie, dem strengen lateinischen Stadtrektor Volkmann, erzählt, ein gewaltiges angebissenes Butterbrod in der Hand, kauend und zugleich durch seinen eigenen Vortrag gerührt, eine seiner wunderbaren Geschichten, die er aus der Waldeinsamkeit mitgebracht hat und mit denen er uns kleines Volk stets zum »Gruseln« brachte oder zu bringen versuchte.

Und nun sieh da, im Grase ausgestreckt, da bin auch ich, der kleine Hans Wachholder, der Sohn aus dem Pfarrhause, blinzelnd zu dem blauen Himmel hinaufschauend und den kleinen weißen »Schäfchen« in der reinen Luft nachträumend.

Die Glocken der heimkehrenden Herden erklingen zwischen den Bergen, ringsumher summt und tönt unendliches Leben, im Gras, in den Bäumen, in der Luft; und das Kinderherz versteht alles, es ist ja noch eins mit der Natur, eins mit – Gott!

Aber warum öffnet sich nicht dort unten die braune Tür, die aus dem hübschen, vom Weinstock übersponnenen

Hause mit den hellglänzenden Fenstern in den Garten führt?

Wo ist der alte Mann mit den ehrwürdigen grauen Haaren, der da allabendlich seine Blumen zu begießen pflegt?

Wo ist – wo ist meine Mutter? Meine Mutter!

Keine freundliche Stimme antwortet! Ich selbst habe ja graue Haare. Vater und Mutter schlummern lange in ihren vergessenen, eingesunkenen Gräbern auf dem kleinen Stadtkirchhof zu Ulfelden. Jüngere Geschlechter sind seitdem hinabgegangen.

Plötzlich verändert sich das sonnige, sommerliche Bild.

Da ist schon die große Stadt! Diesmal ist es nicht Frühling, nicht blühender Sommer, sondern eine stürmische, dunkle Herbstnacht; – vielleicht wird eine ähnliche auf den heutigen Tag folgen. – In dieser Nacht sitzt hoch oben in einem kleinen, mehr drei- als viereckigen Dachstübchen ein Student vor einem gewaltigen schweinsledernen Folianten, über welchen er hinwegstarrt. Wo wandern seine Gedanken? Draußen jagt der Wind die Wolken vor dem Monde her, rüttelt an den Dachziegeln, schüttelt den zerlumpten Schlafrock, welchen der erfinderische Musensohn, um sich und seine Studien ganz von der Außenwelt abzusperren, vor dem Fensterkreuz festgenagelt hat, – kurz, gebärdet sich so unbändig, wie nur ein Wind, der den Auftrag hat, das letzte Laub von den Bäumen in Gärten und Wäldern zu reißen, sich gebärden kann. Lange hat der Musensohn in tiefe Gedanken versunken dagesessen; jetzt springt er plötzlich auf und dreht mir das Gesicht zu – – – das bin ich wieder: Johannes Wachholder, ein Student der Philosophie in der großen Haupt- und Universitätsstadt. Sehr aufgeregt scheint der Doppelgänger meiner Jugend zu sein; mit so gewaltigen Schritten, als das enge, wunderlich ausstaffierte Gemach nur erlaubt, rennt er auf und ab.

Plötzlich springt er auf das Fenster zu, reißt den improvisierten Vorhang herunter und läßt einen prächtigen Mondenstrahl, der in diesem Augenblick durch die zerrissenen Wolken fällt, herein.

»Marie! Marie!« flüstert mein Schattenbild leise, die Arme gegen ein schwach erleuchtetes Fenster drüben ausstreckend, gegen dessen herabgelassene Gardine der kaum bemerkbare Schatten einer menschlichen Gestalt fällt, und – –

Es ist eine gefährliche Sache, in den Momenten ungewöhnlicher Aufregung – sei es Freude oder Schmerz, Haß oder Liebe – sich dem klaren, weißen Licht des Mondes auszusetzen. Das Volk sagt: Man wird dumm davon. Wirklich, wundersame Gedanken bringt dieser reine Schein mit sich; allerlei tolles Zeug gewinnt Macht, sich des Geistes zu bemächtigen und ihn unfähig zu machen, fürderhin gemütlich auf der ausgetretenen Straße des Alltagslebens weiterzutraben. »Man wird dumm davon!« – Zauberhafte Aussichten in phantastische, nebelhafte Gründe öffnen sich zu beiden Seiten; nie gehörte Stimmen werden wach, locken mit Sirenensang, flüstern unwiderstehlich, winken den Wanderer ab vom sicheren Wege, und bald irrt der Bezauberte in den unentrinnbaren Armidengärten der Fee Phantasie.

»Ich liebe dich«, flüstert mein Schattenbild, »ich will dich reich, ich will dich glücklich, ich will dich berühmt machen, ich will« – der schreibende Greis kann jetzt nur lächeln – »die Welt für dich gewinnen, Marie!«

Mehr noch flüstert mein Doppelgänger, die Stirn an die Scheiben drückend, hinüber nach dem kleinen Stübchen, wo die Jugendgespielin, fortgerissen von dem kalten Arm des Lebens aus der waldumgebenen, friedlichen Heimat, einsam in der dunkeln, stürmischen Nacht arbeitet, als ein anderer Schatten seine Träume von Glück und Ruhm durchkreuzt.

Da ist eine andere Gestalt; schwarze, dichte Locken umgeben ein sonnverbranntes Gesicht, die Augen blitzen von Lebenslust und Lebenskraft, es ist der Maler Franz

Ralff, der, aus Italien zurückkehrend, voll der göttlichen Welt des Altertums und voll der großen Gedanken einer ebenso göttlichen jüngern Zeit, den Freund umarmt.

Und weiter schweift mein Geist. – Ich sehe noch immer die junge Waise in ihrem kleinen Stübchen unter Blumen arbeitend. Ich sehe zwei Männer im Strom des Lebens kämpfen, ein Lächeln von ihr zu gewinnen; und ich sehe endlich den einen mit keuchender Brust sich ans Ufer ringen und den schönen Preis erfassen, während der andere weitergetrieben, willenlos und wissenlos auf einer kahlen, skeptischen Sandbank sich wiederfindet. – Ich sehe *mich*, einen blöden Grübler, der sich nur durch erborgte und erheuchelte Stacheln zu schützen weiß, bis er endlich, nach langem Umherschweifen in der Welt, hervorgeht aus dem Kampf, ein ernster, sehender Mann, der Freund seines Freundes und dessen jungen Weibes.

Ich lebe durch kurze Jahre von schmerzlich süßem Glück; ich sehe während dieser Jahre eine feine blondlockige Gestalt lächelnd, wie unser guter Genius, Franz und mich umschweben und ihre schützende Hand ausstrecken über seine leicht auflodernde Wildheit und meine hinbrütende Traurigkeit; – ich sehe bald ein kleines Kind – Elise genannt in den Blättern dieser Chronik – des Abends aus den Armen der Mutter in die des Vaters und aus den Armen des Vaters in die des Freundes übergehen, mit großen, verwunderten Augen zu uns aufschauend – – –

Plötzlich hört der Regen auf, an die Fenster zu schlagen; ich schrecke empor – es ist späte Nacht. Einen letzten Blick werfe ich noch in die Gasse hinunter. Sie ist dunkel und öde; der unzureichende Schein der einen Gaslaterne spiegelt sich in den Sümpfen des Pflasters, in den Rinnsteinen wider. Eine verhüllte Gestalt schleicht langsam und vorsichtig dicht an den Häusern hin. Von Zeit zu Zeit blickt sie sich um. Geht sie zu einem Verbrechen oder geht sie, ein gutes Werk zu tun? Eine andere Gestalt kommt um die Ecke; – ein leiser Pfiff –

»Du hast mich lange warten lassen, Riekchen!«

»Ich konnte nicht eher, die Mutter ist erst eben eingeschlafen« ...

Ein in der Ferne rollender Wagen macht das übrige
unhörbar. Die Figuren treten aus dem Schatten; ich sehe
Ballputz unter den dunkelen Mänteln.

Sie verschwinden um die Ecke, und ich schließe das
Fenster.

So endet das erste Blatt der Chronik, die wie die Geschichte der Menschheit, wie die Geschichte des einzelnen beginnt mit – einem *Traume.*

Am 2. Dezember.

Es ist heute für mich der Jahrestag eines großen Schmer-
zes, und doch trat heute morgen der Humor auf meine
Schwelle, schüttelte seine Schellen, schwang seine Prit-
sche und sagte:

»Lache, lache, Johannes, du bist alt und hast keine Zeit
mehr zu verlieren.«

Jener sonderbare lange Mensch von drüben, im abgetragenen grauen Flausrock, einen ziemlich rot und schäbig
blickenden Hut unter dem Arme, klopfte an meine Tür,
kündigte sich als der Karikaturenzeichner Ulrich Strobel
an, breitete eine Menge der tollsten Blätter auf dem
Tische vor mir aus und verlangte, ich solle ihm für den
Winter – den Sommer über bummele er draußen herum –
eine Stelle als Zeichner bei einem der hiesigen illustrierten Blätter verschaffen. Er behauptete, meinen dicken
Freund, den Doktor Wimmer in München, sehr gut zu
kennen, und malte wirklich als Wahrzeichen das heitere
Gesicht des vortrefflichen Schriftstellers sogleich auf die
innere Seite des Deckels eines daliegenden Buches. Ich
versprach dem wunderlichen Burschen, dessen Federzeichnungen wirklich ganz prächtig waren, von meinem
geringen Ansehen in der Literatur hiesiger Stadt für ihn
den möglichst besten Gebrauch zu machen, und er

schied, indem er in der Tür mir die Hand drückte, mich süß-säuerlich anlächelte und sagte:

»Sie tun sehr wohl, mich so zu verbinden, verehrtester Herr, denn als braver Nachbar würde ich doch manche angenehme Seite an Ihnen entdecken, die, zu Papier gebracht, sich sehr gut ausnehmen könnte. Gute Nachbarn werden wir übrigens diesen Winter hindurch wohl sein, teuerster Herr Wachholder, denn – Sie sehen gern aus dem Fenster, eine Eigentümlichkeit aller der Leute, mit welchen sich auf die eine oder die andere Weise leicht leben läßt. Guten Morgen!«

Um eine originelle Bekanntschaft reicher kehrte ich zu meiner Chronik zurück mit der Gewißheit, dem Meister Strobel von Zeit zu Zeit darin wieder zu begegnen.

Am Nachmittag.

Es ist heute Jahrestag. Ich werde die Erinnerung nicht los, sie verfolgt mich, wo ich gehe und stehe.

Es war ein ebenso trüber, regenfarbiger Winternachmittag wie jetzt, als ich traurig dort drüben in jenem Fenster saß – vor langen Jahren – dort drüben in jenem Fenster, von welchem aus mir eben der Zeichner Strobel zunickt, – und traurig hinaufblickte zu der grauen, eintönigen Himmelsdecke. Die Gasse sah damals wohl nicht viel anders aus als heute; doch sind viele Gesichter, deren ich mich noch gar gut erinnere, verschwunden und haben andern Platz gemacht, und nur einzelne, wie zum Beispiel der alte Kesselschmied Marquart im Keller drunten, der heute wie vor so vielen Jahren lustig sein Eisen hämmert, haben sich erhalten in diesem ununterbrochenen Strom des Gehens und Kommens. Diese sind denn auch mit die Anhaltepunkte, an welche ich bei meinem Rückgedenken den stellenweis unterbrochenen Faden meiner Chronik wieder anknüpfe.

Einem Wässerchen will ich diese Chronik vergleichen, einem Wässerchen, welches sich aus dem Schoß der Erde mühevoll losringt und, anfangs *trübe*, noch die Spuren seiner dunklen, schmerzenvollen Geburtsstätte an sich trägt. Bald aber wird es in das helle Sonnenlicht sprudeln, Blumen werden sich in ihm spiegeln, Vögelchen werden ihre Schnäbel in ihm netzen. An dieser Stelle werdet ihr es fast zu verlieren glauben, an jener wird es fröhlich wieder hervorhüpfen. Es wird seine eigene Sprache reden in wagehalsigen Sprüngen über Felsen, im listigen Suchen und Finden der Auswege – Gott bewahre es nur vor dem Verlaufen im Sande! . . .

So fahre ich fort:

Es war, wie gesagt, ein trauriger, unheimlicher Tag, aber nicht er war es, der damals so schwer auf meine Seele drückte. An jenem Tage sah ich von dem Fenster dort drüben die Fenster der Kammer meiner jetzigen Wohnung weit geöffnet trotz der Kälte, trotz dem Regen. Die weißen Vorhänge waren herabgelassen und an den Seiten befestigt, damit der Wind, welcher sie heftig hin und her bewegte, sie nicht abreiße.

Der Tod hatte seine finstere, kalte Hand trennend auf ein glückliches Zusammenleben gelegt; der kleine Stuhl dort unter dem Efeugitter auf dem Fenstertritt vor dem Nähtischchen war leer geworden.

Marie Ralff war tot! – –

Ich sah von meinem Fenster aus hier eine Gestalt im Zimmer auf und ab gehen. Armer Franz! Armes kleines Kind! Armer – Johannes! – Sie war so lieblich, so jungfräulich-frauenhaft mit ihrem Kindchen im Arm!

Da hängt im Museum der Stadt ein kleines Madonnenbild, wo die »Unberührbare« den auf ihrem Schoß stehenden kleinen Jesus gar liebend-verwundert und mütterlich-stolz betrachtet. Dem Bilde glich *sie*, die ebenso blondlockig, ebenso heilig, ebenso schön war, und oft genug bleibe ich vor diesem Bilde, einem Werk des spanischen Meisters Morales, den seine Zeitgenossen el divino nannten, stehen, alter vergangener schöner Zeit gedenkend.

20

O, ich liebte sie so, ich hatte so gelitten, als sie mich nur »Freund« und ihn, meinen Freund Franz Ralff, »Geliebter« nannte. Und jetzt war sie tot; einsam hatte sie uns zurückgelassen! Der Abend sank tiefer herab, und die Dämmerung legte sich zwischen mich und das Drüben. Ich hielt es nicht mehr aus, ich mußte hinüber! Als ich eintrat, schritt Franz immer noch auf und ab; er schien mich nicht zu bemerken, und still setzte ich mich in den Winkel neben die Wiege, wo Martha, die Wärterin, über dem Kinde wachte, welches ruhig schlief und die kleinen Hände zum Mündchen hinaufgezogen hatte.

Ich weiß nicht, wie lange ich da gesessen habe, ich weiß von keinem meiner Gedanken in jener Nacht Rechenschaft zu geben. Die tiefe Stille, die auf der großen Stadt lag, ließ nur das Gefühl mich überkommen, als ob das Leben auch dieses zuckende, bewegte Herz eines ganzen großen Landes verlassen habe, als ob das leise Picken der Wanduhr das letzte verklingende Getön des Weltenrades sei und die ewige Stille nun binnen kurzem alles Leben zurückgeschlürft haben würde.

Das leise Weinen des Kindes neben mir erweckte mich endlich; Franz legte mir die Hand auf die Schulter und fiel dann plötzlich erschöpft auf einen Stuhl neben mir.

»Gute Nacht, Johannes«, sagte er, den Kopf an meine Brust legend, »morgen wollen wir sie begraben!« –

Es waren die ersten Worte, die er an dem Tage sprach!

Am 3. Dezember.
O cara, cara Maria, vale!
Vale, cara Maria!
Cara, cara Maria, vale!

Es war ein berühmter Dichter, der dies auf den Grabstein einer geliebten Abgeschiedenen setzte, er hatte treffliche, herzerschütternde Gesänge gesungen; *hier* wußte er nichts weiter als diese drei Worte, herzzerreißend wiederkehrend. Und jenes: Morgen! dämmerte. Das Leben der großen Stadt begann wieder seinen gewöhnlichen Gang; der Reichtum gähnte auf seinen Kissen oder hatte auch wohl das Herz ebenso schwer als die Armut, die jetzt aus ihrem dunkeln Winkel huschte, um einen neuen Ring der Kette ihres Leidens, einen neuen Tag ihrem Dasein anzuschmieden. Die Gewerbe faßten ihr Handwerkszeug; die großen Maschinen begannen wieder zu hämmern und zu rauschen; die Wagen rollten in den Straßen, und der Taufzug begegnete dem Totenwagen; denn es war nicht die einzige Leiche drüben in der kleinen Kammer, die in der menschenvollen Stadt im letzten Schlaf ausgestreckt lag.

Ich ging hinüber. Der Kesselschmied Marquart – er war damals noch jünger und kräftiger als heute – hatte sein Hämmern eingestellt und lehnte traurig in der niedrigen Tür, die in seine unterirdische Werkstatt hinabführt; er liebte die tote Marie so gut wie alle, die mit ihr je in Berührung gekommen waren. Hatte sie nicht für jeden fremden Schmerz eine Träne, für jede fremde Freude ein teilnehmendes Lächeln? War sie nicht in der dunkeln Sperlingsgasse wie jene sonnige, gute, kleine Fee, die überall, wo sie hintrat, eine Blume aus dem Boden hervorrief?

Auf dem Hausflur standen flüsternde Frauen, die mir traurig, als ich vorüberging, zunickten, und auf einer Treppenstufe saß ein kleines schluchzendes Mädchen, eine zerbrochene Puppe im Schoß. O, ich weiß das alles noch! Und jetzt trat ich ein –

Da lag sie in ihrem weißen, mit roten Schleifen besetzten Kleide, eine aufgeblühte Rose auf der Brust, in ihrem schwarzen Sarge, die einst so klaren und innigen Augen geschlossen, die ewige, ernste Ruhe des Todes auf der reinen Stirn! Franz fiel mir weinend um den Hals; junge Nachbarinnen in weißen Sonntagskleidern befestigten Girlanden von Tannenzweigen und Immergrün, aus denen hier und da eine einsame Blume hervorschaute, um den schwarzen Schrein.

Ach, die Armut und der Winter erlaubten nicht, allzuviel
»Süßes der Süßen«
zu streuen!

Der junge Tischler Rudolf unten aus dem Hause stand, die Augen mit der Linken bedeckend, Hammer und Nägel in der Rechten, zur Seite; seine junge Braut lehnte schluchzend das Haupt auf seine Schulter. O, ich weiß das alles, alles noch! – Einen letzten, langen, langen Blick warf ich auf die schöne, bleiche, stille Gespielin meiner Kindheit, die Heilige meiner Jünglingsjahre, die Trösterin meines Mannesalters, dann hob ich leise Franz von ihrer Brust, über die er hingesunken war, auf und führte ihn an die Wiege seines Kindes. – Rudolf der Tischler begann sein trauriges Werk. Unter dumpfen Hammerschlägen legte sich der Deckel über dies Reliquiarium eines Menschenlebens. Ein kalter Schauer überlief mich! Vale, vale, cara Maria!

Die Träger kamen, hoben die leichte Last auf die Schultern und trugen sie die schmale, enge Treppe hinab; die Frauen schluchzten, Kinderköpfe lugten verwunderternst durch die Haustür und wichen scheu zur Seite, als der traurige Zug hinaustrat auf die Straße. Freunde und Bekannte hatten sich eingefunden, das Weib des Malers auf dem letzten Wege zu begleiten; der Kesselschmied zog das Mützchen ab und strich mit seiner schwarzen, schwieligen Hand über die Augen. Den wie in einem bösen Traum gehenden Franz führend, schritt ich dem Bretterhäuschen nach, welches unser Liebstes barg. O, ich weiß das alles noch ganz genau! So ist das Menschenherz! Viele Jahre sind vorübergegangen seit jenem traurigen Tage, und heute noch erinnere ich mich an alle die finstern Gedanken, die damals durch meine Brust zogen, während ich so manche jüngere Freude vergessen habe!

Es lernt und sieht sich so manches auf einem solchen Gange für den, der es versteht, auf den Gesichtern der Begegnenden und Nachschauenden zu lesen.

Sieh dort an der Ecke die arme, mit Lumpen bekleidete Frau aus dem Volk, wie sie ihr Kind fester an sich drückt und flüstert: »Was sollte aus dir werden, mein kleines Herz, wenn ich heute so still läge wie die, welche man da fortträgt.«

Dort kommt eine elegante Equipage, Kutscher und Bediente in prächtiger Livree mit Blumensträußen im Knopfloch. Bunte Hochzeitsbänder flattern an den Kopfgeschirren der Pferde; der junge vornehme Mann führt seine schöne Braut zur Trauung; ihr Auge trifft den Sarg, der langsam auf den Schultern der Träger daherschwankt, und die junge Verlobte birgt zitternd ihr juwelenblitzendes Haupt an der Brust neben ihr.

Sieh den Arbeiter, der dort das Beil sinken läßt und stier dem Zuge des Todes nachsieht. Schaffe weiter, Proletarier, auch dein Weib liegt zu Hause sterbend; schaffe weiter, du hast keine Zeit zu verlieren; der Tod ist schnell, aber du mußt schneller sein, Mann der Arbeit, wenn du sie in ihren letzten Stunden vor dem Hunger schützen willst.

Beugt das Haupt und tretet zur Seite, ihr kettenklirrenden Verbrecher! Der Tod zieht vorüber! Er wird auch euch einst von euern Ketten befreien! Beugt das Haupt, ihr armen Geschöpfe der Nacht, der Tod zieht vorüber, und auch euch hebt er einst, den erborgten Flitterputz, den armen beschmutzten Körper, die Sünde der Gesellschaft euch abstreifend, rein und heilig empor aus der Dunkelheit, dem Schmutz und dem Elend.

Von dir, du Spötter mit dem faden Lächeln auf den Lippen, fordere ich nicht, daß du zur Seite tretest! Der Zug des Todes mag *dir* ausweichen – du bist würdig, dein Leben doppelt und dreifach zu leben!

Es ist ein langer Weg aus der Mitte der großen Stadt bis zu dem Johanniskirchhofe draußen, und nie ist mir ein Weg so lang und doch zugleich so kurz vorgekommen. Ich dachte an den Verurteilten, der dem Richtplatz näher und näher kommt, dem jede Minute eine Ewigkeit und der stundenlange Weg ein Augenblick ist. Ach, wir armen Menschen, ist nicht das ganze Leben ein solcher Gang zum Richtplatz? Und doch freuen wir uns und jubeln über die Blumen am Wege und sehen in jedem Tautropfen, der in ihnen hängt, Himmel und Erde! Armes glückliches Menschenherz!

Die schweren, massigen Regenwolken wälzten sich dicht über der Erde weg, als wir aus dem Tor traten. Grau in grau Himmel und Erde! Grau in grau Herz und Welt! Die Bäume streckten ihre leeren Äste wehmütig empor, eine Meise flog von Ast zu Ast vor dem Zuge her.

Und jetzt waren wir angelangt vor der Pforte des Friedhofes. Langsam wand der Zug sich den Weg entlang, an frischen und eingesunkenen Hügeln, stolzen Monumenten und dürftig naivem Putz vorüber der Stelle zu, wo die Hülle der toten Marie ruhen sollte. Im folgenden Frühling machten wir einen hübschen, lieblichen Ort daraus, wo die Goldregenbüsche ihre duftenden Trauben herabhängen ließen und die Vögel in den Rosensträuchern zwitscherten, heute jedoch war's ringsumher gar traurig und unheimlich. Auf dem Grunde der Grube, die unser Liebstes aufnehmen sollte, stand ein kleiner Sumpf Regenwasser, in welchem sich aber plötzlich eine lichte blaue Stelle, die oben am Himmel zwischen den ziehenden Wolken durchlugte, widerspiegelte. – – Ich habe nichts, nichts vergessen!

Und nun, ihr Männer, laßt den Sarg hinabgleiten; gebt der alten schaffenden Mutter Erde ihr schönes Kind zurück! Und nun, Franz, wirf drei Hände voll Erde auf die versinkende Welt deiner Freude! – Ergreift die Schaufeln, ihr Clowns, und vollendet euer Geschäft! Du alter, rotnäsiger Bursch, bemühe dich nicht, ein wehmütiges Gesicht zu ziehen, winke nur deinem Gefährten, daß er die Flasche bei Yaughan füllen lasse, und brumme leise dein altes Totengräberlied in den Bart!

Wie die Schollen dumpfer und dumpfer auf den Sarg poltern, und wie jeder Ton das arme Herz erzittern läßt in seinen tiefsten Tiefen! Wie das Auge sich anklammert an den letzten Schein des schwarzen Holzes, der durch die bedeckende Erde schimmert, bis endlich jede Spur verschwindet, die hinabgeworfene Erde nur noch Erde trifft, die Höhle sich allmählich füllt und endlich der Hügel sich erhebt, der von nun an mit dem geliebten begrabenen Wesen in unsern Gedanken identisch ist!

Wunderliches Menschenvolk, so groß und so klein in demselben Augenblick! Welch eine Tragödie, welch ein Kampf, welch ein – Puppenspiel jedes Leben, von dem des Kindes, das vergeblich nach der glänzenden Mondscheibe verlangt und verwelkt, ehe es das Wort »ich« aussprechen kann, bis zu dem des grübelnden Philosophen, der in dasselbe Wörtchen »ich« das Universum legt und zusammenbricht, ein körper- und geistesschwacher Greis, welcher kaum noch das Gefühl für Wärme und Kälte behalten hat.

Sieh um dich, Johannes: Verkehrt auf dem grauen Esel »Zeit« sitzend, reitet die Menschheit ihrem Ziele zu. Horch, wie lustig die Schellen und Glöckchen am Sattelschmuck klingen, den Kronen, Tiaren, phrygische Mützen – Männer- und Weiberkappen bilden. Welchem Ziel schleicht das graue Tier entgegen? Ist's das wiedergewonnene Paradies, ist's das Schafott? Die Reiterin kennt es nicht; sie – will es nicht kennen! Das Gesicht dem zurückgelegten Wege, der dunkeln Vergangenheit zugewandt, lauscht sie den Glöckchen, mag das Tier über blumige Friedensauen traben oder durch das Blut der Schlachtfelder waten – sie lauscht und träumt! Ja, sie träumt. Ein Traum ist das Leben der Menschheit, ein Traum ist das Leben des Individuums. Wie und wo wird das Erwachen sein?

Auf einem Berliner Friedhofe liegt über der Asche eines volkstümlichen Tonkünstlers, der auch viel erdulden mußte in seinem Leben, ein Stein, auf welchen eine Freundeshand geschrieben hat:

Sein Lied war deutsch und deutsch sein Leid,
Sein Leben Kampf mit Not und Neid,
Das Leid flieht diesen Friedensort,
Der Kampf ist aus – das Lied tönt fort! –

Ich lege die Feder nieder und wiederhole leise diese
Zeilen. Ich kann heute nicht weiterschreiben.

Am 5. Dezember.

Meinem Versprechen gemäß hatte ich der Redaktion der
Welken Blätter – Wimmerianisches Angedenkens –
einige der Federzeichnungen meines Nachbars Strobel
vorgelegt und konnte heute schon ihm seine Aufnahme
unter die Zeichner jenes witzigen Journals ankündigen.
Da ich seine Nase hinter den Scheiben seiner Fenster
einige Male hatte hervorlugen sehen, so machte ich mich
auf den Weg hinüber zu meiner alten Wohnung, in der
ich, seit ich sie verlassen, so viele ein- und ausziehen
gesehen habe.

Die dicke Madame Pimpernell hat es aufgegeben, in
eigener, gewichtiger Person über den Vorräten des Viktualienladens zu thronen, sie hat sich in einen gewaltigen,
ausgepolsterten Lehnstuhl hinter dem Ofen zurückgezo-
gen, von wo aus sie oft genug Dorette – auch Rettchen
genannt –, ihre hagere Tochter und Nachfolgerin im
Reich der Käse, der Butter und der Milch, zur Verzweiflung zu bringen vermag.

Das mittlere Stockwerk des Hauses Nr. elf steht augen-
blicklich leer, indem nach heftigen Kämpfen mit dem
Parterre, treppauf und -ab, die letzten Einwohnerinnen:
die verwitwete Geheime Oberfinanzsekretärin Trampel
und ihre zwei sehr ältlichen und sehr ansäuerlichen
Töchter Heloise und Klara – Öllise und Knarre von der
Madame Pimpernell genannt –, abgezogen sind. Klavier,
Harfe und Gitarre, die drei Marterinstrumente der Sperlingsgasse, nahmen sie glücklicherweise mit, sowie auch
den edlen Kater Eros und den ebenso edlen, schiefbei-

nigen Teckelhund Anteros – Geschenke eines neuen und doch schon antediluvianischen Abälards und Egmonts.

Wie oft bin ich einst diese steilen, engen Treppen hinauf- und hinabgeklettert, jetzt einen Haufen Bücher unter dem Arm, jetzt einen, wie ich glaubte, Furore machen sollenden Leitartikel in der Rocktasche. Wie oft haben Mariens kleine Füße diese schmutzigen Stufen betreten, wenn sie mit Franz zu einem prächtigen Teeabend kam, dem ich immer mit so untadelhafter, hausväterlicher Würde vorzustehen wußte! Wie ich dann ihr helles Lachen, welches die feuchten, schwarzen Wände so fröhlich wiedergaben, erwartete; wie sie so reizend über meine verwilderte Stube spötteln konnte und dann trotz aller meiner vorherigen stundenlangen Bemühungen erst durch fünf Minuten *ihrer* Anwesenheit einen menschlichen Aufenthaltsort daraus machte! Wie ich dann später von der kleinen Quälerin gezwungen wurde, eine unglückliche Flöte hervorzuholen und steinerweichend eine klägliche Nachahmung von »Guter Mond, du gehst so stille« hervorzujammern, bis Franz Einspruch tat oder mir der Atem ausging oder der kleinen Tyrannin die Kraft zu lachen! Es waren selige Abende, und ich nahm das Andenken daran mit hinauf bis zur Tür des Zeichners. Auf mein Anklopfen erschallte drinnen ein unverständliches Gebrumme; ich trat ein.

Manche Junggesellenwirtschaft habe ich kennengelernt und kann viel vertragen in dieser Hinsicht. Den Doktor Wimmer, den Schauspieler Müller, den Musiker Schmidt, den Kandidaten der Theologie Schulze habe ich in ihrer Häuslichkeit gesehen, von meiner eigenen Unordnung nicht zu sprechen, aber eine solche malerische Liederlichkeit war mir doch noch nicht vorgekommen. Eine Phantasie, durch Justinus Kerners kakodämonischen Magnetismus in Verwirrung geraten, könnte – gefroren, versteinert, verkörpert in einem anatomischen Museum ausgestellt – keinen tolleren Anblick gewähren!

Auf einem unaussprechlich lächerlichen Sofa, viel zu kurz für ihn, lag, den Kopf gegen die Tür, die Beine über die Lehne weggestreckt und die Füße gegen die Fensterwand gestemmt, der lange Zeichner, die Zigarre, die große Trostspenderin des neunzehnten Jahrhunderts, im Munde, ein Zeichenbrett auf den Knieen und den Stift in der Hand. Ein dreibeiniger Tisch, der ohne Zweifel einst unter die Quadrupeden gehört hatte, war an diese Lagerstatt gezogen; ein leerer Bierkrug, eine halbgeleerte Zigarrenkiste, Tuschnäpfchen, bekritzelte Papiere und andere heterogene Gegenstände bedeckten ihn im reizendsten Mischmasch. Drei verschieden gestaltete Stühle hatte die »Bude« aufzuweisen; der eine aus der Rokokozeit diente als Bibliothek, der andere, ein grünangestrichener Gartenstuhl, verrichtete die Dienste eines Kleiderschranks und der dritte, von dessen früherem Polster nur noch der zerfetzte Überzug herabhing, war, o horror! – zur – Toilette entwürdigt, und ein Waschnapf, Seife, Kämme und Zahnbürsten machten sich viel breiter auf ihm, als irgend nötig war. In einer Ecke des Zimmers lehnte der Ziegenhainer des wanderlustigen Karikaturenzeichners, und auf ihm hing sein breitrandiger Filz. In einem andern Winkel hing eine umfangreiche Reisetasche, und die Wände entlang war mit Stecknadeln eine tolle Zeichnung neben der andern festgenagelt. Das Ganze ein wahres Pandämonium von Humor und skurrilem Unsinn.

»Ah, mein Nachbar!« rief Meister Strobel, bei meinem Eintritt von seinem Sofa aufspringend, mit der einen Hand das Zeichenbrett fortlehnend, mit der andern den wackelnden Tisch am Fallen hindernd. »Das ist sehr edel von Ihnen, daß Sie meinen Besuch so bald erwidern; seien Sie herzlichst gegrüßt und nehmen Sie Platz!« Mit diesen Worten ließ er die Last des Bibliothekstuhls zur Erde gleiten und zog ihn an den Tisch, von dem er ebenfalls die meisten Gegenstände an beliebige Plätze schleuderte.

»Ich bin gekommen, Ihnen mitzuteilen, Herr Strobel, daß Ihre Blätter großen Anklang bei der Redaktion der ›Welken Blätter‹ gefunden haben und daß dieselbe stolz sein wird, Sie unter ihre Mitarbeiter zu zählen.«

»Sehr verbunden«, sagte der Zeichner, der sich auf mysteriöse Weise eben am Ofen beschäftigte, »bitte, nehmen Sie eine Zigarre und erlauben Sie mir, Ihnen eine Tasse Kaffee anzubieten.«

Er sah und roch in einen sehr verdächtig aussehenden Topf, den er aus der Ofenröhre nahm. – »O weh«, rief er, während ich alle Heiligen des Kalenders anrief, »die Quelle ist versiegt!«

»Bitte, machen Sie keine Umstände, Ihre Zigarren sind ausgezeichnet!«

»Ja«, sagte Strobel, sich nun wieder auf sein Sofa setzend, »das ist der einzige Luxus, den ich nicht entbehren könnte, und ich preise meinen Stern, der mich in einer Zeit geboren werden ließ, wo man die Redensart ›Kein Vergnügen ohne die Damen‹ in die jedenfalls passendere ›Kein Vergnügen ohne eine Zigarre‹ umgeändert hat.«

»Sind Sie ein solcher Weiberfeind?«

»Keineswegs; im Gegenteil, ich beuge mich ganz und gar dem französischen Wort ›Ce que femme veut, Dieu le veut‹ und ziehe – deshalb gerade – die nicht so anspruchsvolle Zigarre vor, die für uns glüht, ohne das gleiche zu verlangen, die interessant ist, ohne interessiert sein zu wollen, und so weiter, und so weiter!«

»Sie sind wirklich ein echtes Kind unserer Zeit, die durch zu viele und zu verschiedenartige Anspannungen im ganzen bei dem einzelnen das Gehenlassen, die Athaumasie, die Apathie zur Gottheit gemacht hat.«

»Puh«, sagte der Zeichner, eine gewaltige Dampfwolke fortblasend, »ich konnt's mir denken, da sind wir schon in einem solchen Gespräche, wie sie alles Zusammenleben jetzt verbittern; übrigens ist unsere Zeit durchaus nicht apathisch, aber der einzelne fängt an, das wahre Prinzip herauszufinden, daß nämlich die Sache durch die

Sache gehen muß. – Nicht jeder erste und taliter qualiter beste soll sich fähig glauben, den Wegweiser spielen zu können, den Arm ausstrecken und schreien: Holla, da lauft, dort geht der rechte Weg, dorthin liegt das Ziel!«

»Und die seitwärts abführenden Holzwege?...«

»Laufen alle der großen Straße wieder zu, nachdem sie an irgendeiner schönen, merkwürdigen, lehrreichen Stelle vorübergeführt haben. Ich, der Fußwanderer, habe nie so viel Erfahrungen für den Geist, so viel Skizzen für meine Mappe heimgebracht, als wenn ich mich verirrt hatte.«

»Sie müssen ein eigentümliches Leben geführt haben und führen!« sagte ich, den sonderbaren Menschen vor mir ansehend. Er strich mit der Hand über das sonnverbrannte, verschrumpfte Gesicht und lächelte.

»Ein Leben, das gern auf Irrwegen geht, ist stets eigentümlich!« sagte er. »Übrigens wird jeder Mensch mit irgendeiner Eigentümlichkeit geboren, die, wenn man sie gewähren läßt – was gewöhnlich nicht geschieht –, sich durch das ganze Leben zu ranken vermag, hier Blüten treibend, dort Stacheln ansetzend, dort – von außen gestochen – Galläpfel. Was mich betrifft, so bin ich von frühester Jugend auf mit der unwiderstehlichsten Neigung behaftet gewesen, mein Leben auf dem Rücken liegend hinzubringen und im Stehen und Gehen die Hände in die Hosentaschen zu stecken. Sie lächeln – aber was ich bin, bin ich dadurch geworden.«

»Ich lächelte nur über die Richtigkeit Ihrer Bemerkung. Wir alle sind Sonntagskinder, in jedem liegt ein Keim der Fähigkeit, das Geistervolk zu belauschen, aber es ist freilich ein zarter Keim, und das Pflänzchen kommt nicht gut fort unter dem Staub der Heerstraße und dem Lärm des Marktes.«

»Holla«, rief der Zeichner, plötzlich aufspringend und nach dem Fenster eilend, »sehen Sie, welch ein Bild!«

In der Dachwohnung über der meinigen drüben hatte sich ein Fenster geöffnet. Die kleine Ballettänzerin, welche dort wohnt, ließ ihr hübsches Kindchen nach den leise herabsinkenden Schneeflocken greifen. Das Kind streckte die Ärmchen aus und jubelte, wenn sich einer der großen weißen Sterne auf seine Händchen legte oder auf sein Näschen. Die arme, ohne die Schminke der Bühne so bleiche Mutter sah so glücklich aus, daß niemand in diesem Augenblick die traurige Geschichte des jungen Weibes geahnt hätte.

»Ich habe auf Ihrem Schreibtische Blätter gesehen mit der Überschrift: *Chronik der Sperlingsgasse*«, sagte Strobel; »das Bild da drüben gehört hinein, wie es in meine Skizzenmappe gehört.«

»In meinen Blättern würde es eine dunkle Seite bilden«, antwortete ich, »und die Chronik hat deren genug. Wie wär's aber, wenn Sie Mitarbeiter dieser Chronik der Sperlingsgasse würden; Sie haben ein gar glückliches Auge!«

»Glauben Sie?« fragte der Karikaturenzeichner, der den Kleiderschrankstuhl an das Fenster gezogen hatte und emsig auf einem Papier kritzelte. »Sie wollen keine dunkeln Blätter; – kennen Sie vielleicht die Geschichte jenes englischen Zerrbildzeichners, der vor dem Spiegel an seinem eigenen Gesichte die Fratzen der menschlichen Leidenschaften studierte?«

»Nein, ich kenne die Geschichte nicht. Was ward mit ihm?«

»Er – schnitt sich den Hals ab«, sagte der Zeichner dumpf, seine vollendete Skizze fortlegend.

Verwundert schaute ich auf. Das Gesicht Strobels hatte einen Ausdruck von Trübsinn angenommen, der mich fast erschreckte. Er sprach nicht weiter, und es trat eine Pause ein, während welcher drüben das Kind lachte und jubelte und die Tänzerin den Spatzen, die sich zwitschernd auf die Dachrinne setzten, Brodkrumen streute. Ich sah, daß der Zeichner allein sein wollte, und ging; der sonderbare Mensch begleitete mich bis zur Treppe. Dort sagte er, mir die Hand drückend und lächelnd:

»Ich will aber doch Mitarbeiter Ihrer Chronik werden, Signore!«
So endete mein erster Besuch bei dem Karikaturenzeichner Ulrich Strobel.

Am 10. Dezember.

Es ist jetzt vollständig Winter geworden; der Schnee liegt zu hoch in den Straßen, als daß man den Schritt der verspäteten Fußgänger, das Rollen der Wagen hören könnte. Es ist tiefe Nacht.

Was ist das für ein bleiches, verfallenes Gesicht, welches da vor mir auftaucht? Ist das Franz – der lebensmutige, lebensglühende Franz Ralff, den ich einst kannte?

Drei Monate waren hingegangen, seit man die tote Marie zu ihrer stillen Ruhestätte hinausgetragen hatte. Ich saß neben meinem Freunde, der, auf die graugrundierte Leinwand vor ihm starrend, plötzlich begann:

»Höre, Johannes, ich muß dir eine Geschichte erzählen. Es wird gut sein, daß du sie kennst; auch könnte wohl der Fall eintreten, daß mein Kind sie erfahren müßte. Letzteres will ich dann dir überlassen, Johannes.

Ich muß weit dazu ausholen, ich muß in unsere früheste Jugendzeit zurückgehen, wo wir glückliche, ahnungslose Kinder waren. O Johannes, laß mich sie zurückrufen, diese seligen Tage! Klingt es dir nicht auch bei jeder Erinnerung daran wie das Läuten jener im Wald verlorenen Kirche? O, mein Jugend-Waldleben! – Wie ich es jetzt vor mir sehe, dieses alte, braune, verfallende Jägerhaus mitten in der grünen, duftenden Einsamkeit! Vorbeiplätschernd der klare Bach, der dann tiefer im Walde den stillen Teich bildet, den die Sage so wundersam umschlungen hat! Wie oft bin ich, das Kinderherz voll geheimnisvollen Bebens, an funkelnden Mondscheinabenden, wenn die Bewohner des Jägerhauses vor der Tür saßen und der alte Burchhard das Waldhorn – du weißt wie schön – blies, dem durch das Dunkel glitzernden Bach nachgeschlichen, dem stillen Wasser zu, das

Treiben der Nixen und Elfen zu belauschen. Wie fuhr ich zusammen, wenn eine Eidechse im Grase raschelte oder ein Nachtvogel schwerfälligen Flugs über den glänzenden Spiegel des Teichs hinflatterte, indem ich dachte, jetzt müsse das wundersame Geheimnis ans Licht treten und sein Wesen und Weben beginnen um die volle Scheibe des Mondes, die in der klaren, stillen Flut widergespiegelt lag. Erst später erfuhr ich, woher der tiefe, geheime Zug in mir nach diesem Waldwasser stamme.

Wie oft bin ich, wenn der Sturm in den Bäumen rauschte, hinaufgestiegen in eine hohe Tanne, um mich, die Arme fest um den rauhen, harzigen Stamm geschlungen, das Herz gepreßt von Angst und unsäglicher Seligkeit – hin und her schleudern zu lassen vom Winde.

Und dann, wenn draußen die heiße Julisonne, die in diese Waldnacht nur vorsichtig neugierig hineinzulugen wagte, auf der Welt lag: welch ein Träumen war das! Welch eine Wonne war's, im Grase zu liegen, während der Rauhbach an meiner Seite rauschte und murmelte und seine Kiesel langsam weiterschob, während die Sonnenlichter an den schlanken Buchenstämmen oder über den Wellchen des Baches spielten und zitterten, die Wasserjungfer über mich hinschoß, ringsumher die Glockenblumen ihre blauen Kelche der Erde zuneigten und der stolze Fingerhut sich trotzend in seiner Pracht erhob, als spreche er jeden verirrten Strahl der Sonne für sein Eigentum an.

Welche Winterabende waren das, wenn ich dem alten, weißbärtigen Mann, den ich Oheim nannte, auf dem Knie saß, mit den Quasten seiner kurzen Jägerpfeife spielte und seinen Geschichten und Sagen lauschte, während die Hunde zu unsern Füßen schliefen und träumten und nur von Zeit zu Zeit aufhorchten, wenn der alte Karo draußen anschlug.

Es war ein glückliches Leben, dieses Leben im Walde, und es ist von großem Einfluß auf meine spätere künstlerische Entwickelung gewesen. Noch gar gut erinnere ich

mich des Tages, an welchem ich mein erstes Kunstwerk
an der Stalltür zustande brachte. Es war ein Porträt
unseres alten Burchhards und seines getreuen Begleiters,
des kleinen Dachshundes, der die Eigentümlichkeit
hatte, gar keinen Namen zu besitzen, sondern nur auf
einen besondern Pfiff seines Herrn hörte.

Der folgende Zeitraum meiner Geschichte, Johannes, ist
dir fast so gut als mir bekannt, und ich könnte schneller
darüber weggehen, wenn es mich nicht überall, wo *ihr*
Bild auftaucht, so gewaltig festhielte.

Wieviel heimliche Tränen – der Oheim liebte das Weinen
nicht – wischte ich mir aus den Augen, als der Tag kam,
an welchem ich meiner grünen Waldesnacht Ade sagen
mußte. Gern hätte ich mich an jeden Baum, an jeden
Strauch, an welchem der Weg aus dem Walde heraus
vorbeiführte, festgeklammert. Wie unermeßlich weit und
groß kam mir die Welt vor! Wie eine Eule, die man aus
ihrer dunklen Höhle in den Sonnenschein gezerrt hat,
schien ich mir anfangs in Ulfelden. Ich war unglücklich,
wie ein Kind von zwölf Jahren es nur sein kann, ehe ich
mich in das ungewohnte Leben hineinfand.

Wie deutlich steht mir der erste Abend in unserer Kind-
heitsstadt noch vor dem Gedächtnis! Der Oheim war
zurückgekehrt in sein einsames Waldhaus, die Frau Rektorin wirtschaftete in der Küche, der alte Rektor saß
oben in seinem kleinen Studierstübchen über dem Tacitus, seinem Lieblingsschriftsteller, wie ich später erfuhr,
und – ich kauerte einsam mit verquollenen, tränenden
Augen auf der grünen Bank vor dem Hause und blickte
in dumpfem Hinbrüten den vorbeischießenden Schwalben nach: als auf einmal ein kleines, etwas schmutziges
Händchen mir einen angebissenen rotbackigen Apfel
hinhielt, ein Lockenköpfchen sich unter meine Nase
drängte und ein feines Stimmchen sagte:
›Nicht weinen... Junge... Mama auch Eierkuchen
backen.‹

Ich hatte damals große Lust, die kleine Trösterin zurückzustoßen, sie ließ sich aber nicht abweisen, und als ich über ihr Mitgefühl stärker zu schluchzen anfing, fing auch sie an zu weinen. Unter diesem Tränenstrom wurden wir von dem alten Rektor überrascht, welcher plötzlich in seinem rotgeblümten Schlafrock – ein Porträt von ihm gibt es dort unter meinen Skizzen – und mit der langen Pfeife im Munde hinter uns stand.

›Nun, kleines Volk‹, sagte er lächelnd, ›das ist ja eine prächtige Freundschaft zwischen euch, die so mit Heulen anfängt! Wer hat denn dem andern etwas zuleide getan?‹

Diese diplomatische Wendung der Sache brachte auf einmal meinen Tränenstrom zum Stehen, und auch die kleine Marie lächelte sogleich wieder durch die hellen Tropfen, die ihr über beide Backen rollten.

›Wird schon gehen, wird schon gehen!‹ brummte der alte Scholarch, fuhr mit der Hand über meine Haare und ging dann zurück ins Haus, um seiner Frau beim Eierkuchenbacken zuzusehen.

Die kleine Marie aber führte mich zu ihrem Garten im Winkel, grub eine keimende Bohne hervor, zeigte sie mir jubelnd und versprach mir ein ähnliches Feld für meine Tätigkeit. Dann zogen wir uns in die Geißblattlaube zurück, wo der Tisch gedeckt war. Da fand ich neben dem Nähzeuge der Frau Rektorin ein Buch auf der Bank – ein Bilderbuch, welches mich den Wald, das Jägerhaus, den Ohm, den alten Burchhard, mein ganzes Heimweh zuerst vergessen ließ. Es war ein zerlesener und zerblätterter Band des welt- und kinderbekannten Bertuchschen Werks. Welch eine neue Welt ging mir da auf! – Und die kleine Marie lehnte neben mir, lachte, erklärte und kitzelte mich mit Strohhalmen; dann kam die Frau Rektorin mit dem Eierkuchen, und der Rektor verließ seinen Tacitus; die Glocken der alten Stadtkirche läuteten den morgenden Sonntag ein – ich hatte mich gefunden! – Erinnerst du dich wohl noch, Hans, dieses Sonntagmorgens, der auf meinen ersten Tag in Ulfelden folgte?

Weißt du wohl noch, wie du mir in der Kirche zunicktest und beim Nachhausegehen unsere Freundschaft ihren Anfang nahm durch eine Handvoll Kletten, welche du mir in die Haare warfest? Weißt du wohl, Johannes, wie ich aus dem blöden Waldjungen zu dem tollsten, verwegensten Schlingel der ganzen Gegend heranwuchs und nur duckte, wenn mich die kleine Marie aus ihren großen Augen so traurig ansah? Es war eine prächtige Zeit, und – das Latein war durchaus keine so böse Krankheit wie das Scharlachfriesel – ich hatte diese Vorstellung aus dem Walde mitgebracht –, sondern höchstens ein leichter Schnupfen, der bald wieder auszuschwitzen war.

Dann kamen die Zeichenstunden bei dem alten Maler Gruner, der mir zuerst die Welt des Schönen deutlicher vor die Augen legte, der in seiner trockenen, kaustischen Weise das Leben, welches er sehr wohl kannte, an mir vorübergleiten ließ, daß ich verlangte und mich hinaussehnte in diese so schön blühende Welt, wo man nur die Hand auszustrecken brauchte, um Glück, Ruhm und Reichtum zu erfassen.

Den Wald hatte ich fast ganz vergessen; ich sehnte mich gar nicht zurück; hinaus wollte ich in die Welt, Maler werden, tausend Träume hatte ich, und in allen schwebte Mariens holdes Bild!

Da wurde ich eines Tages zurückgerufen in das einsame Jägerhaus und fand meinen alten Oheim auf dem Sterbebette. Eine Erkältung, die er sich zugezogen und nicht beachtet, hatte bei seinem vorgerückten Alter eine tödliche Wendung genommen. Alle ärztliche und geistliche Hülfe verschmähend hatte er nur nach mir verlangt. Eine schreckliche Enthüllung erwartete mich am Bette des Mannes, an dessen Seite ich nur den alten Burchhard traf, während die Waldgrete, die bejahrte Magd des Försterhauses, ab- und zuging.

Als ich – jetzt ein neunzehnjähriger Jüngling – an das Lager meines Ohms trat, sah mich dieser, eben aus einem kurzen, unruhigen Schlummer erwachend, starr an.

›Er gleicht ihm immer mehr‹, murmelte er. Als ich mich über ihn beugte, küßte mich der alte, strenge Mann und sagte mit erloschener Stimme:

›Franz, – du siehst, es ist vorbei mit mir: ich brauche den Jagdranzen nicht zu füllen und nicht für Schießzeug zu sorgen für den Gang, den ich jetzt gehen muß. Heule nicht, Junge; weißt, ich hab's nie leiden können. Ist Weibermode! Ich möchte dir aber noch etwas sagen, eh ich abmarschiere vom Anstand; kannst dann daraus machen, was du willst. Setze dich und höre zu! Schau, da hinten‹ – der Alte zeigte durch das offene Fenster, in welches grüne Zweige schlugen und die Abendsonne zitterte, während ein Buchfink davor sang –, ›da hinten hinter dem Walde kommst du in die große Ebene, wo du tagelang gehen kannst, ohne einen Berg zu sehen. Die Leute nennen's ein schönes Land; – mag sein, hab's aber nie leiden können und mag den Wald lieber. Einen Hügel aber gibt's doch da, mitten in dem flachen Lande und den Kornfeldern, mit einem Schloß, Seeburg geheißen, und am Fuße des Hügels ein Dorf desselbigen Namens. Daher stammt unsere Familie, da bin ich geboren, da ist auch Burchhard her.‹

Der Letzterwähnte nickte hier mit dem Kopfe und brummte vor sich hin: ›Beides 'ne gute Art, die Ralffs und Burchhards!‹

›Hast recht, Alter‹, fuhr mein Oheim fort, ›hoffe auch, der da (er wies auf mich) soll nicht aus der Art schlagen, wenn er gleich unrecht Blut in den Adern hat. Höre weiter, Junge: War ein stolz Volk, die Grafen Seeburg, die da seit alter Zeit auf dem Neste saßen. Hab's gelesen in alten Chroniken, wie sie die Leute plagten und die Kaufleute fingen. Trieb's auch die neue Art, die damals in seidenen Strümpfen und Schuhen ging, nicht viel besser, wenn auch anders. Halt's Maul, Burchhard, weiß, was du sagen willst. – Ich war damals ein schmuk-ker Bursch, wußte trefflich mit der Büchse umzugehen, und war Andreas Ralff bekannt als Meisterschütze auf

Kirchweihen und Vogelschießen weit und breit, wie deine Mutter, Franz, meine Schwester, als das schönste Mädchen im Lande. Sagte mir damals der junge Graf, der eben von Reisen zurückkam: ‚Hör, Andreas, tritt in meinen Dienst, will dich gut halten, und soll es dein Schaden nicht sein.‘ Da faßte mich der Satan, daß ich's für mein Glück hielt und einschlug.‹

Der Alte stöhnte hier laut auf und barg den Kopf in den Kissen, während Burchhard aufstand und leise eine Jägerweise aus dem Fenster pfiff. Ich beschwor den Ohm, seine Erzählung abzubrechen und zu verschieben.

›Hab das nie getan‹, sagte der alte, eiserne Mann, ›ist nicht rechte Jägermanier, eine Kreatur angeschossen umherlaufen zu lassen. Reine Büchse, reiner Schuß. Schuf's der böse Feind, daß der Graf die Luise zu sehen kriegte, und – Burchhard, erzähl's dem Jungen weiter...‹

Dieser, der wieder neben dem Bette seines alten Freundes saß, nickte finster und fuhr fort in der unterbrochenen Erzählung, den Blick auf den Boden geheftet.

›Waren wir zusammen aufgewachsen, und hatte ich sie gar lieb, die Luise, mit ihren schwarzen Haaren und schwarzen Augen. Hatte aber nicht den Mut, ihr zu sagen: Herzlieb, wolltest du mich nicht zum Manne nehmen? Wollte dich auch auf'n Händen tragen! Stand ich also immer und guckte ihr nach auf den Kirchwegen und allenthalben, wenn sie durch das Dorf hüpfte, lachend und schäkernd, flink wie ein Reh, lustig wie eine Amsel!...‹

Der Kranke seufzte tief auf, Burchhard legte ihm das Kopfkissen zurecht und schwieg dann, von seiner Erinnerung überwältigt, einige Minuten, während draußen die Vögel gar lustig zwitscherten und die Sonne immer glühender dem Untergange zusank.

Plötzlich fuhr der Erzähler fast barsch auf:

›Was ist da weiter zu berichten! War sie ein jung Blut,

und hatte ihr der Pastor mehr Gutes als Böses von den Menschen erzählt... Wurde Andreas in den Wald geschickt auf Antrieb des Grafen; jubelte er mächtig, denn von je war's sein Wunsch gewesen, ein Jägersmann zu sein, und zog er sogleich fort von Seeburg, das alte verfallene Haus, so man ihm gab, instand zu setzen, daß die Luise nachfolgen könne. War ich damals nicht daheim, sondern im fremden Franzosenland, wo das Volk der Plackerei und Adelswirtschaft müde geworden war und reinen Tisch machte; schlug ich mich herum in der Champagne in dem Regiment Weimar-Kürassiere, bis der Herzog von Braunschweig und die Preußen und alle retirieren mußten durch Dreck und Regen. Kam ich zurück auf Urlaub, stellte mein Pferd ab im Goldenen Hirschen, putzte den Staub von den hohen Stiefeln, rieb den Harnisch so blank als möglich, setzte den Dreimaster verwegen aufs Ohr und faßte mir ein Herz – war ich nicht Wachtmeister in der sechsten Schwadron? –, meinen heimlichen Schatz zu bitten um seine hübsche, weiße Hand. Sahen mich die Leute so sonderbar an, als ich durch das Dorf schritt dem kleinen Häusel zu, wo mein Schatz wohnte, und begegnete mir auch der Kastellan vom Schloß, der mich nicht leiden konnte, und grinste er mich so höhnisch an, daß ich den Pallasch fester faßte und einen welschen Fluch brummte. Ahnte ich aber nichts und schob alles auf die Verwunderung über mein martialisch Ansehen und schritt mit einem Herzen, das halb freudig, halb furchtsam klopfte, der kleinen Türe in dem Zaune zu, der das Ralffsche Haus umgab. Hörte ich aus dem kleinen Stübchen eine Stimme singen, die mir gar fremd und doch gar bekannt vorkam. Sang die Stimme immer nur den Anfang eines alten Liedes:

> ‚Es trägt mein Lieb ein schwarzes Kleid,
> Darunter trägt sie groß Herzenleid
> In ihren jungen Tagen...‘

Nahm ich den Hut ab und trat in die Hausflur. Grüß Gott, Jungfer Lieschen, bin zurück aus Franzosenland – wollte ich sagen, sprach aber kein Wort, sondern fiel mir der Hut zur Erde, und mußte ich mich am Pfosten halten, um nicht selbst zu fallen. Da saß ein bleiches Wesen mit eingefallenen Wangen im Winkel, hatte die Hände im Schoß gefaltet und zitterte, als ob ein heftiger Frost es schüttle.

‚Luise, Luise!' schrie ich auf, in die Kniee vor ihr stürzend, in unmenschlicher Angst.

Die Gestalt erhob sich, kam schwankend auf mich zu und sagte, indem sie mit eiskalter Hand mir über die Stirn strich:

‚Ei, mein schön's Lieb, bist zurück aus fremdem Land? Hab lange auf dich gewartet, mein blankes Herz!'

Schlug mir das Herz, daß mir der Harnisch zu springen drohte, den betastete sie, und über dessen Glanz schien sie sich zu freuen.

Was weiter vorging, weiß ich nicht; noch eine Zeitlang hörte ich den Gesang wie aus weiter Ferne:

> ‚Es trägt mein Lieb ein schwarzes Kleid,
> Darunter trägt sie groß Herzenleid'

– dann vergingen mir die Sinne; – das war meine Heimkehr aus dem Franzosenkrieg. Ich erwachte am Abend in meinem eigenen Häuschen, das ich vermietet hatte, und die alte Frau, die damals drinnen wohnte, saß neben mir. Glaubte ich geträumt zu haben – einen bösen, bösen Traum; besann mich erst allmählich wieder, und fügte es Gott, daß ich weinen konnte. Erzählte mir die gute Frau den Eingang und Ausgang des Leidens, und schaute ich nach meinen Pistolen, den bübischen Grafen hinzuschikken vor Gottes Richterstuhl, erfuhr ich aber, daß er auf und davon sei in ferne Länder; habe es ihn nicht mehr rasten und ruhen lassen, und sei er auf einmal spurlos verschwunden gewesen, ohne über sein Verbleiben etwas zu hinterlassen …‹

›Und hat ihn Gott davor behütet, uns vor die Augen zu kommen‹, fiel mein Oheim mit abgewandtem Gesicht ein.

›Schrieb ich dem Andreas am andern Morgen das Geschehene, denn er wußte noch nichts davon; es war ein feiges Volk, so ihm auf vier Meilen Weges nichts vermeldet hatte.‹

Der Kranke im Bett stöhnte, als ob ihm das Herz zerbreche, während ich schwindelnd und wortlos dasaß...

›Verkauften wir unsere Liegenschaften und brachten wir die Luise und dich, Franz, ihr kleines Kind, hierher in den grünen Wald, allwo uns des Fürsten Durchlaucht einen Unterschlupf gab. Die Luise war immer still vor sich hin und ward immer stiller; sie sang nicht mehr ihre alten Liederverse und saß am liebsten in der Sonne und hielt ihre armen magern Finger gegen das Sonnenlicht. Dann lachte sie wohl und sagte:

,Noch immer – noch immer – wie es rinnt, rinnt!‘

Und eines Morgens – – – Ja, wie war's denn, was ich einmal im Franzosenland von einem den Offizieren vorlesen hörte, als ich Wache vor dem Zelt stand. Ich glaube, Herr Goethe oder so nannten sie ihn, der es las (er zog mit des Herzogs Durchlaucht), und es handelte von einer dänischen Prinzessin, die wahnsinnig wurde, weil ihr Liebster sich wahnsinnig gestellt hatte...‹

›Bleib bei der Stange, Burchhard‹, rief mein Oheim plötzlich, sich aufrichtend, – ›eines Morgens lag sie am Rande des Hungerteiches ertrunken im Wasser!‹

Laut aufschreiend stürzte ich auf die Kniee und verbarg den Kopf in dem Kissen des alten sterbenden Mannes. Dieser saß jetzt auf den Ellenbogen gelehnt aufrecht, unterstützt von der weinenden Waldgrete, seine Augen funkelten; er legte mir die Hand auf den Kopf und sagte leise:

›Er war jünger als Burchhard und ich; er wird leben – – – such ihn!‹

Damit sank er erschöpft zurück, während ich betäubt liegenblieb.

Endlich legte mir der alte Burchhard die Hand auf die Schulter und führte mich hinaus.

›Ich will dir ein Wahrzeichen geben‹, sagte er, als wir unter den grünen Bäumen waren, die auf jene Tragödie ebenso grün und lustig herabgesehen hatten. Wieder einmal folgte ich dem Laufe des Baches durch die freudige Wildnis. Mit welchen Gefühlen?! – Jetzt wußte ich, woher der tiefinnere Zug nach dem stillen Waldteiche in mir kam! Da lag die klare Fläche in der Abendglut vor uns, der leise Wind flüsterte in den Binsen, schlug die gelben Irisglocken aneinander und schaukelte die auf ihren breiten, saftigen Blättern schwimmenden Wasserrosen; das war alles so friedlich, so heimlich, so schön, und doch – welch unnennbares Grauen gewährte mir der Anblick!

›Als ich sie da fand‹, sagte Burchhard, ›hielt sie die eine Hand fest zu, und das Gold eines Ringes schimmerte durch die starren Finger. Komm mit!‹

Der Alte führte mich seitab in den Wald, wo ein Stein, mit einem Kreuz bezeichnet, im Moose lag. Er knieete nieder, hob ihn weg und wühlte eine Zeitlang in der Erde.

›Da!‹ rief er plötzlich und schleuderte den kleinen goldenen Reif, als habe er eine Schlange berührt, ins Gras. Es war auch eine Schlange, die einen wappengeschmückten Rubin mit Kopf und Schweifende umschlang. Du wirst ihn in diesem Kästchen finden, Johannes!

An jenem Abend noch starb mein Oheim, und ich führte seine Leiche, wie du weißt, Johannes, nach Ulfelden. Ich weiß nicht, der Tod des alten Mannes erschien mir als gleichgültig im Vergleich mit dem Schrecklichen, welches mir enthüllt war. – Es war übrigens ein seltsamer Zug; wir hatten den schwarzen Sarg auf einen niedern Wagen, mit Zweigen und Waldblumen geschmückt, gestellt; die Holzhauer mit ihren Äxten, die umwohnenden Köhler mit ihren Schürstangen gaben ihm das Geleit. Dicht hinter dem Sarg schritt der alte Burchhard, die Büchse und das Waldhorn über der Schulter, die Hunde um ihn her. Von Zeit zu Zeit blies er eine lustige schmetternde Jägerweise, die er dann ergreifend und seltsam in einen Choral übergehen ließ. Unter den letzten Bäumen hielt er an, die Holzhauer und Köhler um ihn her; noch einmal blies er einen fröhlichen Jagdgruß, dann drückte er mir schweigend die Hand und sagte dumpf: ›Lebe wohl, Franz Ralff‹, und schritt langsam in den Wald zurück, und immer ferner hörte ich die Töne seines Hornes verklingen. Der Ohm wurde auf dem Ulfeldener Kirchhof, dicht neben seiner Schwester, meiner Mutter, begraben. Den alten Burchhard habe ich nicht wieder gesehen; ich hielt's nun gar nicht mehr aus in der engen Welt um mich her, ich ging nach Italien. Burchhard aber zog nach dem Harz, wo Verwandte von ihm lebten und wo er auch bald gestorben ist.

Das, Johannes, ist *der* Teil meiner Geschichte, den selbst du, mein *Freund*, nicht kanntest. Ich überlasse dir nun, welche Anwendung du davon einst für mein Kind wirst machen können; von *jenem* Mann habe ich nie eine Spur entdecken können. Versunken und vergessen! Das Schloß Seeburg ist jetzt eine Fabrik!«

Da liegt das alte vergilbte Heft vor mir, aus welchem ich diese Bogen der Chronik der Sperlingsgasse abgeschrieben habe. Lange saß ich noch an jenem Tage neben meinem Freunde, er sprach viel von seinem Tode und lächelte oft trübe vor sich hin. Während seiner Erzählung hatte er mit der Reißkohle die Umrisse eines Kopfes auf der Leinwand vor ihm gezogen. »*Das* Bild male ich dir erst noch, Johannes«, sagte er. Ich kannte die milden Züge zu wohl, um sie nicht selbst in diesen leichten Linien zu erkennen.

Und so geschah es! Je heller und sonniger die Farben auf der Leinwand aufblühten, je lieblicher der Lockenkopf

Mariens aus dem Grau auftauchte, desto bleicher wurden die Wangen meines Freundes, und eines Morgens – war er ihr hinabgefolgt und hatte sein kleines Kind und seinen Freund allein zurückgelassen.

Have, pia anima!

Am 24. Dezember.

Weihnachten! – Welch ein prächtiges Wort! – Immer höher türmt sich der Schnee in den Straßen; immer länger werden die Eiszapfen an den Dachtraufen; immer schwerer tauen am Morgen die gefrorenen Fensterscheiben auf! Ach in vielen armen Wohnungen tun sie es gar nicht mehr. – Hinter den meisten Fenstern lugen erwartungsvolle Kindergesichter hervor; da und dort liegt auf der weißen Decke des Pflasters ein verlorner Tannenzweig. Es wird viel Goldschaum verkauft, und bedeckte Platten von Eisenblech, die vorbeigetragen werden, verbreiten einen wundervollen Duft.

»Was ist ein echter Hamburger Seelöwe?« fragte Strobel, der bei mir eintrat und beim Abnehmen des Hutes ein Miniaturschneegestöber hervorbrachte.

»Ein Hamburger Seelöwe?« fragte ich verwundert. »Doch nicht etwa ein Mitglied des Rats der Oberalten?«

»Beinahe!« lachte der Zeichner. »Ein Hamburger Seelöwe ist eine Hasenpfote, auf welche oben ein menschenähnliches Gesicht geleimt ist. Ein solches Individuum versteht an einem Tischrande gar anmutige Bewegungen zu machen. Sehen Sie hier!«

Dabei zog er den Gegenstand unsres Gesprächs hervor, hing ihn an meinen Schreibtisch und brachte ihn durch einen Stoß wie eine Art Pendel in Bewegung.

»Ist das nicht eine wundervolle Erfindung?«

»Prächtig«, sagte ich, »in meiner Jugend brachte man aber denselben Effekt durch den abgenagten Brustknochen eines Gänsebratens, in welchen man eine Gabel steckte, hervor; aber die Kultur muß ja fortschreiten.«

»Ja, die Kultur schreitet fort!« seufzte der Zeichner. »Sogar die einfachen Tannen machen allmählich diesen Pyramiden von bunten Papierschnitzeln Platz. Papier, Papier überall! Aber was ich sagen wollte: wäre es nicht eigentlich die Pflicht zweier Mitarbeiter der ›Welken Blätter‹, jetzt auf die Weihnachtswandrung zu gehen?«

»Auch ich wollte Sie eben dazu auffordern«, sagte ich.

»Vorwärts!« rief Strobel und stülpte seinen Filz wieder auf, während ich meinen Mantel und roten, baumwollenen Regenschirm hervorsuchte.

Wir gingen. Den Hamburger Seelöwen ließen wir ruhig am Tisch fortbaumeln, nachdem ihm Strobel noch einen letzten Stoß gegeben hatte. Zur Weihnachtszeit habe ich gern ein solches Spielzeug in der Nähe, erfreute sich doch auch der alt und grau gewordene Jean Paul zu solcher Zeit gern an dem Farbenduft einer hölzernen Kindertrompete.

Welch ein Gang war das, den ich mit dem tollen Karikaturenzeichner in der Dämmerung des Abends machte! In wieviel Keller- und andere Fenster mußte der Mensch gucken; in wieviel kleine frostgerötete Hände, die sich an den Ecken und aus den Torwegen uns entgegenstreckten, ließ er seine Viergroschenstücke gleiten! Welch ein Gang war das! Die Geister, die den alten Scrooge des Meister Boz über die Weihnachtswelt führten, hätten mich nicht besser leiten können als Herr Ulrich Strobel. Jetzt betrachteten wir die phantastische Ausstellung eines Ladens, jetzt die staunenden, verlangenden Gesichter davor; jetzt entdeckte Strobel eine neue Idee in der Anfertigung eines Spielzeugs, jetzt ich; es war wundervoll!

An der Ecke des Weihnachtsmarktes blieben wir stehen, in das fröhliche Getümmel, welches sich dort umhertrieb, hineinblickend. Im ununterbrochenen Zuge strömte das Volk an uns vorbei: Väter, auf jedem Arme und an jedem Rockschoß ein Kind, Handwerksgesellen mit dem Schatz, den sie aus der Küche der »Gnädigen«

weggestohlen hatten, ehrliche, unbeschreiblich gutmütig und dumm lächelnde Infanteristen, feine, schmucke Garde-Schützen, schwere Dragoner und »klobige« Artillerie. – Hier und da wanden sich junge Mädchen zierlich durch das Getümmel; jedes Alter, jeder Stand war vertreten, ja sogar die vornehmste Welt überschritt einmal ihre närrischen Grenzen und zeigte ihren Kindern die – Freude des Volks.

Der Zeichner war auf einmal sehr ernst geworden. »Sehen Sie«, sagte er, »da strömt die Quelle, aus welcher die Kinderwelt ihr erstes Christentum schöpft! Nicht dadurch, daß man ihnen von Gott und so weiter Unverständliches vorräsoniert, sie Bibel- oder Gesangbuchverse auswendig lernen läßt, nicht dadurch, daß man sie – womöglich in den Windeln – in die Kirchen schleppt, legt man den Keim der wunderbaren Religion in ihre Herzen. An das Gewühl vor den Buden, an den grünen funkelnden Tannenbaum knüpft das junge Gemüt seine ersten, wahren – und was mehr sagen will, wahrhaft kindlichen Begriffe davon!«

Ich wollte eben darauf etwas erwidern, als plötzlich eine Gestalt, in einen dunkeln Mantel gehüllt, ein Kind auf dem Arme tragend, an uns vorbeischlüpfen wollte. Ein Strahl der nächsten Gaslaterne fiel auf ihr Gesicht, es war die kleine Tänzerin aus der Sperlingsgasse. Ich freute mich über die Begegnung und rief sie an:

»Das ist prächtig, Fräulein Rosalie, daß wir Sie treffen. Vielleicht werden Sie uns erlauben, daß wir Sie begleiten; denn um die Mysterien eines Weihnachtsmarktes zu durchdringen, ist es jedenfalls nötig, ein Kind bei sich zu haben.«

Die Tänzerin knickste und sagte: »O, Sie sind zu gütig, meine Herren; Alfred hat mir den ganzen Tag keine Ruhe gelassen, und da kein Theater ist, so mußte ich ihm doch die Herrlichkeit zeigen.«

»Ja, Mann«, – sagte Alfred, unter einer dicken Pudelmütze gar verwegen hervorschauend – »mitgehen!«

Ich stellte der Tänzerin den Nachbar Zeichner vor, und das vierblättrige Kleeblatt war bald in der Stimmung, die ein Weihnachtsmarkt erfordert. Was für ein Talent, Kinder vor Entzücken außer sich zu bringen, entwickelte jetzt der Karikaturenzeichner! Er hatte der Mutter den dicken Bengel sogleich abgenommen, ließ ihn nun gar nicht aus dem Aufkreischen herauskommen und schleppte ihn hoch auf der Schulter durch das Gewühl voran. »O ich bin Ihnen so dankbar, so dankbar, Herr Wachholder«, flüsterte die kleine Tänzerin, zu deren Beschützer ich mich sehr gravitätisch aufwarf.

»Liebes Kind«, sagte ich, »ein Paar solcher Junggesellen wie ich und mein Freund würden solche Abende wie dieser sehr übel zubringen, wenn nicht dann ausdrücklich eine Vorsehung über sie wachte. Sie sollen einmal sehen, wie prächtig wir heute abend noch Weihnachten feiern werden, – hören Sie nur, wie Alfred jubelt; sehen Sie, wie stolz und glücklich er unter der Pickelhaube vorguckt, die ihm eben der Herr Strobel übergestülpt hat!«

Der Karikaturenzeichner hätte sich in diesem Augenblick sehr gut selbst abkonterfeien können – er tat es auch, aber später. Wundervoll sah er aus. Im Knopfloche baumelte ein gewaltiger Hampelmann, in der rechten Hand hatte er eine große Knarre, die er energisch schwenkte, während auf seinem linken Arm Alfred mit aller Macht auf eine Trommel paukte.

»Kleine Dame«, sagte der Zeichner jetzt zu unserer Begleiterin, »stecken Sie mir doch einmal jene Düte in die Rocktasche, ich komme nicht dazu! Heda, alter Wachholder«, schrie er dann mich an, »gleiche ich nicht aufs Haar einer Kammerverhandlung? Rechts Geknarre, links Getrommel, und für das Fassen und Einsacken der begehrten Süßigkeiten weder Kraft noch Platz!«

»Mama, *der* Onkel aber mal rechter Onkel!« rief der Kleine entzückt von seiner Höhe herab, als Rosalie der Anforderung Strobels nachkam und ich ebenfalls die Taschen mit allerlei füllte.

So ging es weiter, bis uns endlich die Kälte zu heftig wurde. Der Zeichner löste sich auf – wie er's nannte – und überlieferte mir die spielzeugbehangene Linke, behielt jedoch die Knarre in der Rechten, und nun ging's durch die menschen- und lichtererfüllten Straßen nach Hause. Wie glänzte heute abend die alte, dunkle Sperlingsgasse! Von den Kellern bis zum sechsten Stock, bis in die kleinste Dachstube war die Weihnachtszeit eingekehrt; freilich nicht allenthalben auf gleich »fröhliche, selige, gnadenbringende« Weise. Welch einen Abend feierten wir nun! Wir ließen unsere kleine Begleiterin natürlich nicht zu ihrem kaltgewordenen Stübchen hinaufsteigen. War ich nicht schon auf der Universität meines famosen Punschmachens wegen berühmt gewesen? (Eine Kunst, die mir mein Vater mit auf den Lebensweg gegeben hatte.) Der Karikaturenzeichner holte einen Tannenzweig, den er auf der Straße gefunden hatte, hervor und hielt ihn ins Licht.

»Das ist der wahre Weihnachtsduft«, sagte er, »und in Ermangelung eines Bessern muß man sich zu helfen wissen.«

Horch! was trappelt auf einmal da draußen auf der Treppe? Ein leises Kichern erschallt auf dem Vorsaal und scheint noch eine Treppe höher steigen zu wollen. »Zu mir?« sagt Rosalie und springt verwundert nach der Tür.

»Ach, *da* ist sie?!« schallt es draußen, und auch ich stecke meinen Kopf heraus.

»Guten Abend, alter Herr! Guten Abend, Rosalie! Guten Abend, Röschen!« erschallt ein Chor heller, lustiger Stimmen.

»Wo ist Alfred, wir bringen ihm einen Weihnachtsbaum!«

»Hurra, das ist's, was wir eben brauchen!« schreit der Zeichner, seine Knarre schwingend. »Schönen guten Abend, meine Damen, und fröhliche Weihnachten!«

Aus dunkeln Mänteln und Schals und Pelzkragen ent-

wickelt sich jetzt ein halbes Dutzend kleiner Theater-
feen, die alle jubelnd und lachend meine Stube füllen und
– auf einmal alle ein verschiedenes Musikinstrument
hervorholen, welches sie auf dem Weihnachtsmarkt
erstanden haben. Ein Heidenlärm bricht los; das knarrt
und quickt und plärrt und klappert, daß die Wände
widerhallen und Rosalie, welche beschwörend von einer
der kleinen Ratten zur andern läuft, zuletzt die Ohren
zuhaltend in dem fernsten Winkel sich verkriecht.
Endlich legt sich der Skandal mit dem ausgehenden Atem
und der ausgehenden Kraft des Karikaturenzeichners,
der vor Wonne über das Pandämonium kaum noch seine
Knarre schwingen kann.
Welch ein Punsch war das! Welche Gesundheiten wurden ausgebracht! Welche Geschichten wurden erzählt!
Vom Souffleur Flüstervogel bis zum Ballettmeister Spol-
pato, ja bis zu Seiner Exzellenz dem Herrn Intendanten
hinauf.
Heute abend malte Strobel keine Karikaturen, aber *sich*
selbst machte er oft genug zu einer. Beim Versuch, sich
auf einer mit dem Halse auf der Erde stehenden Flasche
sitzend zu drehen, beim Zuckerreiben, beim Versuch,
den glimmenden Docht eines ausgeputzten Wachslichtes
wieder anzublasen, und bei anderen Kunststücken.
Alfred, der durch Unterlegung von Pufendorfs und
Bayles schweinslederner Gelehrsamkeit und durch Auf-
türmung verschiedener dickbändiger Erziehungstheorien
dazu gebracht war, neben seiner kleinen Mutter sitzend,
über den Tisch blicken zu können, jubelte mit, bis ihm
die Augen zufielen und er auf meinem Sofa ein- und
weiterschlief bis elf Uhr, wo das Fest endete, die kleinen
Gäste wieder in ihre Mäntel krochen, mich für einen
»gottvollen alten Herrn« erklärten, Röschen küßten und
nach einem vielstimmigen »gute Nacht« die Treppe hin-
abtrippelten. Darauf trug Strobel den schlafenden Alfred
eine Treppe höher (wozu ich leuchtete) und – auch dieser
Weihnachtsabend der Sperlingsgasse war vorbei.

Neujahrstag! – Ich habe einen Brief bekommen aus dem fernen Italien, ein köstliches Neujahrsgeschenk. Er spricht von der alten dunkeln Sperlingsgasse und Glück und Wiedersehen, und eine Frauenhand hat diese feinen, zierlichen Buchstaben gekritzelt. Den Namen der Schreiberin nenne ich aber noch nicht, sondern fahre in meinem Gedenkbuch fort, wozu ich diesmal eine neue Mappe hervorsuchen muß. –

So war ich denn allein mit der kleinen Elise, die unbewußt ihres Waisentums und des unbehülflichen Pflegevaters auf Marthas Schoß tanzte, als ich auch von *dem* Begräbnisse zurückkehrte in diese vor kurzem noch so fröhliche, jetzt so öde Wohnung in Nr. sieben der Sperlingsgasse. Da stand – es steht noch da – auf dem Fenstertritt Mariens kleines Nähtischchen mit unvollendeten Arbeiten, Zwirnknäulchen, Nadeln und Bändern, wie sie es an *jenem* Abend, über Kopfweh klagend, verlassen hatte, um nicht wieder davor zu sitzen, nicht wieder durch die Rosen- und Resedastöcke und das Efeugitter in die dunkle Gasse hinauszusehen. Da waren noch allenthalben die Spuren ihrer zierlichen Geschäftigkeit. Franz hatte die letzten drei Monate wie ein Argus über ihre Erhaltung gewacht. – Dort auf jenem Stuhl hing ihr Hütchen, dort das Handkörbchen, welches sie bei ihren Einkäufen mit sich führte.

Im zweiten Fenster stand Franzens Staffelei: das vollendete Bild Mariens – lächelnd, wie sie nur lächeln konnte – darauf lehnend. Seine farbenbedeckte Palette hing daneben, seine Skizzenmappen und Rollen lehnten und lagen allenthalben. Hinter der Tür hing sein zerdrückter Biber, den wir so oft auf unsern Spaziergängen mit Blumen und Laubgewinden umkränzten und der Marien, seines jämmerlichen, manchen-sturm-durchlebten Aussehens wegen, ein solcher Dorn im Auge war.

Kein Fleckchen, kein Gerät ohne seine traurig süße

Erinnerung. Zerbrochenes Kinderspielzeug auf dem Boden... und ich allein mit dem Kinde in dieser kleinen Welt eines verlornen Glücks – Erbe von so viel Schmerz und Tränen und Verlassenheit!

Aber jetzt galt es zu handeln, nicht zu träumen. Ich mußte mich aufraffen. Ich nahm der Wärterin das kleine Lieschen aus den Armen, küßte es und versprach mir leise dabei, dem Kinde meiner Freunde ein treuer Helfer zu sein im Glück und Unglück, bei Nacht und bei Tage, und ich glaube den Schwur gehalten zu haben. Das Kind sah mich mit seinen großen blauen – denen der Mutter so ähnlichen – Augen lächelnd an, griff mit beiden Händchen mir in die Haare und begann lustig zu zausen, wobei die alte Martha mit gefalteten Händen zusah. Martha war schon Mariens Wärterin im Rektorhause zu Ulfelden gewesen, war mit ihr zur Stadt gekommen und hatte sie nicht verlassen bis an ihren Tod.

Da meine Wohnung drüben in Nr. elf zu beschränkt war, um die ganze kleine Welt dahin überzusiedeln, so hielt ich zuerst mit der Martha einen Rat, dessen Resultat war, daß ich meine Bücher, Herbarien, Pfeifen und unleserlichen Manuskripte nach Nr. sieben herüberholte, worauf Martha alles aufs beste einrichtete. Indem ich alle Liebe für die Eltern nun in dem Kinde konzentrierte, hoffte ich, auf den Trümmern des zusammengestürzten Glücks ein neues hervorblühen sehen zu können. Drüben blieb die Wohnung nicht lange leer; mein dicker Freund, der Doktor Wimmer, zog ein und spielte eine geraume Zeit den Haupthelden und Faxenmacher der Sperlingsgasse.

Am 5. Januar.

Elise! – So oft ich diesen Namen niederschreibe, klingt es wieder in der immer dunkler herabsinkenden Nacht meines Alters wie ein Kindermärchen, wie Lerchenjubel und Nachtigallenklage, umgaukelt es mich so duftig, so leicht, so elfenhaft... Elise, Elise, komm zurück! Sieh, ich bin alt und einsam! Weißt du nicht, daß ich dich auf den Armen schaukelte, daß ich über dir wachte in langen Nächten, wie nur eine Mutter über ihrem Kinde wachen kann? – Und aus weiter Ferne glaube ich oft eine zärtliche, wie Musik tönende Stimme zu vernehmen: Ich komme! ich komme! Geduld, nur noch eine kurze Zeit!

Und ich warte und hoffe und fülle diese Blätter mit den Namen meines Kindes Elise.

So tauche denn auf aus dem Dunkel, du Idyll, bringe mit dir deine Märchenwelt, dein Lächeln durch Tränen! Komm, mein kleines Herz, – aus den schweinsledernen Folianten lassen sich so hübsche Puppenstuben bauen; schau einmal her, was für ein prächtiges Bett gibt mein Papierkorb ab für die Jungfern Anna, Laura, Josephine und wie die kleiegefüllten Donnen sonst heißen! Einen niedlichen, goldgelben Kanarienvogel schenke ich dir, wenn du nicht weinen willst und hübsch herzhaft den Löffel voll brauner Medizin herunterschluckst! – Weine nicht, Liebchen, sieh, wie der Efeu aus deiner Mutter Heimatswalde Blättchen an Blättchen ansetzt und immer höher an der Fensterwand sich emporrankt. Schau, wie der Sonnenschein hindurchzittert und auf dem Fußboden tanzt und flimmert; es ist wie im grünen Wald – Sonnenschein und blauer Himmel! Du mußt aber auch lächeln!

Und wie der Efeu höher und höher emporsteigt, so wächst auch du, mein kleines Lieb; schon umgeben ebenso feine lichtbraune Locken, wie die auf jenem Bilde, dein Köpfchen. Wer hat dich gelehrt, dieses Köpfchen so hinüberhängen zu lassen nach der linken Seite, wie *sie* es tat?

Schüttle die Locken nicht so und gucke mich nicht so schelmisch an aus deinen großen, glänzenden Augen! Soll das ein R sein, dieses Ungetüm? O, welch ein Klecks, Schriftstellerin! Welche Dintenverschwendung von den Händen bis auf die Nasenspitze! Wie wird die alte Martha waschen müssen! Du sagst, du habest nun genug Buchstaben gemalt, du müssest jetzt hinunter in die Gasse; du meinst, sogar die Fliegen hielten es nicht mehr aus in der Stube, du sähest wohl, wie sie mit den Köpfen gegen die Scheiben stießen?!

Nun so lauf und fall nicht, Wildfang; ich sehe ein, wir müssen dich doch wohl zu dem Herrn Roder in die Schule schicken, damit du das Stillsitzen lernst.

Was ist das auf einmal für ein helles Stimmchen, welches drüben aus dem Fenster meiner alten Wohnung in Nr. elf ruft:

»Onkel Wachholder, Onkel Wachholder! Ausgehen, ausgehen!«

Quält die kleine Hexe nicht schon wieder den Doktor der Philosophie Heinrich Wimmer, der da drüben seine guten Leitartikel und schlechten Romane schreibt? Wirklich, es ist so. Eine Baßstimme brummt herüber:

»Wachholder, 's ist 'ne absolute Unmöglichkeit, bei dem Heidenlärm, den Euer Mädchen hier mit dem Buchdruckerjungen und dem Rezensenten – (Rezensent heißt der Hund des Doktors, ein ehrbarer schwarzer Pudel) – treibt, weiterzuschreiben. Ich bin mitten in einer der sentimentalsten Phrasen abgeschnappt – die kleine Range ist aus Rand und Band, und dabei grinst der Lümmel Fritze im Winkel und will Manuskript für die morgende Nummer.«

»Schicken Sie doch das Mädchen fort, Doktor, und riegeln Sie Ihren Musentempel hinter ihr zu!« lache ich hinüber.

»Dummes Zeug«, brummt der Doktor, der eine echte zeitungsschreibende Bummelnatur ist und dem die Störung durchaus nicht mißfällt. »Dummes Zeug; ich schreibe ›Fortsetzung folgt‹, und wir führen die Dirne in Schreiers Hunde- und Affenkomödie; der Rezensent hat's auch nötig, daß seine ästhetische Bildung aufgefrischt werde, wie ein Pack verflucht sonderbar riechender Zeitungsnummern in der Ecke zur Genüge beweist. Machen Sie sich fertig, Verehrtester!«

Damit verschwindet der Doktor vom Fenster; ich höre drüben auf der Treppe ein Getrappel kleiner Füßchen, und Liese erscheint, begleitet vom Rezensenten, in der Haustür. Mit einem Satz ist sie über die Gasse, ebenso schnell bei mir und im Handumdrehen fertig, wenn's sein müßte, eine Reise um die Welt anzutreten.

Einige Minuten später stürzt Fritze, der Druckerjunge, aus der Tür von Nummer elf mit einem Blatt Papier, welches noch sehr naß zu sein scheint, denn er trägt es gar vorsichtig und hält es mit beiden Händen weit von sich ab. Jetzt erscheint der Doktor ebenfalls in der Gasse, den östreichischen Landsturm pfeifend, die Zigarre im Munde und mit dem Hakenstock sehr burschikose Fechterübungen gegen einen eingebildeten Gegner machend. Er brüllt herauf:

»Wetter, edler Philosoph, lassen Sie die deutsche Presse nicht zu unvernünftig lange warten.«

Halb gezogen von Lieschen, halb umgeworfen vom Rezensenten, der, wie es scheint, seiner höheren Bildungsschule sehr ungeduldig entgegengeht, stolpere ich die Treppe hinunter über Eimer und Besen, über Kinder und Körbe. Aus allen Türen blicken alte und junge, männliche und weibliche Köpfe, die alle der kleinen Liese Ralff freundlich zunicken. Und wirklich, sie ist auch – wie einst ihre Mutter, nur jetzt noch auf andere Weise – das bewegende Prinzip der ganzen Hausgenossenschaft. Auf der Gasse taucht der Klempner Marquart aus seiner Höhle auf und erhält von der Liese Gruß und Handschlag, nicht aber vom Rezensenten, der den Feuerarbeiter haßt und, wie es so oft in der Welt geschieht, das Werkzeug für die Ursache nimmt. Hat nicht Marquart auf hohe polizeiliche Anordnung ihm, dem ehrbaren, soliden Rezensenten, dem Muster aller Pudel, den Maulkorb mit der Steuermarke um die beschnurrbartete Schnauze geschlossen? Wer verdenkt es dem braven Köter, wenn er wehmütigwütig vor dem Keller den husarenfederbuschartig zugeschnittenen

Schwanz zwischen die Beine zieht und seitwärts schielend vorbeischleicht, »sich in die Büsche schlägt«, wie Seume und mein Freund Wimmer sagen? Und nun durch die Gassen! Himmel, was sollen wir der Kleinen nicht alles versprochen haben! Da eine »reizende« Gliederpuppe mit Wachsgesicht, an jenem Laden wieder ein »wonniges« kleines Puppenservice von gemaltem Porzellan und so fort, daß der Doktor ganz wehmütig den Hut auf die Seite schiebt und sich hinter dem Ohr kratzt.

»Ja, kucke nur, Onkel Wimmer, hast du nicht gesagt, du wolltest mir solch ein hübsches Kaffeegeschirr kaufen, wenn ich nicht wieder aus deinen alten, schmutzigen Schreibbüchern dem Rezensenten einen Federhut machen wolle?«

»Denken Sie, Wachholder« – sagt der Doktor zu mir –, »da hatte die Herostratin vorgestern einen ganzen Bogen Manuskript, das ganze zwanzigste Kapitel der Flodoardine zu dem eben von ihr erwähnten Zwecke vermißbraucht! Denken Sie sich meine Verblüfftheit, als der Köter so geschmückt aus seinem Winkel mir entgegenstolziert, auf den Stuhl mir gegenüber springt und einen verachtenden Blick über den Schreibtisch und die noch übrigen Bogen wirft, als wolle er sagen: ›Pah, aus dem andern Schund machen wir eine ganz famose Jacke!‹«

»Kriege ich mein Geschirr?« ruft der kleine Verzug zwischen uns ungeduldig.

»Ja«, sagte der Doktor gravitätisch; »mit der zweiten Auflage der Flodoardine!«

»Ach«, mault die Kleine, wehmütig über diese dunkle, ihr unverständliche Vertröstung, »ich sehe schon, du hast wieder mal kein Geld!«

Lachend marschierte ich weiter, während der Doktor ebenfalls etwas Unverständliches in den Bart brummte.

Und jetzt sind wir am Eingange der buntgeschmückten Bude angekommen und einen Augenblick darauf auch drinnen. Affen und Äffinnen, Hunde und Hündinnen machten ihre Kunststücke, und die Bretter bedeuteten auch hier eine Welt, und Affe und Äffin, Hund und Hündin betrugen sich wie Menschen. Die kleine Elise jauchzte, und Rezensent starrte verwundert seinen Stammesgenossen auf der Bühne zu. Er schien ganz perplex, und von Zeit zu Zeit stieß er einen heulenden Laut aus, den der Doktor verdolmetschte:

»Berichterstatter war außer sich vor Entzücken.«

Bellte der gelehrte Pudel kurz und schroff, so meinte der Doktor, das bedeute:

»Berichterstatter war außer sich über die Insolenz eines so unreifen Künstlers, vor einem so kritisch gebildeten Publikum, wie das unserer Residenz, zu erscheinen.«

Wedelte das rezensierende Vieh mit seinem Husarenbusch, so hieß das:

»Diese junge Künstlerin verdient alle Ermunterung. Bei fortgesetztem fleißigem Studium verspricht sie etwas Großes zu leisten.«

Gähnte der Köter, so sagte der Doktor:

»Berichterstatter rät dem Verfasser dieses geistvollen Stücks, sein elendes Machwerk nicht für dramatische Poesie auszugeben. Mit einer Tragödie hat es nichts gemein als fünf Akte!«

Als am Schluß der Vorstellung das große und kleine Publikum sich erhob und Beifall klatschte, der Pudel aber, wie von einer großen Verpflichtung befreit, unter die Bank sprang, erklärte der Doktor, das bedeute:

»Gottlob, daß die Geschichte vorbei ist. Jetzt kann man sich doch mit Gemütsruhe eine Zigarre anzünden und zu Butter und Wagener am Gänsemarkt gehen.«

Und das tat der Doktor auch. Vorher aber hob er die kleine Elise noch zu sich empor und gab ihr – wie sehr sie sich auch sträubte – einen tüchtigen Schmatz.

»Also bei der zweiten Auflage der Flodoardine schaffen wir uns ein neues Teeservice an«, sagte er lachend.

Rezensent schien erst im Zweifel mit sich zu liegen,

welcher von beiden Parteien er folgen solle. Zuletzt gewann aber der Gedanke an Wurstschelle und so weiter die Oberhand. Er trabte dem Doktor nach.

Wir aber gehen nicht zu Butter und Wagener am Gänsemarkt. Wir kaufen noch Obst von der alten Hökerfrau an der Ecke und kehren glücklich – das kleine Herz voll vom Affen Kätz mit der Laterne und dem Spitz Hudiwudri, der lustigen Madame Pompadour und all den andern Wundern – zurück in unsere Sperlingsgasse und schlafen, müde vom Gehen, Lachen und Jubeln, schon beim Auskleiden ein.

Dann steigt der volle, reine Mond über den Dächern auf. Der Abendwind weht frischere Lüfte über die große Stadt. Der Lärm des Tages ist vorbei; manche bedrückte Brust atmet leichter in der dämmerigen Kühle. Mancher sehnige Mannsarm, der den Tag über den Hammer, das Beil, die Feile regierte, legt sich sanft um ein befreundetes Wesen, das ihm neuen Mut im harten Kampf gegen die Materie gibt; manche harte Hände heben kleine, schlaftrunkene Kindchen aus den ärmlichen Bettchen, um an den kleinen Lippen Hoffnung und Mut zum neuen Schaffen zu saugen! Und auch ich beuge mich dann über meine schlafende Pflegetochter, den leisen, ruhigen Atemzügen der kleinen Brust lauschend, während die alte Martha am Fußende des Bettes strickt.

Das Lockenköpfchen des Kindes liegt auf dem rechten Ärmchen, das Gesichtchen ist in dem Kopfkissen vergraben; ich kann die lieblichen, reinen Züge nicht sehen.

— — — — — — — — — — — — — — — — — —

Da sieh! Plötzlich wendet sich das Kind um und dreht mir voll das Gesicht zu – es murmelt etwas. »Mama!« flüstert es leise, und ein heiliges, glückseliges Lächeln gleitet über das Gesichtchen.

Wer raunt der Waise das süße Wort zu? – Die alte Martha hat die Hände gefaltet und betet leise. – »Mama, liebe, liebe Mama!« flüstert das Kind wieder, das Ärmchen ausstreckend.

Ist es ein Traum, oder kommt die erdentote Mutter zurück, über ihrem Kinde zu schweben?

Dann fällt wohl ein Mondstrahl glänzend durch das Efeugitter auf das Bild Mariens, der Kanarienvogel zwitschert auch wie im Traume auf, eine Wolke legt sich vor den Mond, der Strahl verschwindet – das Kind versenkt, sich umdrehend, das Köpfchen wieder in die Kissen.

»Gute Nacht, Elise! Felicissima notte, sagen sie in dem schönen Italien, wo du heute weilst, eine glückliche, liebende Frau: Felicissima notte, Elise!«

Am 10. Januar.

Seit ich jene Mappe, überschrieben »Ein Kinderleben«, hervorgenommen habe, ist in meinem bisherigen Fenster- und Gassenstudium eine Pause eingetreten. Es soll draußen sehr kalter Winter sein; Strobel behauptet es, auch Rosalie ist nicht dagegen. Ich kann nicht sagen, daß ich viel davon wüßte. In diesen vergilbten Blättern hier vor mir ist es sonniger Frühling und blühender Sommer. Es macht mir Freude, mich darin zu verlieren, und ich erzähle deshalb weiter.

Da ist so ein altes Blatt:

Wir sind sehr ungnädig. Ein alter, dicker, lächelnder Herr ist dagewesen, hat uns den Puls gefühlt, noch mehr gelächelt, einigemal mit seinem spiegelblanken Stockknopf seine Nasenspitze berührt, hat Dinte und Papier gefordert und kurze Zeit auf einem länglichen Papierstreifchen gekritzelt. Martha hat diesen Zettel darauf fortgetragen, der Alte hat uns auf das Köpfchen geklopft und gesagt: »Schwitzen, schwitzen!«

»Brr!« – –

Mühe genug hat's dem Onkel Wachholder gekostet, einen solchen kleinen, strampelnden Wildfang zur Räson und ins Bett zu bringen. 's ist auch zuviel verlangt, die Arme so ruhig unter die Decken zu halten und nur den Kopf frei zu haben. – Himmel, was bringt Martha da für einen kleinen, braunen Kerl an! Er gleicht fast dem Sem,

dem Ham oder dem Japhet aus dem Noahkasten, trägt
ein rotes Mützchen über das Gesicht gezogen und mit
einem Faden umbunden und schleppt hinter sich her
einen langen papiernen Zopf. Was ist's für ein Glück,
daß wir noch nicht imstande sind, die Inschrift darauf zu
lesen:

Fräulein Elise Ralff.

Alle 2 St. einen Eßlöffel voll.

Wir sehen den Burschen aber doch mißtrauisch genug
aus unserm Bettchen an, und der Onkel Wimmer, der
zur Hülfe herübergekommen ist (natürlich begleitet vom
Rezensenten), meint gegen mich gewandt:
»Geben Sie acht, Wachholder, ohne Spektakel wird's
nicht abgehen. Das Volk hat sich erkältet oder erhitzt;
einerlei! Schwitzen, schwitzen! Schweiß und Blut! Probatum est.«
Martha kommt nun mit einem Löffel, einem Glas Wasser
und einem Stück Zucker, während die Kleine in ihrem
Bette immer unruhiger wird und Rezensent immer
gespannter auf die Entwicklung der Dinge zu warten
scheint.
»Ich mag nicht einnehmen!« wehklagt jetzt Liese, als ich
dem Meister Sem die rote Mütze abziehe, – »es schmeckt
so scheußlich!«
»Aha«, lacht der Doktor Wimmer – »die oktroyierte
Verfassung!«
Während ich mich mit dem Löffel voll Medizin der
Kleinen, die sich immer weiter zurückzieht, nähere,
suche ich vergeblich alle möglichen Gründe für das
schnelle Herunterschlucken hervor.
»Gib's dem Rezensenten, er war auch gestern mit im
Regen!« ruft Lieschen endlich weinerlich.
»Ja, das ist auch wahr; kommen Sie, Onkel Wachholder!
Der Redaktionspudel soll's wenigstens kosten, damit die
Liese sieht, daß es den Hals nicht gilt.«
Und der Doktor nimmt, den Rücken der Kleinen zukeh-
rend, den Köter zwischen die Kniee, tut, als ob er ihm

einen Löffel voll Mixtur eingösse, und liebkost den Pudel dabei, daß dieser freudig aufspringt und lustig bellt.

»Siehst du, Jungfer, wie prächtig es ihm geschmeckt hat! Allons, kleine Donna! Frisch herunter! – – – Eins, zwei, drei und . . .«

Herunter war's. Schnell das Glas Wasser und das Stück Zucker dahinterher!

»Du häßlicher Hund!« sagt die Kleine ärgerlich, den Mund in dem Deckbett abwischend, während die alte Martha sie fester wieder zudeckt.

Der Doktor geht nun zurück zu seinen Korrekturbogen, aber der Hund begleitet ihn diesmal nicht, sondern springt auf den Stuhl neben dem Bettchen seiner grollenden Gespielin und schaut gar ehrbar auf sie herab.

»Ja, kucke mich nur so an und lecke deinen Schnurrbart«, sagt Lieschen. »Es schmeckte ja doch bitter?! Warte nur, wenn ich erst wieder aus dem Bett darf.«

Da Rezensent nicht antwortet, so nehme ich für ihn das Wort:

»Vielleicht freute sich das arme Tier nur, daß es nun auch bald wieder gesund werden könne, es war doch ebenso naß geworden wie du und hat gewiß auch die ganze Nacht hindurch gehustet.«

»Nein«, sagte die Kleine, »er tat's nur, weil ich ihm meine Schürze über den Kopf gebunden hatte. Sieh nur, wie er sich freut, wie er seinen Schnurrbart leckt!«

Dagegen läßt sich nichts einwenden, das Redaktionsvieh leckt wirklich mit ungeheurem Behagen die Schnauze, und ich ziehe es vor, die moralische Seite herauszukehren.

»Das war aber auch sehr unrecht von dir, Elise! Was hatte dir denn das arme Tier getan? Eigentlich dürfte ich dir nun die schöne Geschichte, die ich weiß, gar nicht erzählen.«

»Wir wollen uns wieder vertragen«, sagt Elise wehmütig und nickt dem Pudel zu. »Nicht wahr, du?«

Glücklicherweise legt Rezensent gravitätisch seine

schwarze Pfote auf die Bettdecke, und so nehme ich den Frieden für geschlossen an.

»Gut denn, wenn du hübsch artig und still liegenbleiben und weder Händchen noch Füßchen hervorstrecken willst, so werde ich dir eine wunderbare Geschichte erzählen, die noch dazu ganz und gar wahr ist.

Höre:

Es war einmal ein – Küchenschrank, ein sehr vortrefflicher, alter, ehrenfester Küchenschrank, und er stand und steht – draußen in unserer Küche, wo wir ihn uns morgen ansehen wollen! – Er war fest verschlossen, welches von zwei sehr wichtigen und angesehenen Personen, die davorstanden, für das einzige Übel an ihm erklärt wurde. Martha hatte aber die Schlüssel in ihrer Tasche, und beide Personen, die ich dir sogleich näher beschreiben will, erklärten das einstimmig – sie waren sonst selten *einer* Meinung – für sehr unangenehm, sehr unrecht und sehr Mißtrauen und Verachtung erregend.

Ich habe schon gesagt, daß beide davorsitzende Personen von großem Ansehen und Gewicht waren sowohl in der Küche wie auf dem Hofe und dem Boden. Beide machten sich oft nützlich, oft aber auch sehr unnütz. Jede hatte ein Amt zu verwalten und verwaltete es auch – das war ihre Pflicht; jede mischte sich aber auch nur zu gern in Dinge, die sie durchaus nichts angingen, und das – war sehr unartig. Vor dem Küchenschrank zum Beispiel hatten sie in diesem Augenblick durchaus nichts zu tun, und doch waren sie da, guckten ihn an, guckten darunter, guckten an ihm herauf. Es roch aber auch gar zu lieblich daraus hervor!

Die eine dieser Personen war mit einem schönen weißen Pelz bekleidet, einen kleinen Schnurrbart trug sie um das Stumpfnäschen und schritt ganz leise, leise auf vier Pfoten mit scharfen Krallen einher. Einen schönen, langen, spitzen Schwanz hatte sie auch, und sie schwang ihn in diesem Augenblick heftig hin und her, denn sie ärgerte sich eben sehr, und zwar über drei Dinge:

erstens: über den verschlossenen Schrank,
zweitens: über die andere Person,
drittens: über sich selbst.
Es war, es war... nun, Lieschen, wer war es?«
»Die Katze, die Katze!«
»Richtig, die Katze, Miez, der Madame Pimpernell ihre Katze. (Holla, Rezensent! Du brauchst nicht aufzustehen!) Die andere Person war etwas größer als Miez, hatte einen braunen Pelz an, marschierte auch auf vier Beinen einher wie Miez, aber lange nicht so leise, und sie ärgerte sich auch über drei Dinge: das Schloß am Schranke, die Katze und sich selbst. Ihren Schwanz hätte sie ebenfalls gern hin und her geschleudert, aber sie konnte es leider nicht, denn sie besaß nur einen ganz kleinen Stummel, nicht der Rede wert. Das machte sie fast noch ergrimmter als Miez, denn die konnte doch wenigstens ihrem Zorn Luft machen.
Nun, wer mochte diese zweite Person wohl sein, Liese?«
»Der Hund, Marquarts Bello!« schrie Elise ganz entzückt.
»Geraten, es war Bello, der Edle, ein weitläufiger Verwandter vom Rezensenten und sonst auch ein ganz netter Kerl, aber – wie gesagt – vor dem Schrank hatte er nichts zu suchen!
›Nun?‹ sagte Miez, den Bello anguckend.
›Nun?‹ sagte Bello, die Miez anguckend.
›Miau!‹ klagte Miez, den Schrank anguckend.
›Wau!‹ heulte Bello, den Schrank anguckend.
So weit waren sie; sie wollten aber dabei nicht bleiben!
›Packen Sie sich auf den Hof‹, sagte die Katze, ›was haben Sie hier zu gaffen?‹
›*Sie* hätte ich Lust zu packen‹, schrie der Hund, ›scheren Sie sich gefälligst auf Ihren Boden und fangen Sie Mäuse. Auf kriegen *Sie* ihn doch nicht!‹
›Pah!‹ sagte die Katze und schleuderte ihren schönen Schweif dem Hunde zu, welches soviel heißen sollte als:

›Armer Kurzstummel, wenn ich nur wollte!‹ Das war aber dem armen Bello zuviel, denn jede Anspielung auf seinen Stummel machte ihn wütend, wie auch der Swinegel, der, wie du weißt, mit dem Hasen auf der Buxtehuder Heide um die Wette lief, nichts auf seine krummen Beine kommen ließ.

Auf sprang also Bello, heulte furchtbar und wollte eben der Miez an ihr schönes glattes Fell, als auf einmal...

Piep, piep, piep!

es im Schranke ertönte.

›Mause, Mi – ause, Mi – ause am Braten drinnen – und ich dri – außen, dri – außen, dri – i – i – außen!‹ jammerte die Katze.

›Wau, wau; das kommt von Ihrem albernen Betragen und Ihrer Nachlässigkeit!‹ heulte der Hund, und dann – kam Martha vom Markte zurück, und Hund und Katze gingen hin, wo sie hergekommen waren.

Jetzt aber, mein Kind, schlaf ein und schwitze recht tüchtig, damit wir morgen die Stelle besehen können, wo diese merkwürdige Geschichte vorgefallen ist.« Und so geschah's; Lieschen schlief ein, ich aber freute mich, wieder einmal ein Märchen beendet zu haben, wie ein wahres Märchen enden muß, nämlich ohne allzu klugen Schluß und ohne Moral. Daß der Doktor nicht bei meiner Erzählung zugegen war, konnte mir ebenfalls nur lieb sein. Jedenfalls hätte er wieder schnöde politische Vergleiche und Anspielungen losgelassen, was mir sehr unangenehm gewesen wäre.

»Herr Wachholder«, sagte Martha auf einmal ganz treuherzig – »das Loch im Schranke hat der Tischler Rudolf schon wieder zugemacht. Die Mäuse können nun nicht mehr hinein.«

»Bis sie sich wieder durchgefressen haben, Martha!« Ich dachte an den Doktor und seine Anspielungen.

Wie der Efeu aus dem Ulfeldener Walde höher und höher hinaufsteigt an der Wand des Fensters, geküßt von der warmen Sonne, getränkt von kleinen, sorgenden Händen, welche alle verwelkten gelben Blätter abpflükken, daß die Pflanze immer frisch und jung dastehe!

Aus Tagen werden Wochen, aus Wochen Monate, aus Monaten Jahre, und das junge Menschenkind wächst und entfaltet sich schöner und blühender als die köstlichste, wundersamste Pflanze. Die alte Martha wird immer älter und gebückter, und graues Haar mischt sich mehr und mehr unter mein braunes. Zum erstenmal ist der Tod an mein Kind herangetreten. Es hat über der ersten Leiche geweint. Der hübsche, goldgelbe Kanarienvogel, der so zahm und lieb war, lag eines Morgens kalt und erstarrt auf dem Boden seines kleinen Hauses.

So fand ihn Elise und schrie auf, nahm ihn in ihre Hände, hauchte ihn an und suchte ihn zu erwärmen – ach, armes Kind: die Toten kommen nicht wieder!

Leg ihn nieder, deinen kleinen Freund; auch dir jungem Wesen ist es jetzt schon nicht mehr vergönnt, zu klagen und zu trauern, wie du wohl möchtest; auch dich hat das Leben jetzt schon erfaßt und in seine Wirbel gezogen; – gehe hin mit deinem gedrückten kleinen Herzen – daß du die Schule nicht versäumst! – Elf Jahre alt ist mein Kind jetzt in den Blättern der Chronik. Das runde Gesichtchen zieht sich schon mehr und mehr zu jenem Oval, welches das Bild dort an der Wand so lieblich macht; aus Lieschens Kinderstimme klingt mir nun oftmals – wenn sie sich wundert, sich freut oder klagt – ein Ton entgegen, der mich fast erschreckt auffahren läßt. Es ist derselbe Ausruf, den *sie* an sich hatte! Wer hat ihn dich gelehrt, kleines Herz? Diesen Ton, den ich für ewig verklungen hielt und welcher jetzt nach so langen Jahren wieder frisch und lebendig wird?

Weine nicht mehr, Lieschen, sieh, ich will dich an ernstere Gräber führen, draußen vor der Stadt. Da wollen wir uns hinsetzen unter die blühenden Rosenbüsche und denken, daß die Welt so groß, so unendlich groß sei und doch nichts darin verlorengehe! Da wollen wir auch dem toten Vogel sein kleines Grab graben und uns vorstellen, daß im nächsten Frühlinge aus seinem Leibe eine hübsche goldgelbe Blume aufsprießen werde: zur Freude des bunten, winzigen Schmetterlings und des großen, ewigen Gottes.

Stecke dein Butterbrod in deine Korbtasche, Lieschen (wenn du es heute vielleicht auch verschenken wirst) – gib mir einen Kuß und grüße den Herrn Lehrer Roder. Du kannst ihn auch fragen, ob er nicht morgen am Sonntag mit uns hinausgehen wolle in den Wald und vielleicht noch weiter.

Lieschen nickte und ging – noch immer schluchzend; ich aber machte mich auf den Weg zur Expedition der ›Welken Blätter‹ ohne eine Ahnung von dem neuen tragischen Ereignis, welches den Tag noch wichtig machen sollte.

Mohrenstraße Nr. 66 war damals schon und ist auch heut noch das Büro dieses bekannten Blattes. Ich hatte bald meine Geschäfte abgemacht mit dem Hauptredakteur, dem Doktor Brummer, einem kleinen, quecksilbrigen Individuum mit goldener Brille und roter Perücke – jetzt lange tot – und schwatzte noch mit den anwesenden Journalisten und den Künstlern beiderlei Geschlechts, die gelobt sein wollten, als plötzlich die Tür aufgerissen wurde und der Doktor Wimmer erschien, begleitet von dem uns nur zu wohl bekannten dicken, hochrotgesichtigen Polizeikommissar Stulpnase. Da sie miteinander eintraten, war es nicht ausgemacht, wer von beiden den andern eigentlich mitschleppe.

»Meine Herren«, schrie, einen gestempelten Bogen schwingend, der Doktor, »ausgewiesen!«

»Ausgewiesen!?« ertönte es im Chor verwundert und fragend.

»Auskewiesen? Was das sein, Signore dottore?« fragte

Signora Lucia Pollastra, die jüngst angekommene Baß-
sängerin.

»Ausgewiesen – ausgewiesen – das heißt – cela veut dire:
– eliminito!« sagte der Hauptredakteur, der alle Sprachen
zu kennen glaubte.

»Dio mio!« rief die Sängerin, die so klug als zuvor
war.

»Sehen Sie, Wimmer, ich hab's mir gleich gedacht!«
schrie eine feine sächsische Stimme, die dem zweiten
Redakteur Flußmann aus »Dresen« zugehörte, – »wie
konnten Sie aber auch *das* schreiben?«

Der Journalist nahm die letzte Nummer der ›Welken
Blätter‹ und las:

. . . . »Und wenn alle Esel dieser Maßregel Beifall brüllen
sollten: ich kann sie nur ›*bewimmern*‹!«

– »Und er hatte seinen Lohn dahin und wurde selbst
gemaßregelt!« sagte der Doktor, welcher sehr gemütlich,
den Hut auf einem Ohr, die Zigarre im Munde, auf
einem hohen Dreibein saß.

»Ich hätte das deinetwegen schon nicht aufnehmen sollen, Wimmer!« sagte Brummer.

»Dann hättest du ja selbst unter die Beifallsbrüller
gehört, Alter!«

Jetzt mischte sich aber die hohe Polizei ein, welche bis
dahin stillgeschwiegen und nur mit Würde geschnauft
hatte.

»Also in vierundzwanzig Stunden, Herr Doktor« . . .

»Habe ich das Nest hinter mir, Edelster! Seien Sie unbesorgt!« lachte der Doktor. »Aber halt, Verehrtester,
würden Sie mir vielleicht wohl erlauben, Ihnen jetzt
noch eine kleine Rede zu halten? – Fritze, Lümmel! Gib
dem Herrn Kommissar einen Stuhl!«

Fritze, der unendlich selig grinste, kam dem Gebote
nach; die Polizei ließ sich schnaufend nieder, und ihr
Opfer – begann:

»Ich habe in Jena studiert, Herr Polizeikommissarius.
Das ist eine allgemeinhistorische Tatsache, aber es knüpft

sich Bemerkenswertes daran. Damals gab es dort einen raffiniert groben Philister, Deppe genannt, der alle Augenblicke eine sehr drastische Redensart herausdonnerte, übrigens aber der Gott aller der wilden Völkerschaften: Vandalen, Hunnen, Alanen, Viso-, Möso- und Ostrogoten usw. usw. war. Verehrtester Herr Kommissarius, der deutsche Student, viel zu zartfühlend, viel zu sehr von Albertis Komplimentierbuch angekränkelt, konnte unmöglich *diese* Redensart adoptieren. Ebensowenig aber konnte er auch den Effekt derselben auf Pedelle, Manichäer und dergleichen Gesindel entbehren. Was tat er? – Er deckte Rosen auf den Molch und sagte: Deppe! – Deppe überall! Deppe konnte jeder Rektor magnificus, Deppe jeder Professor, Deppe jede Professorentochter sagen. Also, Herr Polizeikommissarius: *Deppe!* – 'n Morgen, meine Herren! Addio, Signora Pollastra, brüllen auch Sie wohl! Ich muß packen!«

Damit schob sich der Doktor der Philosophie Heinrich Wimmer und verließ das Expeditionszimmer der ›Welken Blätter‹, um es nie wieder zu betreten.

Nie aber habe ich ein solches Gesicht wiedergesehen als das des edlen Stulpnase. Sprachlos saß er da; auf einmal aber sprang er auf, stülpte den Dreimaster über und schrie:

»Man soll ja nicht denken, seinen Spaß mit einer hohen Behörde treiben zu können!« Damit stürzte auch er fort.

»Wenn er nur nicht herausbringt, was Deppe heißt!« sagte der Hauptredakteur unter dem unendlichen Gelächter der Redaktion und der Anwesenden, und die Versammlung löste sich auf. –

Nach Hause zurückgekehrt, traf ich die kleine Liese, die bereits aus ihrer Schule heimgekommen war, über einer bunten Pappschachtel an, in welche Martha den Vogel gelegt hatte. Den Doktor hörte ich drüben gewaltig rumoren, und von Zeit zu Zeit erschien er am Fenster, blies eine Rauchwolke zum blauen Sommerhimmel hin-

auf oder pfiff eine Passage aus dem östreichischen Landsturm, seinem Lieblingsstück. Der kleinen Liese sagte
ich von dem Schicksal ihres dicken Freundes noch nichts;
ich wollte ihr das Herz nicht noch schwerer machen.
Mittags konnte sie schon so vor Betrübnis nichts essen,
obgleich sie ihr Butterbrod richtig weggeschenkt hatte.
Alle Augenblicke richteten sich ihre Augen auf die bunte
Schachtel, worin das tote Tier lag.
Am Abend begruben wir es unter dem blühenden Rosenstrauch zu den Füßen der Gräber von Franz und Marie.
Die roten Abendwolken segelten über uns weg, die
Rosen dufteten so herrlich, überall Licht und Blumen.
Ich saß auf dem Bänkchen neben den Gräbern; Elise
hatte ihr Köpfchen an meine Brust gelegt, sie hatte sich
so müde getrauert, daß sie – o glückliche Kindheit! – die
Augen schloß und einschlummerte.
Eine schöne, ältere, bleiche, schwarzgekleidete Dame
kam und kniete an einem einfachen Denkmale nieder;
arme Kinder legten, weiter weg an der Kirchhofsmauer,
Waldblumenkränze auf das Grab des toten Vaters; ein
Greis schritt gebückt unter den Steinen und Kreuzen
umher, die Aufschriften lesend.
In der Stadt verkündeten alle Glocken den morgenden
Sonntag; voll und rein wogten die feierlichen Klänge, die
in den Straßen im Rollen und Rauschen der Arbeit
ersticken, über diese stille Welt hinweg. Immer goldner
glänzte der Himmel im Westen, immer tiefer sank die
Sonne dem Horizont zu. Nacht ward's auf der einen
Hälfte dieses drehenden Balles, während auf dem großen
Atlantischen Ozean vielleicht eben ein Schiff, dem
jungen Amerika entgegensegelnd, die Sonne aufsteigend
begrüßte. Vielleicht ist es nur *ein* Schiff, das jetzt
im jungen Tage segelt, während hier die Nacht sich über
so viele Millionen legt. Dort steht der Führer auf dem
Verdeck, das Fernrohr in der Hand; im Mastkorb schaut
ein freudiges Auge nach dem ersehnten Lande aus, überall Leben und Bewegung. – Hier zündet der einsame

Denker seine Lampe an und schlägt die Bücher der Vergangenheit auf, die Zukunft daraus zu enträtseln, und findet vielleicht, daß die Nacht, die auf den Völkern liegt, ewig dauern wird, in demselben Augenblick, wo auf jenem einsamen Schiff der Willkommensschuß donnert, »Amerika!« die zu dem Schiffsrand stürzende Auswandrerschar ruft und eine Mutter ihr kleines, lächelndes Kind in die Morgensonne und dem neuen Vaterland entgegen hält!

Das Gras fängt an, feucht zu werden, ich muß meine kleine Schläferin aufwecken. Die bleiche Frau erhebt sich ebenfalls; sie kommt auf uns zu. Wir kennen uns nicht; aber hier auf dem Kirchhof scheut sie sich nicht, sich über mich und das schlummernde Kind zu beugen.

»Lassen Sie mich die Kleine küssen!« sagt sie.

Ich sehe sie unter den Bäumen verschwinden, ein Tuch vor den Augen.

Elise erwacht: »O wie schön!« ruft sie, in die Glut des Abends schauend.

»Gute Nacht, Franz! Gute Nacht Maria!«

Holla! Was ist in der Sperlingsgasse los? Als wir nach Haus kommen, herrscht ein Tumult darin, wie ich ihn noch nie darin erlebt habe. In allen Haustüren schwatzende Gruppen, jede Arbeit eingestellt: Salatwaschen, Schuhflicken, Strümpfestopfen, Hämmern, Sägen, Federkritzeln, alles ins Stocken geraten, nur nicht – die Zungen!

»O je, o je, Herr Wachholder, sehen Sie mal da oben!« schreit Martha, die auf der Treppe unserer Haustür, umgeben von einem Kreis Nachbarinnen, Posto gefaßt hat, mir schon von weitem zu.

»Was gibt's denn, Martha? was ist los?« rufe ich ihr entgegen.

»Der Herr Doktor Wimmer ist los!« jubeln zwanzig Stimmen um mich her, und zwanzig Finger zeigen nach dem Fenster des vortrefflichen Burschen, welcher bis jetzt der »bunte Hund« der ganzen Gasse war.

Ein großer Bogen Papier flattert dort oben, und darauf steht mit gewaltigen Buchstaben:

DR. WIMMER
P.P.C.

Aus dem offenen Fenster aber beugt sich – Herrn Polizeikommissarius Stulpnases ehrwürdiges Vollmondgesicht, und seine weißbehandschuhten Hände sind bemüht, den Zettel abzunehmen.

Ich überliefere schnell die verwunderte Liese der alten Martha, und steige die Treppen zu der Wohnung des Doktors hinauf, welches sehr langsam geht, denn vor mir her schiebt sich eine unbeschreibliche, wunderbare Masse von Kleidungsstücken ächzend und stöhnend den engen Weg langsam, langsam hinauf.

Das war die dicke Madame Pimpernell, die das Ereignis seit langen Jahren zum ersten Male wieder in die obern Räume ihres Hauses trieb.

Das Zimmer beschrieb ich neulich bei meinem Besuch des Zeichners Strobel und brauche daher jetzt nur zu sagen, daß der Nachlaß des Doktors in einem zerspaltenen Stiefelknecht, einer leeren Zigarrenkiste Fumadores regalia und – einem Exemplar der Flodoardine bestand.

Stulpnase saß da auf einem Stuhl, schaute das leere Nest wehmütig-grimmig an und ächzte:

»Ausgewiesen! Nun gar ausgekniffen! Donnerwetter – ohne erst für seinen ›Deppe‹ gesessen zu haben.«

»Jotte, einer armen Witfrau ihren besten Mieter abzutreiben, is das in der Ordnung, Herr Kumzarius? Habe ich darum Ihrer Frau die Butter immer um 'nen Dreier billiger gelassen?« greint die dicke Madame Pimpernell, die ebenfalls dem Beamten gegenüber auf einen Stuhl gesunken ist.

»Halte Sie das Maul, Frau!« schnauzt Stulpnase, worauf die Dicke ein Gesicht macht, wie es einst jedes brave korinthische Weib geschnitten haben muß, als es das

Wort des Apostels Paulus hörte: Mulier taceat in ecclesia.

Nach einer feierlichen Stille von einigen Minuten stößt Stulpnase ein dumpfes Geheul aus und seufzt in sich: »Deppe.« Plötzlich aber, mit Wut auf seine Brusttasche schlagend, schreit er: »Und hier hab ich den Verhaftsbefehl: Beleidigung eines Beamten im Dienst, und – ausgekniffen!«

Ich wage es nicht, den aufgebrachten Leuen durch Lachen noch mehr zu reizen, verschwinde und platze erst auf der Treppe los, die beiden Würdigen einander gegenüber sitzen lassend.

In der Gasse steckt mir Marquart ein Billett zu und flüstert geheimnisvoll, nach dem Fenster des Doktors deutend:

»Das hat *er* zurückgelassen für Sie, Herr Wachholder!«

Der Zettel lautet:

>»Liebster Freund!*

Eine hohe Polizei weiß, was ›Deppe‹ heißt, obgleich es nicht im Konversationslexikon steht. Ein Freund hat mich gewarnt – ich verschwinde! – In den böhmischen Wäldern sehen wir uns wieder!   *Dr. Wimmer.*
P. Scr. Der Redaktionspudel begleitet mich!«

»Onkel, was soll denn das alles bedeuten, wo ist denn der Onkel Doktor?« fragt die kleine Liese, welche, obgleich schon im Nachtzeug, nicht vom Fenster weggekommen ist.

Ich schreibe: pour prendre congé auf einen Zettel, und Lieschen, die jetzt schon eine kleine Gelehrte ist, hat mit Hülfe eines Diktionärs noch vor dem Schlafengehen heraus:

>»Um – nehmen – Abschied.«

»Der Onkel Wimmer muß eine kleine Reise machen, Schatz!«

Damit geht Elise getröstet zu Bette und verschläft und

verträumt sanft ihren ersten Schmerz. In diesem Alter
genügt noch *eine Nacht*, ihn zu begraben.

Am 12. Januar.

Ich hab's mir wohl gedacht, als ich diese Bogen falzte,
und ich hab's auch wohl mit aufgeschrieben, daß ihr
Inhalt nicht viel Zusammenhang haben würde. Ich weile
in der Minute und springe über Jahre fort; ich male
Bilder und bringe keine Handlung; ich breche ab, ohne
den alten Ton ausklingen zu lassen: ich will nicht lehren,
sondern ich will vergessen, ich – schreibe keinen
Roman!
Heute werfe ich zum erstenmal einen prüfenden Blick
zurück und muß selber lächeln. Alter Kopf, was machst
du? Was werden die vernünftigen Leute sagen, wenn
diese Blätter einmal das Unglück haben sollten, hinaus-
zugeraten unter sie?
Doch – einerlei! Laß sie sprechen, was sie wollen: ich
segne doch die Stunde, wo ich den Entschluß faßte, diese
Blätter zu bekritzeln, mit einem Fuß in der Gegenwart
und Wirklichkeit, mit dem andern im Traum und in der
Vergangenheit! – Wieviel trübe, einsame Stunden sind
mir dadurch nicht vorübergeschlüpft sonnig und hell, ein
Bild das andere nachziehend, dieses festgehalten, jenes
entgleitend: ein buntes, freundliches Wechselspiel! So
schreibe ich weiter.
Manche alte verstaubte Mappe mit Büchern, Heften,
Zeichnungen, vertrockneten Blumen und Bändern liegt
da; ich brauche nur hineinzugreifen, um eine süße oder
traurige Erinnerung aufsteigen zu lassen, keine aber so
duftig, so waldfrisch als die folgende, welche ich überschreibe:

Ein Tag im Walde.

»Fahren wir, oder gehen wir?« hatte Lieschen am Abend
jenes auf den vorigen Seiten beschriebenen, so ereignis-
vollen Tages noch gefragt.
»Wir fahren!« war die Antwort gewesen, und glücklich

darüber hatte das Kind das Näschen nach der Wand gekehrt und war eingeschlafen.

Mit dem Wagen erschien am andern Morgen auch Roder, der Lehrer Elisens, den leichten Strohhut auf dem Kopf, die grüne Botanisierbüchse auf dem Rücken, schon an der Ecke lustig nach dem Fenster hinaufwinkend.

Die alte Martha hatte den Kaffee fertig, und Lieschen, die bei ihrem Eifer, ebenfalls fertig zu sein, diesmal mehr Hülfe als gewöhnlich nötig gehabt hatte, sprang die Treppe hinunter und erschien nun, den Lehrer hinter sich herziehend.

Roder ist einer jener Volkslehrer, wie sie nur Deutschland hervorbringt. Er ist, wie es sich fast von selbst versteht, der Sohn eines Schulmeisters, der wiederum der Sohn eines Schulmeisters war; denn wenn es einen Stand gibt, der sich durch Generationen fortpflanzt, so ist es das deutsche Volkslehrertum. Da bringt der Vater vom Lande einen seiner gewöhnlich sehr zahlreichen Söhne in die Stadt mit einer Bibel, einem Gesangbuch und vor allem einem Choralbuch als Bibliothek. Der Junge ist der Stolz seines Vaters. Wer hat ein größeres Talent, die Orgel zu spielen? Wer hat eine bessere Stimme – wenn sie auch gerade sich setzt? So ausgerüstet betritt der junge Gelehrte den Schauplatz seiner weitern Ausbildung; gewaltig packt ihn anfangs das Heimweh unter der wilden Bande seiner Mitschüler, die ihn hänseln und zum besten haben in seiner Gutmütigkeit und Unerfahrenheit. Das Leben ist ihm anfangs nur ein erster April, wo man die Narren »umherschickt – in den April«. Selbst der Zuwachs seiner Bibliothek, bestehend aus den Schulbüchern seiner Klasse und Funkes Naturgeschichte, vermag ihn nur mittelmäßig zu trösten; ein größerer Freund ist ihm in dieser Epoche seines Daseins das alte wacklige Klavier, welches ihm der Vater für ein billiges gemietet und in sein Dachstübchen gestellt hat. Davor sitzt der Arme und spielt seine Choräle und Volksweisen – letztere nach dem Gehör, und denkt zurück an sein Dorf, an seine Eltern und Geschwister, und vor allem an die Schule, wo er der Erste war – ja sogar in der Ernte den Vater zuweilen vertreten durfte; während er hier – er, der große Bengel! – ganz unten seinen Platz unter den Kleinsten, Dummsten und Faulsten bekommen hat!

Warte nur, armer Kerl, – sieh, da bricht schon der erste freudige Strahl in dein dunkles Sein. Gewöhnlich gibt es auf jeder Schule einen Lehrer, der ein Original, ein Sammler, vielleicht ein leidenschaftlicher Naturfreund ist, womit meistens die Gabe der Mitteilung sich verbindet, dem begegne, du armes einsames Gemüt, und du wirst einen Freund gefunden haben. Jetzt verändert sich alles!

Welch ein Schweifen nun über Berg und Tal; welch ein Versenken in all die kleinen und kleinsten gewaltigen Wunder in der Luft, im Wasser, auf und unter der Erde! Wie sich das Dachstübchen füllt mit Käfern, Schmetterlingen, Herbarien usw. Welch eine selige Ermüdung an jedem Abend, welch ein Träumen in der Nacht, welch ein Erwachen am Morgen!

Nun zieht eine Wissenschaft alle andern nach sich; die Klassen werden durchflogen – den Schiller lernen wir auswendig, und die Welt dehnt sich immer schöner und weiter vor uns aus. – Ach, ein Faust zu sein, ist es nicht nötig, alles studiert zu *haben:* das *Wollen* allein genügt, den Mephistopheles aus dem Nebel hervortreten zu lassen!

Stütze nur die heiße Stirn auf die Hand, du Sohn Deutschlands, in langen durchwachten Nächten, beschwöre nur die Geister alter und neuer Zeit herauf, sie sind doch stets um dich, die Gespenster: Lebensnot und Zweifel und vergebliches Streben!

Der Arm der Notwendigkeit faßt dich und schleudert dich mit deinem Wissensdrang in ein kleines abgelegenes Walddorf oder an die Armenschule einer großen Stadt; da begrab dein volles Herz und suche – zu vergessen!

Glücklich, wenn du's kannst; glücklicher aber vielleicht

doch, wenn es dir gegeben ist, auch hier weiter zu suchen. Der Pulsschlag des Weltgeistes pocht ja überall: »Suchet, so werdet ihr ihn finden!« sagt das schönste der Bücher, das so leicht zu verstehen ist und so schwer verstanden wird.

Ungeduldig klatscht der Kutscher unten vor der Tür, ungeduldig treibt Elise; während Martha noch immer Zurüstungen macht wie zu einer Reise nach dem Nordpol. Endlich aber steigen wir in den Wagen.

Unsere Sonntagsodyssee beginnt.

»Hätte der Onkel Doktor nicht morgen abreisen können?« fragt noch Lieschen nach dem Zettel droben schauend, auf welchem die Madame Pimpernell ankündigt:

»Hier ist eine Stube mit Kabinett zu vermieten.«

Roder lächelt, scheint etwas auf dem Herzen zu haben, aber sich gegenwärtig auf weiteres nicht einlassen zu wollen, und so rollen wir durch die noch stillen Straßen dem Tore zu. An den Wochentagen ist's um diese Zeit schon lebendig genug, heute aber schläft das Volk der Arbeit in den Morgen und den Sonntag hinein; es hat das Recht dazu nach sechs Schöpfungstagen.

Jetzt sind wir in den grünen Anlagen, die sich rings um die Stadt ziehen. Landhäuser und Gärten fassen auf beiden Seiten die Straße ein. Eine Eisenbahnlinie geht mitten über den Weg, und wir müssen anhalten, denn ein Zug fliegt eben brausend und schnaubend dem Bahnhofe zu. Der Sonntag, der den Städter hinausführt, bringt den Landmann hinein in die Stadt, und alle die Tausende, die heute ein- und ausfliegen werden, suchen alle ein anderes Ziel des Genusses, jeder die Freude auf eine andere Weise.

Schon haben wir die letzten Gärten hinter uns und fahren nun langsam die Pappelallee hinauf den Höhen zu, welche im weiten Umkreis die große Ebene und die große Stadt umgrenzen. Die Sonne steigt empor über dem Walde; die Knospen, die Blätter, die Blumen tragen alle einen Tautropfen, das Geschenk der Nacht; die Lerche erhebt sich jubelnd in die blaue frische Luft, und auch sie schüttelt Tau von den Flügeln. Wenn wir zurückblicken, liegt die große Stadt noch verhüllt in dem silbergrauen Duftschleier, den sie selbst sich webt und den sie, wie Penelope den ihrigen, nur zertrennt, um ihn von neuem zu knüpfen. Wie eingewebte Goldsterne blitzen die Kreuze der Türme – die Zeichen des Leids – darauf. – Wir aber fahren schon im vollen Sonnenschein, und jetzt sind wir am Rande des Waldes angekommen; nun brauchen wir den Wagen nicht mehr, und schnell rollt er die Höhen wieder hinab der Stadt zu.

Was trappelt auf einmal vor uns und raschelt durch das welke Laub des vorigen Jahres, das den Boden bedeckt? Was bricht da durchs Gebüsch, die Ohren und den schwarzen Pelz naß vom Morgentau, lustig jetzt um uns her bellend und springend und die hellen, blitzenden Tropfen abschüttelnd?

»Hurra! Willkommen im Walde!« ruft eine wohlbekannte Baßstimme.

Wer trabt da lachend her – hinter einer kleinen Rauchwolke, eine hohe, schwankende Königskerze auf dem Hut, – auf dem Fußpfade, der seitab tiefer ins Holz führt?

»Willkommen, fahrender Recke!« ruft Roder, den Hut schwingend.

»Allerseits schönsten guten Morgen!« grüßt der ausgewiesene Doktor, den abgenommenen Maulkorb des Pudels in die Höhe schleudernd und wiederfangend.

»Hast du mit Rezensent im Walde geschlafen?« fragt die kleine Liese.

»Der Herr Polizeikommissarius läßt Sie grüßen, Wimmer!« lache ich.

Jeder hat zu gleicher Zeit zu fragen und zu antworten, und jeder tut es auch, während Rezensent sich immer dicht an Elise hält, von Zeit zu Zeit ein kurzes fideles Gebell ausstößt und fest unsern Proviantkorb im Auge behält.

Mit pathetischer Gebärde tritt jetzt der Doktor an den Rand der Höhe, streckt den Arm gegen die Stadt aus und deklamiert: »Ha, da liegt sie – die Undankbare, sie, wo ich meine Nächte durchwachte und meine Tage verschlief – Sänger und Sängerinnen, Schauspieler und Schauspielerinnen, Ballettänzer und Ballettänzerinnen lobte oder herunterriß – wo ich so manchen Leitartikel schrieb – wo ich so manche Pfeife rauchte! Da liegt sie wollüstig träumend im Morgenschlummer, während ich umherirre, verbannt, vertrieben, an die Luft gesetzt, eliminito, wie der Doktor Brummer sagte, gejagt, gemaßregelt – ein Lamm im scharfen Nordwind. Nest! – Brüste dich mit deinen Gardeleutnants, deiner famosen Musenbude, die ich dort über die Dächer zwischen dem Pfeffer- und Salzfasse ragen sehe, – ich verachte dich, ein deutscher Zeitungsschreiber! Mache in der Liste deiner unter polizeilicher Aufsicht Stehenden ein dickes Kreuz hinter dem Namen: Heinrich Theobald Wimmer Dr. phil., setze ein dreimal unterstrichenes ›Ausgewiesen‹ dahinter; ich schüttle deinen Staub von meinen Füßen, ich verachte dich! – Bin ich nicht heimatsberechtigt in München an der Isar, stehen nicht viele Löcher offen im edlen Was-ist-des-Deutschen-Vaterland? Zeugt nicht dieser solide Bauch (hier schlug sich der Doktor auf den erwähnten Körperteil) von Bayern? Es lebe München! – Ha, prophetisch verkünde ich dir, ausweisender Pascha von soundsoviel Roßschweifen: ein Schmächtigerer, aber Giftigerer wird meine Stelle einnehmen. Erfahren sollst du, zeitungenüberwachende Behörde, daß das, was ihr Unkraut nennt, wenigstens auch die Tugend desselben hat: nämlich nicht zu verderben und auszugehen! Fort in die Bresche, mein unbekannter Mitkämpfer! Mein Segen begleitet dich! Dixi, ich habe gesprochen! – Komm, Lieschen!«

Damit warf der Doktor den Maulkorb den Berg hinunter der Stadt zu, hob die Kleine empor, setzte sie mit ihrer Tasche und den ersten während seiner Rede von ihr gepflückten Blumen auf seine Schulter und schrie: »Allons, meine Herren; hinein in den Wald! Kehren wir dem Neste den Rücken zu!«

Mit diesen Worten trabte der tolle Gesell auf dem Fußpfad, auf dem er gekommen war, zurück ins Holz; Roder und ich folgten lachend. Der Exredaktionspudel sprang auch wie toll hinter uns her; »gaudeamus igitur« tönte des Doktors Baß in das beginnende Konzert der Vögel, unser Sommersonntag im Walde hatte begonnen.

Welch ein Tag war das!

Dieses erste Eintreten in die grüne Blätterwelt – dieses Aufatmen aus voller Brust! Der Doktor hatte mit der sich gewaltig sträubenden Liese einen ordentlichen Galopp angeschlagen und war unsern Augen entschwunden, unsern Ohren aber nicht. Die Kleine lachte – wurde ärgerlich – bat; der Pudel bellte aus Leibeskräften, und der Doktor fiel aus einem seiner Studentenlieder ins andere.

Mit seiner Ausweisung schien der alte Jenenser Bursch alle gesellschaftlichen Bande für aufgelöst zu halten.

»Das ist ein sonderbarer Menschentypus«, sagte Roder lächelnd, als wir langsamer hinterhergingen; »die personifizierte Gutmütigkeit unter dieser tollen, barocken Maske. Wir sind Jugendfreunde, welches sonderbar scheinen kann, da er in Lumpenhausen das Gymnasium besuchte, während ich auf dem Seminar mich zum Schulmeisterlein einpuppte. Ebensogut hätte ein Guelfe mit einem Ghibellinen Arm in Arm auf der via dei malcontenti in Florenz spazieren gehen können. – Aber es war so, er lehrte mich Zigarren drehen, ich dagegen brachte ihm bei, sich auf dem Klavier mit einem Finger zu dem famosen Liede zu begleiten:

> Mihi est propositum
> In taberna mori . . .

Später verlor ich ihn aus den Augen; ich wurde Hülfslehrer in Lammsdorf, er ging auf die Universität. Da saß ich eines Abends und untersuchte Moose durch die Lupe, als mich plötzlich jemand auf die Schulter klopfte und eine Bierbaßstimme – wie weiland Leibgeber zum Armenadvokat Siebenkäs – ›'n Morgen, Roder‹, hinter mir sagte. Es war Wimmer, der wegen Übertretung der Duellgesetze relegiert, ›die große Tour machte‹, wie er sagte. Geld besaß er schon damals nicht, aber viel Humor und guten Mut, und so hat das Schicksal uns öfters wieder einander in den Weg geführt, und immer war der Doktor Wimmer – derselbe . . .«

»Und aussterben wird diese Art nicht in Deutschland, solange man noch die Namen: Bier, Romantik und Politik nennen hört«, sagte ich.

»Halt«, rief der Lehrer, »welch ein prächtiges Aconitum, entschuldigen Sie!« Damit sprang er ins Gebüsch, die Pflanze auszugraben, während ich in den Bart murmelte:

»Und auch deine Art, deutsche Seele, wird nicht ausgehen, solange noch in *eine* Blüte das deutsche Gemüt sich versenken kann zwischen Weichsel und Rhein.«

»Onkel Wachholder, Onkel Wachholder! Kommt alle schnell, schnell einmal her!« rief jetzt Lieschen in der Ferne.

»Was gibt's denn, Liese?« ruft Roder, seine Blume in die Botanisierbüchse legend.

»Ein wunder-wunderhübsches Vogelnest hat der Onkel Doktor gefunden!« schallt es wieder, und wir setzten uns in Trab.

Auf einem kleinen sonnigen Platz seitab vom Wege stand der Doktor, hochrot vom Singen und Rennen, und ließ die Kleine in einen Fliederbusch schauen. Liese, den Atem anhaltend, um die kleine piepende Welt nicht zu stören, guckte selig durch die Zweige, während der Rezensent das Wunder weiter unten suchte und, den Kopf und Leib im Laubwerk verborgen, nur die Hinterbeine und den wedelnden Husarenbusch zeigte.

»Nicht wahr, Liese, das mußte ich dir doch zeigen? 's ist

doch prächtig, wenn einen die Polizei so früh hinausjagt in den Wald!«

Ein Buch guckte dem Doktor hinten aus der Rocktasche, und der Lehrer zog's ihm heraus. Es war – Reineke de Voß, des Doktors ewiger Begleiter auf allen seinen Fahrten, den er fast auswendig wußte. Bei der Berührung des Lehrers sah er sich auch sogleich um und begann:

> »De quad deyt, de schuwet gern dat licht:
> Also dede ok Reinke de bösewicht.
> He hadde in de stad so vele missdan,
> Dat he dar nicht dorfte kamen noch gan.
> He schuwede seer des Konniges hoff
> Darin he hadde seer kranken loff!« –

»Aber hier, Liese, ist's was anderes; wenn wir hier ein Vogelnest finden, so dürfen wir auch hineingucken und unsere Meinung darüber sagen.«

»O das ist wunder-wunderhübsch«, ruft die Kleine, welche gar nicht hört, was der Doktor sagt. »Sieh, der alte Vogel fürchtet sich gar nicht – o, welche große Schnäbel – er sitzt ganz still zwischen seinen Jungen und sieht nur nach dem Rezensenten hinunter! – Er tut dir nichts, kleiner Vogel, bleib ruhig sitzen!« –

Jetzt ließ der Doktor das Kind auf den Boden gleiten: »Nun lauf zu Fuß«, sagte er, »das Gras ist trocken.«

Welch ein Tag! Noch zogen weiße Wölkchen über die Baumwelt weg, bald aber hatte die Sonne sie verzehrt, und das ewige Blau lächelte rein und klar auf uns herab. Immer tiefer versenkten wir uns in die duftende Wildnis: »Wo lassen wir alle die Blumen, die wir pflücken, Lieschen?« – Die Händchen sind schon so voll, daß wir bei jedem Schritt eine verlieren und daß der Doktor sagen muß:

»Ist's nicht wie im Märchen, wo der Vater die verlorenen Kinder durch hingestreute Steinchen wiederfindet? Ein verfolgter Zeitungsschreiber – schrecklich – die Häscher sind ihm auf den Fersen – wo hat er sich hingewendet? –

›Ha‹, sagt der erfahrenste der Spürer, ein wahrer Pfadfinder auf der Vagabondenjagd – ›seht die Blumen – untermischt mit Zigarrenenden! Laßt uns dieser Spur folgen, Brüder! – Ha, seht hier im weichen Boden die Hundetapfen! – Er ist's, er ist's. – Fort, ihm nach!‹ – Schrecklich!«

»Bravo, Wimmer!« lachte der Lehrer, der wieder eine Pflanze im Gehen zerlegte. »Welcher Stoff für dein nächstes Werk; wo du es auch schreiben magst, ich hoffe auf ein Exemplar.«

»In München werde ich es schreiben, Verehrtester! Habe ich nicht einen Kontrakt mit dem Buchhändler und Eigentümer der ›Knospen‹ – Gabriel Pümpel, in der Tasche? Ist nicht Gabriel Pümpel mein Onkel? Ist nicht Nannette Pümpel meine Kusine? Wetter, ich sehne mich ordentlich nach dem Nannerl!«

»Doktor! Doktor!« rufe ich lächelnd.

»Wahrhaftig«, seufzt der eliminierte Schriftsteller, »ich habe heute ordentlich Lust, solid zu werden.«

Ehrlicher alter Bursch!

»Also *das* waren deine Gedanken«, sagt der Lehrer lächelnd und gerührt, »als du gestern den ganzen Nachmittag auf meinem Sofa lagst? Ich konnte dich vor Tabaksqualm nicht recht sehen, aber du schienst mir außergewöhnlich nachdenklich und träumerisch. Gottlob, wenn diese Exilierung so ausschlüge.«

»Hurra«, schreit der Doktor, den Hut in die Luft werfend: »Es leben die Knospen! Es lebe das Bockbier! Es lebe das Haus Pümpel und Kompanie!«

Der Exredaktionspudel ist außer sich; jetzt hat er die größte Lust, Elise vor Wonne über den Haufen zu werfen, jetzt springt er an seinem Herrn in die Höhe, jetzt ist er im Gebüsch verschwunden, jetzt kommt er auf der andern Seite wieder zum Vorschein! Bums – da liegt er im Grase, wälzt sich, daß man nicht weiß, was oben oder unten, Beine oder Rücken, Kopf oder Schwanz ist!

»Wer hat eine Uhr? Niemand? Desto besser, der Magen ist unsere Uhr. Hier unter dieser prächtigen Buche wollen wir uns lagern. Wie das Moos so weich ist! Ausgepackt die Taschen, den Korb, die Botanisierbüchse! Eine Flasche Wein erscheint. Wer hat einen Korkzieher? Niemand? Desto besser, wir schlagen ihr den Hals ab; ein niedliches Glas hat Elise mitgebracht.«

»Holla, Roder, aufgepaßt! Rezensent hat den Kopf in Ihrer Rocktasche!«

»Welch Behagen, sich so im weichen Grase auszustrecken! Wie das schmeckt im grünen Walde! – Die alte Martha soll leben, sie hat prächtig gesorgt.«

»Komm, Kind, unsere kleinen Beine sind doch wohl müde! Was bedeuten diese Faden? Aha, jetzt werden wir Kränze winden. Welche prächtigen wilden Rosen!«

»Sieh, da kriecht ein Marienkäfer auf deinem Arm, Lieschen; – er entfaltet die Flügel – prr, dahin geht er, ein kleines rotes Pünktchen im Sonnenstrahl.«

Elise schaut ihm nach und fängt an zu singen:

> Marienvogel kleine,
> Rühre deine Beine,
> Kriech an meinem Finger 'nauf,
> Setz dich als das Knöpflein drauf!
> Ist er nicht ein hoher Turm
> Für so kleinen roten Wurm?

Und dann mit ganz feiner Stimme:

> Roten Purpur trag ich,
> Flüglein viere schlag ich!
> Gar kein Flüglein regst du,
> Nur zwei Bein bewegst du –
> Sechs Beine rühr ich,
> Sieben Punkte führ ich,
> Fliege höher als der Turm!
> Wer ist nun der kleine Wurm? – Etsch!

Die Sonne muß draußen gar heiß und drückend sein, sie steht hoch im Mittage. Hier aber hat sie die Herrschaft mit dem Schatten zu teilen, und zwar so, daß man gar nicht mehr weiß, wo Dunkel, wo Licht ist, so flimmert und zuckt beides durcheinander.

»Wirst du müde, Lieschen? Berauscht dich der Wald-duft, kleines Herz? Komm, lege dein Köpfchen hierher; keine Mücke, keine Fliege, und wenn sie noch so golden wäre, soll dich im Schlummer stören. Schließe dreist die Augen und träume einen hübschen Elfentraum von Schmetterlingen und Blumen und kleinen Vögeln.«

Wie behaglich der Pudel gähnt und, den Kopf auf die Vorderpfoten gelegt, mit den Augen blinzelt.

»'s ist doch ein ganz ander Ding ohne Maulkorb, nicht wahr, Rezensent?«

Wie der Doktor so nachdenklich die blauen Zigarren-wölkchen von sich bläst! Denkt er an seinen ersten Aufsatz in den ›Knospen‹, denkt er an die Münchener Kusine?

Wie sich der Lehrer mit leuchtenden Augen in die Pflan-zenschätze seiner Botanisierbüchse vertieft!

»Heda, Roder, was für ein Heft schaut da zwischen den Blättern und Wurzelwerk hervor?«

»Her damit!«

Der Lehrer errötet und reicht lächelnd das Heft her-über.

»Was sehe ich! Vermag der Schulstaub solche Blüten zu treiben?!«

Grinsend streckte der Doktor Wimmer den Kopf über meine Schulter und machte nach einigen Blicken auf das Manuskript sogleich Anstalt, es für die ›Knospen‹ mit Beschlag zu belegen, aber der Lehrer tat gewaltig Ein-sprache dagegen. Später schenkte er es mir. Soll ich ein Blatt daraus der Chronik einschieben?

Es sei! Da ist eins.

»Ich lag am Rande des Bachs und sann nach über die Geschicke der Völker und Könige und über – meine Liebe. Hinten in der Türkei lagen jene einander in den Haaren, und drüben in der kleinen Gartenlaube saß mein Schatz und schmollte. Ah!

Lippe-Detmold ist mein Vaterland – was geht mich die Orientalische Frage an und der General Sabalkanskoi und die Schlacht bei Navarino?!

Aber das Frauenzimmer dort?

Beim großen Pan, *damit* muß es anders werden!

Rot wie die Liebe ist der Abendhimmel; goldne Wölkchen, weiße Tauben schweben darin hin und wider wie Liebesgedanken... Wo sind meine Diplomaten, wo meine Kabinettskuriere?

Es schwanken die Gräser – es regt sich – es läuft, es kriecht, es klettert, es hüpft, es flattert und fliegt – tausendbeinig, tausendflügelig! Es zwitschert und summt – tausendtönig!

Dichter-Minister, Frühlings-Räte, Liebes-Gesandte versammeln sich um mich zu Rat und Tat.

Wohlan – die Konferenzen sind eröffnet! Allen Gegenwärtigen und Zukünftigen Gruß! Wen send ich zuerst an jene dort hinter den Holunderblüten?

Ach! Du da – fort mit dir zu ihr hin – du mein leichtgeflügelter, magenloser Herold, du, den sie den ›roten Augenspiegel‹ nennen, zeig ihr auf deinen weißen Schwingen die beiden Purpurtropfen, sag ihr, es sei Herzblut – *mein* Herzblut aus dem wilden Kampf um die Liebe, die rote Liebe! Da flattert der Bote der Laube zu; es zittert mein Herz, mein banges Herz. – *(Sie – niest!!!)*

O Dank, Dank, ihr ewigen, guten Götter, Dank für das Omen! (Erkälte dich nicht, Luise, nimm ein Tuch um, hörst du?)

Wer ist der zweite meiner Boten? Schnell, schnell, meine kleine emsige Biene, – hin zu ihr – summe ihr ins Ohr Honiggedanken, Hausgedanken, Leinen- und Drellgedanken!

(Was hat das Frauenzimmer zu lachen über ihrem Nähzeuge in der kleinen Laube?)
Und nun mein letzter Bote, mein schwarzer Trauerman-
tel, flattere hin zu ihr! Hör, was du ihr sagen sollst. Sag
ihr: Luise, Luise, der Tag ist zu Ende – die Eintagsfliegen
wurden müde, todmüde – der Bach schaukelt ihre armen
kleinen Leiber fort, vorüber an den Blumen, über denen
sie vor einer Stunde noch tanzten und spielten. Luise,
Luise, das Leben ist kurz; Luise, die Nacht bricht herein;
sieh den rotfinstern Streif im Westen, sieh, wie es im
Osten unheimlich zuckt und leuchtet – horch, wie es
grollt!
(Es regt sich in der kleinen Laube! Sie seufzt!) Luise,
Luise!
(Sie tritt heraus!)
Luise, Luise!
Die Bäume schütteln ihre Blüten herab auf sie: Ave
Luisa! Der Abendwind flüstert ihr zu: Ave Luisa! Die
Blumen des Tages neigen sich ihr: Ave Luisa! Die Blu-
men der Nacht öffnen ihre Weihrauchkelche ihr – Ave
Luisa! Ave Luisa! (Sie winkt... sie lächelt...)
Friede?
Friede!
Friede! Läutet die Glocken im Reich!!! Erleuchtet die
großen Städte, die Dörfer; erleuchtet jedes einsame
Haus, Orgelklang in allen Domen, Kirchen und Kapel-
len! Auf die Kniee, auf die Kniee alles Volk! Männer,
Weiber, Greise, Kinder, Jünglinge und Jungfrauen!

> Herr Gott! Dich loben wir!
> Herr Gott! Wir danken dir!

Friede! Friede im Himmel und auf Erden und den Menschen ein Wohlgefallen!«

Ich kannte diese »Luise« des Lehrers gar gut. War sie
nicht Gouvernante bei den Kindern des Baron Silber-
heim? Hat sie nicht später den Lehrer Roder geheiratet?

Hat sie nicht Glück und Kummer und Verbannung mit ihm geteilt?
Seid gegrüßt, Otto und Luise Roder, wo ihr auch weilen mögt!

»Ei, das war schön!« sagte Lieschen erwachend und das Köpfchen aufrichtend. Sie dachte an ihren Traum im Grünen, nicht an des Lehrers Phantasien – die hatte sie richtig verschlafen.

»Was hat dir denn geträumt, Lieschen?« fragte der Doktor, und das Kind blickte ihn verwundert an.

»Hab ich denn geschlafen?« fragte sie.

»Das kann man bei solchem kleinen Mädchen wie du bist, Liese, niemals recht wissen. Was hast du denn gesehen und gehört? Erzähle mal!« sagte ich.

»O, es war wunderschön, was ich gesehen habe! Ich konnte gar nicht über das Gras weggucken; es war wie ein kleiner Wald, und welch eine Menge kleiner Tiere lief darin herum! Und wenn ich die Augen zumachte, wurde alles so rot, als brennte der ganze Himmel, daß ich sie schnell wieder aufmachen mußte. Ich dachte, ich wäre ganz allein, da kam auf einmal ein wunderschöner gelber Schmetterling mit zwei großen Augen in den Flügeln, die unten ganz spitz zuliefen, der setzte sich dicht vor meinem Gesicht auf einen Halm und sagte mit ganz feiner, feiner Stimme:

›Ein schönes Kompliment, kleines Fräulein, und ob Sie nicht zum Tee kommen wollten zur Waldrosenkönigin?‹

Der Herr Lehrer las in diesem Augenblick was vor, ich hätte gern weiter zugehört und sagte es dem Schmetterling auch. Der aber sagte: bei der Königin säße ein gelehrter Herr, namens Brennessel, der hielte gar nichts von der Geschichte, ich solle daher nur dreist mitkommen. Ich fragte den Schmetterling, ob's sehr weit wäre; er meinte: weit wär's nicht, aber wir müßten einen Umweg machen, da läge ein groß schwarz Tier im Grase, das habe greulich nach ihm geschnappt, als er vorübergeflogen sei. Das war der arme Rezensent! Dann sagte der Schmetterling: er müsse auch den giftigen Wolken ausweichen, die da herumzögen und ihm seine hübschen Flügel ganz schwarz machten. Das war des Onkel Wimmers Zigarrendampf! – Ich war auf einmal so klein geworden, daß mich der schöne gelbe Schmetterling ganz leicht auf seinen Rücken nehmen und forttragen konnte zu *dem* Rosenbusch dort bei *der* Buche. Da war eine gar niedliche vornehme Gesellschaft bei der Königin. Da war der brummige, böse, alte Herr Brennessel, dem jeder gern auswich; da war die dicke Madame Klatschrose, die dicht hinter der hübschen Königin stand. ›Fräulein Elise‹, sagte die Königin, ›ich freue mich sehr, Ihre Bekanntschaft zu machen. Ist das Ihr Onkel dorten, der den häßlichen Dampf ausbläst?‹ ›Nein‹, sagte ich, ›das ist der Onkel Doktor, den sie weggejagt haben aus der Stadt; er schreibt Bücher und ist unartig gewesen und hat zuviel Kleckse und Schreibfehler gemacht!‹ ›So, er schreibt Bücher? Dann will ich ihn mal besuchen!‹ sagte der kluge Herr Brennessel böse...«

»Alle Wetter«, lachte der Doktor hier, halb ärgerlich über Liesens Traum, und griff mit der Hand hinter sich, um sich aufzurichten. »Au, Teufel!« schrie er plötzlich. Er hatte wirklich mit der Hand in einen Brennesselbusch gefaßt!

Wir lachten herzlich, und nur Lieschen sagte ganz ernst: »Siehst du, Onkel Wimmer, *das* war er!« Dann fuhr sie fort:

»Wir tranken nun Tee aus wunderniedlichem Geschirr (Onkel Wachholder, gib mir noch ein Butterbrod!), und jeder erzählte eine hübsche Geschichte vom Frühling, Sommer oder Herbst; vom Winter aber wußten sie nichts – da schlafen sie. Dabei hörte ich aber immer den Herrn Lehrer lesen, und Herr Brennessel brummte dann dazwischen. Der war auch der einzige, welcher vom Winter erzählen wollte, es ward aber nicht gelitten. – Auf einmal hörte Herr Roder auf zu lesen, und ich lag wieder bei dir,

Onkel Wachholder, im Grase, und Rezensent steckte dicht vor meinem Gesicht seine schwarze Nase zwischen den Halmen durch und guckte mich groß an. Das habe ich gesehen! – War das nicht hübsch? Und nun, Herr Roder – lesen Sie Ihre Geschichten noch einmal – bitte, bitte!«

»Danke schön«, sagte lachend der Lehrer. »Der kluge Herr Brennessel hatte ganz recht, und *jetzt* sehe ich auch ein: *meine* Geschichten sind gar nicht hübsch.«

Wie lange haben wir so geträumt und erzählt und im grünen Gras und weichen Moos gelegen? – Schon steigt die Sonne wieder abwärts am blauen Himmel! Muß nicht der Doktor heute noch durch den Wald nach der nächsten Eisenbahnstation? – Auf, Liese, winde dem Rezensenten den letzten Kranz um den schwarzen Pelz! Laßt nichts zurück von euern Sachen! Vorwärts! – Auf engen, schattigen Waldpfaden geht's nun quer durch das Holz, bis wir endlich das Rollen der Wagen auf der großen Landstraße hören und zuletzt den weißen Streif durch die Stämme schimmern sehen. Horch, Geigen- und Hornmusik! Im Weißen Roß mitten im Wald an der Chaussee ist Tanz. Die Haustür ist mit Laubgewinden geschmückt; Stadtvolk und Landvolk drängt sich allenthalben davor und dadrinnen, im Haus und im Garten. Wir erobern noch eine schattige Laube, und der Doktor gerät in sein Element. Jetzt ist er oben im Saal, schwenkt sich lustig herum mit einer frischen Landdirne oder einer kleinen bleichen Näherin aus der Stadt; jetzt erregt er unter den Kegelnden ein schallendes Gelächter durch einen wohlangebrachten Witz; jetzt sitzt er wieder bei uns, den Rock ausgezogen, glühend, pustend, fächelnd. Und überall, wo der Doktor ist, ist auch der Pudel. Jetzt oben im Saal wie toll zwischen die Tanzenden fahrend, jetzt, ausgewiesen wie sein Herr aus der Stadt, steckt er seine feuchte Schnauze unter unserm Tische hervor.

Immer tiefer sinkt die Sonne herab. Doktor, Doktor, wir müssen scheiden!

Und der Doktor zieht den Rock wieder an und hängt die Reisetasche um. Wir alle stehen auf.

»Also mußt du wirklich fort, Onkel Wimmer?« fragt Elise weinerlich.

»Jaja, liebes Kind!« sagt der wunderliche Mensch plötzlich ernst. Er hebt die Kleine empor, die sich diesmal nicht sträubt, sondern selbst ihm einen herzhaften Kuß gibt.

»Wirst du auch wohl zuweilen an den Pudel und mich denken, Lieschen?«

»Ganz gewiß«, schluchzt Lieschen, »und ich will schreiben, und der Pudel – nein, du mußt's auch tun!« Der Doktor setzt die Kleine vorsichtig wieder auf ihren Stuhl: »Lebt wohl, Wachholder«, sagt er, »leb wohl, Roder, alter Freund!«

Der Pudel blickt ganz verblüfft von seinem ernsten Herrn auf uns und wieder zurück: es muß etwas nicht ganz in der Ordnung sein.

»Lebt alle wohl! Ein fröhliches Wiedersehen! Alle! En avant, Rezensent!« schreit der Doktor, über die Gartenhecke und den Chausseegraben springend, und rennt, ohne sich umzusehen, dem Walde zu. Am Rande bleibt er noch einmal stehen und schwenkt den Hut.

»Smollis!« ruft der Lehrer, ihm mit einem Glase zuwinkend. »Grüß die Münchener Kusine, die hübsche Nannerl!«

»Fiducit! Soll geschehen!« ruft der Doktor zurück und verschwindet hinter den Büschen. Rezensent steht noch am Rande, blickt nach uns herüber und stößt ein kurzes Gebell aus.

Jetzt ist auch er verschwunden.

Wir sitzen noch eine Weile still allein.

»Gott gebe dem ehrlichen alten Gesellen Glück!« sagt der Lehrer vor sich hin. Ein Omnibus will eben nach der Stadt abfahren. Was sollen wir noch hier? Wir nehmen Plätze und steigen ein.

Zurück geht's nun nach der großen Stadt, die staubige

Landstraße hinunter. Fröhliche Gesichter jedes Alters und Geschlechts um uns her im dichtbepackten Wagen! Wie die Sonne so prächtig untergeht! Ade, du schöner Wald! Ade, du alter Freund Wimmer! –

Da sind wir schon in den Anlagen. Welche sonntäglich geputzte Menge noch ein- und ausströmt! Wir steigen aus auf dem freien Platz vor dem Tor; den Weg durch die Stadt bis in unsere Sperlingsgasse können wir wohl noch zu Fuße machen.

Da sind wir, als es eben dämmerig wird. Sieh, dort steht die alte Martha strickend in der Tür; sie erblickt uns und ruft:

»Guten Abend, guten Abend!«

»Ach, Martha, das war schön – und – der Onkel Doktor ist fort!« sagt die kleine müde Elise. Auch der Lehrer sagt jetzt gute Nacht und kehrt zurück in sein einsames Stübchen, eine lange Woche mühsamer Arbeit vor sich.

Das war ein Sommertag im Walde, den ich hier aufzeichne in einer öden kalten Winternacht.

Am 25. Januar.

Die Kälte ist aufs höchste gestiegen. Wenige Nasen werden in der Sperlingsgasse herausgestreckt und, die es werden, laufen rot und blau an. Welch ein Künstler der Winter ist! Die Spatzen färbt er gelb und den freien Deutschen macht er ausrufen: Mein Haus ist meine Burg!

Was kann ein Chronikenschreiber bei so bewandten Umständen Besseres tun, als sein Haus einzig und allein zum Gegenstand seiner Aufzeichnungen zu machen und die große Welt draußen, die allgemeine Gassengeschichte, gehen zu lassen, wie sie will?

Im Jahre der Gnade 1619 verbrannten sie zu Rom einen Gottesleugner, genannt Julius Cäsar Vanini, der hob, auf seinem Scheiterhaufen stehend, einen Strohhalm zwischen den Holzklötzen auf und sagte lächelnd: »Wenn *ich* auch das Dasein Gottes leugnen würde, dieser Halm würde es beweisen!« – Die Geschichte eines Hauses ist die Geschichte seiner Bewohner, die Geschichte seiner Bewohner ist die Geschichte der Zeit, in welcher sie lebten und leben, die Geschichte der Zeiten ist die Geschichte der Menschheit, und die Geschichte der Menschheit ist die Geschichte – Gottes! Wohin führt uns das? Kehren wir schnell um und steigen wir die Treppen hinunter in das unterste Stockwerk.

Da sitzt in dem vorderen Zimmer des Hauswirts und Tischlermeisters Werner eine weißhaarige, gebückte Frau in ihrem Lehnstuhl hinter dem Ofen, spinnend vom Morgen bis zum Abend. Das ist die alte Mutter der Hausfrau, die Tochter des Erbauers des Hauses, welche den Grundstein legen und den Knopf auf die Giebelspitze setzen sah und mit dem Hause und seiner Geschichte verwachsen ist durch und durch.

Manche Leiche hat sie in den langen Jahren ihres Lebens hinaustragen sehen: ihre Eltern und alle ihre Geschwister, ihren Mann und alle ihre Kinder bis auf eins, die Anna, die Frau des jetzigen Besitzers. Sie hat den Sarg Mariens mit schmücken helfen und den Sarg Franzens; sie hat ihre Freundin, meine alte Martha, mit hinausbegleitet zum Johanniskirchhof, wo dieselbe begraben ward an der Seite ihrer Herrin, und manchen andern vom Dachstübchen bis zur Kellerwohnung.

Einst war sie das schönste Mädchen der Gasse – wie sie jetzt noch die schönste alte Frau ist –, und als der Hausknopf geschlossen werden sollte und jedes Glied der damals zahlreichen Familie ein Gedenkzeichen hineintat, legte sie errötend und unbemerkt ein kleines Blättchen hinzu, welches aus fernem Land gekommen war und die Überschrift trug:

> »Dieses kleine Briefelein kommt an die
> Herzallerliebste in Herz und Liebe.«

und schloß:

»...meiner Liebsten noch einen Gruß und Kuß, und hoff ich zu kommen im Frühling mit den Schwalben und Hochzeit zu feiern freudiglich mit meinen Schatz, den grüßt und küßt in Gedankensinn sein herzlieber

Gottfried Karsten,
Tischlergeselle.«

Oft, wenn der Wind die alte Wetterfahne knirschen und kreischen läßt, mag sie wohl an das Blättchen im Knopf darunter denken und an den, der's schrieb und der nun auch schon so lange tot und begraben ist.

An wie manches Kindbett im Hause aber auch ist die alte Margarete Karsten gerufen, und wie manches junge Leben hat sie aufblühen sehen im Hause Nr. sieben in der Sperlingsgasse!

Wer weiß soviel Wiegenlieder wie sie? Wer weiß soviel Märchen, die alle anfangen: »Es war einmal« und damit enden, daß jemand in ein Faß mit Nägeln und Ottern gesteckt und den Berg hinabgerollt wird? Wer im Hause hat zu allen Tageszeiten so viele Kinder um sich, die den Geschichten lauschen, dem schnurrenden Rade zusehen und abends mit der zunehmenden Dämmerung immer dichter an den großen Lehnstuhl sich drängen? Wie oft habe ich einst da die kleine Elise mit Rezensent an ihrer Seite gefunden, andächtig lauschend, und wie oft, wenn ich mit der besten Absicht kam, sie heraufzuholen zu Bett, bin ich selbst sitzengeblieben, den Schluß einer Historie abwartend, bis endlich auch noch Martha herabkam und es uns fast ging wie dem Herrn, welcher den Jochen ausschickte, den Pudel zu holen.

Heute freilich treffe ich die kleine Liese nicht auf der Fußbank am Lehnstuhl sitzend, auch die alte Martha kommt nicht mehr herunter, uns beide abzuholen; aber einen anderen treffe ich häufig genug seit Mitte des vorigen Herbstes, und dieser andere ist kein geringerer, als unser Freund und Nachbar, der Karikaturenzeichner Strobel. In der Werkstatt bei Meister und Gesellen, in der Küche bei der Hausmutter, überall ist der Zeichner ein willkommener Gast. Die Gesellen porträtiert er für ihre respektiven Schätze, mit dem Meister politisiert er, die Meisterin lehrt er neue Gerichte fabrizieren – er hat unter seiner Bibliothek ein dickes Kochbuch – und der Großmutter – hört er zu.

So traf ich ihn heute abend, als ich herunterkam, einen geborgten Leimtopf wieder abzuliefern. Da es Feierabend war, so war die ganze Familie in der Stube versammelt, der Zeichner hatte alle seine Gesprächselemente beieinander und plätscherte mit Wonne darin herum.

». . . Also Meister«, sagte er, als ich eintrat, »*wer*, meinen Sie, kriegt dabei die Prügel?«

»Der Russe nicht!« antwortete nach einer kleinen Pause bedächtig der Meister, der mit der Brille auf der Nase die Zeitung hinter das Licht hielt, um besser zu sehen.

»Also die Alliierten?«

Der Meister nimmt eine Prise, und da seine Erinnerungen nur bis zu den Befreiungskriegen gehen, sieht er verwundert auf, es scheint ihm auch das unwahrscheinlich. Plötzlich aber besinnt er sich:

»Donnerwetter, da sind ja jetzt auch die Franzosen bei!« ruft er. »Himmel! das hat sich ja auf einmal ganz umgedreht!«

»Richtig, Meister«, sagt der Zeichner, den Tischlermeister auf die Schulter klopfend. »Richtig! Alles in der Welt dreht sich von Zeit zu Zeit um.«

»Meisterin, die Kartoffeln brennen an!« unterbricht Anton, der Lehrjunge, die Politik.

»Wir kommen gleich!« ruft Strobel lachend. – »Ich gehe auch mit, Meisterin, und die Kinder auch! Vorwärts! En avant! On with you, boys! Hinaus in – die Küche!«

So werden die Kartoffeln gerettet, der Meister studiert seine Zeitung weiter, und das Spinnrad summt und schnurrt im Winkel wie immer. Endlich kommen Strobel, die Frau Anna und die Kinder zurück, und die Alte fragt:

»Also der Franzos ist auch wieder dabei? Ist das derselbe, der Anno sechs hier war?«

»Nein«, sagt Strobel, »jetzt trägt er rote Hosen.«

»Und der Napoleon – ich meine, der ist lange tot?«

»Ja, Mutter«, sagt der Meister, von seiner Zeitung aufsehend, »das ist auch ein anderer.«

»Gott«, sagt die Großmutter, »wenn ich noch daran denke, wie das kleine, gelbe, schwarze Volk hier war und in den Straßen kauderwelschte, und eine Sorte hatte in ihren Hüten große Kochlöffel stecken, und acht hatten wir hier im Haus.«

Strobel, der jetzt die Alte da hat, wo sie ihm interessant wird, rückt einen Schemel an ihren Lehnstuhl und sagt: »Großmutter, es ist noch früh, erzählen Sie uns noch etwas von den achten; wenn der Meister seine Zeitung liest, ist gar kein Auskommen mit ihm. Kommen Sie, Wachholder, rücken Sie her. Burschen, seht, wo ihr Plätze findet, und haltet das Maul, die Großmutter will von den acht Franzosen in Numero sieben erzählen!«

Die Alte lächelt und bringt ihr Rad wieder in Gang: »Solchen gelehrten Herren soll ich erzählen? Die haben ja alles viel besser in Büchern gelesen; von allen achten weiß ich auch nichts.«

»Großmutter, was ich in Büchern gelesen, habe ich gottlob nun bald wieder vergessen«, sagt der Zeichner, »und wenn Sie von allen achten nichts wissen, so sind wir auch mit vier zufrieden oder mit so viel, als Sie wollen; erzählen Sie nur.«

»Nun, wenn Sie's denn wollen, so muß ich mich mal besinnen. – Gut!

Also es war Anno sechs, als der Franzos im Lande rumorte und drunten schrecklich hausen sollte, denn er hatte einen großen Sieg erfochten und glaubte, das Recht dazu zu haben. Die Leute fürchteten sich alle sehr, gruben ihre Löffel weg und näheten ihren Kindern jedem ein Goldstück in den Rocksaum, auf den Fall, daß sie abhanden kämen oder mitgenommen würden. Aber

mein Seliger tat gar nicht, als ob *ihn* das was anginge. –
›Wenn sie kommen, sind sie da‹ – sagte er, und dabei
blieb er, und wenn die Nachbarn kamen und klagten und
jammerten, sagte er nur: ›Einmal wir, einmal sie!‹ Und
wenn sie ihm die Ohren zu voll schrieen, zog er eine
weiße Zipfelmütze, die er zu meiner Verwunderung seit
kurzer Zeit immer in der Tasche führte – darüber und
tat, als ob er einschliefe. Es war immer ein sonderlicher
Mann, Annchen, dein Vater.

Gut. Eines Morgens erhub sich ein Lärm: Sie sind da!
Heiliger Gott, mir fuhr's ordentlich in die Kniee; meine
Jungen (Gott hab sie selig) in allen Gassen, Gott weiß
wo, und nur mein Annchen hatt' ich in der Wiege; mein
Alter hatte mal wieder die Zipfelmütze hervorgekriegt
und übergezogen und sägete im Hofe.

›Gottfried, Gottfried!‹ schreie ich, ›sie sind da! sie sind
da!‹ Er tat, als ob er's nicht hörte, obgleich ich dichte bei
ihm stand. In meiner Angst und auch vor Ärger riß ich
ihm die dumme Mütze ab, warf sie auf die Erde und
schrie wieder: ›Und die Jungen sind auf der Straße –
heiliger Vater! – und unsere Löffel – Mann! – Mann!‹

Er hob ganz ruhig seine Mütze auf, klopfte die Sägespäne
an mir ab, setzte sie ruhig wieder auf und sagte: ›Ja, –
wenn's so ist, werden sie wohl durchs Wassertor kommen, daher geht der Weg von Jena.‹ Ich glaube, so hieß
es. Dann sägt' er weiter.

Richtig, da trommelte es schon die lange Straße vom
Wassertor her herunter – mir zitterte das Herz immer
mehr! –

›Meister Karsten! Meister Karsten! Schnell, schnell!‹
schrieen plötzlich mehrere Nachbarn, die in den Hof
stürzten im besten Sonntagsstaat. ›Ihr sollt kommen, Ihr
sollt mit zur Depentatschon an den französchen General!‹

›So?!‹ sagt mein Gottfried, stellte seine Säge hin und ging
langsam in das Haus, gefolgt von den Nachbarn, dem
Herrn Sekretär Schreiber, dem Herrn Rat Pusteback,

dem Schornsteinfeger Blachdorf und dem Schmied Pruster und andern. Alle zogen mit meinem Alten in die Stuben, weil sie dachten, er würde nun gleich in den Bratenrock fahren und mitrennen. Aber proste Mahlzeit! – An den Tabakskasten ging mein Alter, stopfte sich eine Pfeife, schlug langsam Feuer und sagte:

›Nun, so kommt, meine Herren!‹

Die standen alle mit offenen Mäulern da, aber mein Gottfried ließ sich nicht irremachen. In Schlafrock und Pantoffeln marschierte er ruhig – ich sehe ihn wie heute – voran bis an die nächste Straßenecke. Da blieb er stehen und die Nachbarn um ihn herum, zeigte mit der Pfeifenspitze auf einen Zettel, der da klebte und auf welchem stand:

Ruhe ist die erste Bürgerpflicht!

oder so was – ich hab's vergessen –, klappte seinen Pfeifendeckel zu, drehte sich langsam um und ging ins Haus zurück. Meine beiden Jungen brachte er mit, worüber ich seelenfroh war. ›Da, Mutter‹, sagte er, als er sie in die Türe schob. ›Heb sie mir auf‹, sagte er, ›wir brauchen sie einst mal.‹

Ich wußte damals nicht, was das heißen sollte; später erfuhr ich's!«

Hier traten der alten Frau die Tränen in die Augen, und ihr Spinnrad hörte auf zu schnurren. Es herrschte eine tiefe Stille im Zimmer.

»Gut. Von nun ab bekümmerte sich mein alter Seliger um nichts mehr draußen, sondern ging wieder zu seinem Sägebock und sägte weiter, bis die Einquartierung kam. Herr meines Lebens, da hättet ihr den Mann sehen sollen! Das ganze Haus kam in Aufruhr; das beste, was Küch und Keller hielt, ward aufgetischt, und je mehr die kleinen gelben Kerle schwadronierten und sakermentierten, desto fröhlicher wurde mein Alter.

›Das ist die rechte Sorte!‹ rief er immer, sich die Hände reibend. ›Solche mußten's sein! Wenn nur genug von ihnen da sind!‹

Französisch hatt' er etwas von der Wanderschaft mitgebracht, und so waren sie bald die besten Freunde miteinander und auf du und du, daß die Nachbarn ordentlich die Nasen rümpften. Die aber gingen zu allen Depentatschonen und illuminierten und bekränzten ihre Häuser und so – das tat aber mein Gottfried nicht, und wenn er einen vom Rat der Stadt sah, zog er jedesmal richtig die Zipfelmütze herunter über die Ohren. Gut, da war ein Franzos zwischen den andern, der war von daher, wo sie halb deutsch, halb französch sprechen, den konnt ich auch verstehen, und es war so gut, als wenn ich französch gekonnte hätte. Was geschieht? Eines Abends sitzen sie alle zusammen, und mein Alter mitten drinnen, und kauderwelschten, daß einem Hören und Sehen verging, und saß ich im Winkel und strickte, und die Jungen spielten im Winkel. Spricht mein Alter auf einmal zu dem Deutschfranzos: ›Nun sagt mal, Kamerad, wie lange denkt ihr denn eigentlich noch in Deutschland zu bleiben?‹

Der Deutschfranzos stieß mit den andern den Kopf zusammen, und sie schnatterten was in ihrer Sprache. Dann lachten sie aus vollem Halse.

›Immer bleiben wir da!‹ sagt der Deutschfranzos. ›Wir sein einmal da; wir gehen nit raus wieder!‹

›Woui!‹ schrieen die andern und hielten sich die Bäuche. ›Nit raus, nit raus!‹

›Ne‹, sagt mein Alter, ›immer nicht. Ihr seid zwar da, und unsereins kann unserm Herrgott nur dankbar sein, daß er euch geschickt hat, aber immer –‹

›Nit raus, nit raus!‹ schrieen die Franzosen.

›Lasset euch handeln!‹ sagt mein Alter, ›ich biete zwölf Jahr – höchstens!‹

›Nit raus, nit raus!‹ kauderwelschten die wieder.

›Willem! Ludwig! Kommt mal her!‹ rief mein Alter jetzt die Jungen, die sogleich angesprungen kamen und sich an seine Kniee stellten.

›Richt euch!‹ rief mein Alter. ›Augen rechts! Seht mal,

Jungens, die da – das sind Franzosen, die eigentlich hier nicht in unsere Stube gehören. Das kleine Annchen kann gar nicht schlafen vor ihrem Spektakel – und doch haben sie Lust, immer dazubleiben! Was meint ihr, Jungens – wenn ihr stark genug wäret?‹

Kuckten meine Jungen gewaltig wunderbar aus den Augen und die Franzmänner an und dann sich und dann meinen Alten!

›Das sich finden – ich groß werden – ich schon Pustebacks Theodor zwinge‹, sagte Willem, mein Kleinster. Ludwig, mein Ältester, sagte gar nichts, aber auf einmal rann ihm eine dicke Träne über die Backe, und sein Vater klopfte ihn auf die Schulter und sagte:

›Warte nur, mein Junge, du kommst zuerst.‹

Die Franzosen hatten ihren Heidenjubel; und besonders einer – sie nannten ihn Piär oder so – wußte sich gar nicht zu helfen vor Lachen. Mein Alter aber war sehr ernst geworden und sprach den ganzen Abend kein Wort mehr. Die andere Woche zogen die Franzmänner ab und lachten noch beim Abschied, als sie uns allen die Hand drückten und ordentlich sich bedankten für gute Bewirtung:

›Nit raus, nit raus!‹

›Wird sich finden‹, sagte mein Alter. ›Wird sich finden!‹ schrieen meine beiden Jungen.

Gut, nun kamen lange Jahre und immer andere Franzosen.

›Bald ist's genug‹, brummte mein Gottfried. Und einmal zogen sie alle hinauf nach Norden, aber zurück kam keiner. Und dann fing's auf einmal an zu rumoren im Lande, und an den Ecken klebten ganz andere Zettel, die mein Alter immer las und wobei er mit dem Kopf nickte. Er war die Zeit nicht viel zu Haus.

Da kam er eines Tages zurück und rief den Ludwig aus der Werkstatt, und sie kamen beide in die Küche zu mir.

›Sieh, Mutter‹, sagte mein Gottfried, ›'s ist gut, daß dein

Feuer brennt! Paß auf, Ludchen!‹ Damit zog mein Alter seine Zipfelmütze aus der Tasche und warf sie unter meinen Topf, daß sie verschwielte und das ganze Haus voll Qualm ward; dann ging er mit meinem Ludwig fort und kam allein und ganz still wieder.

Am andern Morgen zog ein Trupp schwarzer Reiter in die Stadt – auch durch das Wassertor. Einer kam zu Pferd hier in die Sperlingsgasse vor unser Haus und stieg ab – mir sank das Herz in die Knie – es war mein Ludwig! –

›Adjes Mutter! Adjes, Vater!‹ rief er – ›behüt euch Gott, 's wird sich schon machen!‹ – und dann ritt er fort den andern nach, die schon durch das Grüne Tor zogen.

›Da geht's nach Frankreich, Alte!‹ rief mein Mann, während ich heulte und jammerte. Aber es war noch so weit nicht.

Wir hörten lange Zeit nichts, bis eines Tages alle Glocken in der Stadt läuteten und auch im ganzen Land, wie sie sagten. Es war eine große Schlacht gewesen, und unsere hatten gewonnen, und mein Ludwig war – tot!

›Der Erste‹, sagte mein Alter.

Wieder ging ein Jahr hin, und einmal kam das Kanonenschießen so nahe, daß die Leute vor das Tor liefen, es zu hören; natürlich liefen mein Gottfried und ich mit. Da kamen bald aus der Gegend her, wo es so rollte und donnerte, Wagen mit Verwundeten, Freund und Feind durcheinander, und immer mehr und mehr. Die wurden alle in die Stadt gebracht.

›Herr, mein Heiland!‹ mußte ich auf einmal ausrufen, ›ist das nicht der Piär von damals, von Anno sechs?‹

Richtig, er war's. Mit abgeschossenem Bein lag er auf dem Stroh und wimmerte ganz jämmerlich. ›Den nehm ich mit‹, sagte mein Alter und bat ihn sich aus, und wir brachten ihn hier ins Haus – in Ihre Stube, Herr Wachholder. Da kurierten wir ihn. Als er besser wurde, hatte mein Mann oft seine Reden mit ihm. Einmal war der Franzos obenauf, einmal mein Alter. Da hieß es plötzlich, die Deutschen seien wieder geschlagen und der Napoleon abermals Obermeister. Mein Alter sah den Willem bedenklich an, als ginge er mit sich zu Rat; als aber in der Nacht die Sturmglocken auf allen Dörfern läuteten, wußte ich, was geschehen würde, und weinte die ganze Nacht, und am Morgen zog auch mein Willem fort mit den grünen Jägern zu Fuß, und Minchen Schmidt, die mit ihrer alten Mutter in Ihrer Stube drüben wohnte, Herr Strobel, weinte auch und winkte mit dem Taschentuch. Vorher aber führte ihn mein Alter noch an das Bett des Franzosen und sagte: ›Das ist der Zweite!‹ – Der Franzos schaute ganz kurios und bewildert drein und sagte gar nichts, sondern drehte sich nach der Wand.

Das Kanonenschießen kam nun nicht wieder so nah, und der Willem schrieb von großen Schlachten, wo viele tausend Menschen zu Tod kamen, aber er nicht, und die Briefe kamen immer ferner her, und auf einmal standen gar welsche Namen darauf. Die brachte mein Alter dem Franzos herauf, der nun schon ganz gut Deutsch konnte, und sagte lachend zu ihm: ›Nun, Gevatter! Nit raus? Nit raus?‹ Und der Franzos machte ein gar erbärmlich Gesicht und sagte, den Brief in der Hand: ›Das sein mein ’Eimatsort, da wohnen mein Vatter und mein Mutter.‹ Mein Alter aber saß am Bett und rechnete an den Fingern: ›Eins, zwei, vier – acht. Acht Jahr, Gevatter Franzos! Warum habt Ihr dunnemalen meine Zwölf nicht genommen?‹

Die Briefe von unserem Willem kamen nun immer seltener, und auf einmal blieben sie ganz aus, und eines Tages – kommt mein Alter nach Haus, setzet sich an den Tisch, legt den Kopf auf beide Arme und weint. – Ich dachte, der Himmel fiele über mich – – – *der* und weinen!

›Der andere!‹ stöhnte mein Alter in sich hinein, und ich fiel in Ohnmacht zu Boden.

Da vor der großen Franzosenstadt Paris muß ein Berg

sein – ich kann den Namen nicht ordentlich aussprechen –, von wo man die Stadt ganz übersehen kann. Da
schossen sie zum letztenmal aufeinander, und da ist auch
dem Willem eine Kugel mitten durch die Brust gegangen,
wie der Kamerad schrieb, und ist er da begraben mit
vielen, vielen andern aus Deutschland. – Das ist meine
Geschichte! Den Franzosen aber kurierten wir aus, und
mein Alter gab ihm einen Zehrpfennig und brachte ihn
an das Tor, wo der Weg nach Frankreich geht, den auch
meine Jungen gezogen waren, sah ihn da abhumpeln und
kam wieder nach Haus, murmelnd: ›Nit raus, nit raus!‹ –
Gott hab ihn selig, den Mann, es war ein wunderlicher,
dein Vater, Annchen.«
So erzählte die alte Margarete Karsten, und wir alle
saßen um sie herum, als sie geendet hatte, jeder seinen eigenen Gedanken nachhängend. Der Meister hatte
längst seine Zeitung weggelegt, und auch die Gesellen,
die nach und nach eingetreten und gewöhnlich ziemlich
fröhlich und laut waren, standen und saßen diesmal ganz
still umher.
»Nun will ich noch was erzählen!« rief plötzlich die Alte,
deren Augen durch die wachgewordenen Erinnerungen
in einem seltsamen Glanz leuchteten. »Ich will was
erzählen, was lange nachher geschah und doch mit dazu
gehört! – Wenn die Fensterscheiben nicht so gefroren
wären, könntet ihr den Turm der neuen Sophienkirche
sehen, die gebaut wurde, nachdem die alte abgebrannt
ist. In der alten war's, wo eine Tafel an der Wand hing,
wo die Namen aller der drauf standen, welche in dem
Franzosenkriege aus unserm Viertel gefallen waren und
worunter auch meine Jungen waren: Ludwig Friedrich
Karl Karsten und Wilhelm Johannes Albert Karsten. Die
Tafel hatten wir unserm Kirchstuhl grade gegenüber,
und des Sonntags schauten wir immer darauf und dachten an unsre braven Jungen, und mein Alter war stolz auf
die Tafel und ich auch, wenn ich auch genug darüber
geweint hatte und noch weinte. Aber es blieb nicht so bei

meinem Gottfried. Es kam eine Zeit, da schlich er an der Tafel vorbei, ohne aufzukucken, und wenn wir an unserm Platze saßen und sein Blick fiel mal drauf hin, sah er schnell weg oder auf den Boden oder murmelte etwas, was ich nicht verstand.

Gut, eines Tages gegen Abend stand ein schreckbares Gewitter über der Stadt; es donnerte und blitzte unbändig, und auf einmal hieß es: in der Sophienkirche hat's eingeschlagen! – Richtig – da brannte sie lichterloh. Mein Alter, der sonst bei so was immer vorn dran war, rührte diesmal nicht Hand nicht Fuß, und es hätte auch nichts geholfen. Er hatte mich unterm Arm, und wir standen in der Menschenmenge und sahen zu. Auf einmal schwankt der Turm, der wie eine Fackel war, hin und her und stürzt dann herunter auf das Kirchendach mit einem Krach, daß Menschen und Pferde in die Kniee schossen und ich mit. Mein Alter aber blieb aufrecht stehen und kehrte sich um und brachte mich nach Hause. Als wir in unserer Stube waren, ging er den ganzen Abend auf und ab, bis er plötzlich vor mir stehenblieb und sagte: ›Mutter, gottlob, die Tafel ist verbrannt! Mutter, ich konnt sie nicht mehr ansehen! – Gute Nacht, Mutter!‹ – Ich verstand ihn gar nicht und fragte, was das bedeuten solle, aber er schüttelte nur mit dem Kopf und ging zu Bett. Und das will ich auch tun, mein Flachs ist alle! Gute Nacht, ihr Herrn, gute Nacht, Kinder! – Komm, Annechen!« – Damit erhob sich die alte Frau und ging, auf ihren Stock und den Arm ihrer Tochter gestützt, hinaus ihrer kleinen Kammer zu, um von ihrem alten Gottfried mit dem eisernen Herzen, um von den beiden erschossenen Freiheitskämpfern weiterzuträumen. Der Karikaturenzeichner machte heute abend keinen Witz mehr, der Meister sog an der erloschenen Pfeife. Es war, als wage keiner sich von seinem Platz zu rühren; es war, als müsse nun gleich die Tür sich öffnen und der alte gewaltige Mann hereintreten mit dem schwarzen Reiter und dem grünen Jäger an seiner Seite, von denen der eine

an der Oder und der andere dicht vor Paris begraben liegt
auf dem Montmartre.

»Ich weiß, warum der Meister Karsten die Tafel nicht
mehr ansehen konnte!« rief plötzlich eine klangvolle
Mannsstimme, daß alle fast erschrocken aufsahen. Es
war Rudolf, der Altgeselle, der sich in seinem Winkel
hoch aufgerichtet hatte.

»Ich auch!« rief Bernhard, der zweite Gesell, seinem
Gefährten die Hand auf die Schulter legend.

»Ich auch!« rief Strobel aufspringend. »Wieviel Wissende
noch?«

»Ich auch!« rief der Meister. »Ich auch!« sagte ich. »In
dem Wissen liegt die Zukunft – Gott segne das Vaterland!« Und dann – – – kam die Meisterin mit den
Kartoffeln.

Am 10. Februar.
Und wieder überschreibe ich ein Blatt der Chronik:

Elise.

Wir haben gejubelt und gelacht, auch wohl geweint über
kleine Schmerzen und verunglückte Freuden! – Wie die
Jahre kommen und gehen!

Der Efeu hat nun eine ordentliche, schattige, grüne
Laube gebildet; rote und blaue Wachsbilder hat eine
kleine schmückende Hand zwischen das Blätterwerk
gehängt; wieder flattert ein zahmer Kanarienvogel in der
Stube hin und her, von meinen Büchern und Schreibe-
reien auf eine hübsche runde Schulter im Fenster oder auf
einen niedlichen Finger, der ihm winkend hingehalten
wird. – Elise ist nun dreizehn Jahr alt auf den Blättern
dieser Chronik. Oft, wenn ein lustiger Sonnenstrahl über
das Blätterwerk schießt, zwitschert wohl Flämmchen –
so heißt der neue kleine Freund – fröhlich auf, hüpft aus
seinem Bauer, dreht das Köpfchen mit den funkelnden
kohlschwarzen Äuglein einigemal hin und her und flattert dann zum offenen Fenster hinaus. Einen Augenblick
glänzt es, hin und her schießend, wie ein Goldpünktchen

im Sonnenschein, dann flattert es nach der jenseitigen Häuserreihe und verschwindet in einem Fenster des mittleren Stockwerkes in Nr. zwölf. Von dort ward es herübergebracht, auch dort hat es ein kleines Messingbauer.

Neue Gesichter sind aufgetaucht, neue Fäden schlingen sich wundersam in unser Leben und damit heute an diesem regnichten, windigen Februartage auch in diese Blätter.

Was tot war, wird lebendig; was Fluch war, wird Segen; die Sünde der Väter wird nicht heimgesucht an den Kindern bis ins dritte und vierte Glied!

Eine helle, frische Stimme erschallt unten im Hause; ein leichter Schritt kommt die Treppe herauf – Elise horcht. Nach einigen Minuten erschallt plötzlich draußen ein Gepolter, Marthas Stimme läßt sich hören, klagend und ärgerlich. Da ist er – der Taugenichts der Gasse!

Die Tür wird halb aufgerissen, und herein schaut ein lachendes, kerngesundes, mit unzähligen Sommerflecken bedecktes Knabengesicht.

»Nun, Gustav, was gibt's wieder?«

»O gar nichts!« sagt das mauvais sujet, den Mund von einem Ohr bis zum andern ziehend, während Martha jetzt kläglich draußen nach Elisen ruft. »Was mag er nur angefangen haben?« sagt diese aufspringend und hinausgehend. Ein helles, herzliches Gelächter, in welches ich sie draußen ausbrechen höre, zwingt auch mich, von meinen Büchern aufzustehen, während Gustav sich ganz ehrbar in einen Band von Beckers Weltgeschichte vertieft zu haben scheint. Ich nehme die möglich ernsteste Miene an und schreite hinaus. Welch ein Anblick erwartet mich!

Die gute Alte hat höchst wahrscheinlich ihre Mittagsruhe gehalten und ist, das Strickzeug im Schoß, eingeschlafen. Diesen günstigen Augenblick zu benutzen, hat der Taugenichts, der vielleicht mit sehr guten Vorsätzen die Treppe heraufkam, doch nicht unterlassen können.

Festgebunden sitzt die Unglückliche in ihrem Stuhle; Handtücher, Bindfaden, das Garn ihres Strickzeuges, kurz alles nur mögliche Bindematerial ist benutzt, sie unvermögend zu machen, sich zu rühren. Vor ihr auf einem noch dazu sehr zierlich gedeckten Tischchen steht ein großer Napf Milch, der höchst wahrscheinlich zu den wichtigsten kulinarischen Zwecken bestimmt war, und um ihn im Kreis sitzt schlürfend und schmatzend – die ganze Katzenwelt des Hauses, von Zeit zu Zeit einen höhnenden Blick nach dem Lehnstuhl werfend, wo die gefesselte Küchentyrannin strampelt und droht in wahrhaft tantalischen Qualen.

»Lieschen – so jag sie doch weg – (Elise hat vor Lachen die Kraft gar nicht dazu und sitzt atemlos auf einem Schemel) – o der Schlingel – aber, Herr Wachholder, jagen *Sie* sie doch weg – es bleibt ja nichts übrig – o meine schöne Milch – der Bösewicht!« Ja, der Bösewicht – wo war er, als diese Tragikomödie zu Ende gekommen war und man sich nach dem Urheber umsah? Der Band von Beckers Weltgeschichte lag freilich noch aufgeschlagen da, aber von Gustav – nirgends eine Spur!

Wer ist dieser Gustav?
Der Enkel eines Mannes, dessen Name schon einmal gar unheimlich in diese Blätter hineingeklungen ist, der Enkel des Grafen Friedrich Seeburg.
Es war im Jahr 1842, als in die Wohnung drüben in Nr. zwölf, in deren Fenster später der Kanarienvogel so oft hinüberflatterte, eine schöne, schwarz gekleidete, bleiche Frau zog, welche sich Helene Berg nannte, die Witwe eines vor kurzem verstorbenen Mediziners. Sie war es, die schon einmal durch unser Leben und durch die Blätter dieser Chronik geglitten ist mit jenem Sonnabend im Sommer 1841, als wir den toten kleinen Vogel auf dem Johanniskirchhofe begruben zu den Füßen der Gräber von Franz und Marie. Sie küßte damals die kleine Elise, aber wir kannten einander nicht. – »Georg Berg«

stand auf dem Grabstein, an welchem sie gekniet und geweint hatte, und in der ärmlichen Wohnung drüben in Nr. zwölf, in der engen, dunkeln Sperlingsgasse verklingt die letzte Saite der unheilvollen, wilden Geschichte, die einst der sterbende Jäger dem Maler Franz Ralff erzählte. – Ist das Lied vorbei? Eine junge, fröhlichere Weise nahm den letzten Ton auf, und »Gustav und Elise Berg« wird die neue Melodie lauten!

Wie die Letzte aus dem stolzen Hause der Grafen Seeburg das Zusammenhängen ihres Schicksals mit dem kleinen Mädchen an meiner Seite erfuhr? – Ihre Geschichte?

Ich fürchte mich fast, die Decke, die über soviel kaum vergessenem und begrabenem Unheil liegt, wieder aufzuritzen.

»Sieh, welch ein schöner Ring!« sagte einmal Elise, der Frau Helene, die bei uns saß, jenen Reif zeigend, den vor langen, langen Jahren der alte Burchhard am Hungerteiche im Ulfeldener Walde der toten Luise aus der erstarrten Hand gezogen hatte, der so lange Jahre unter jenem bekreuzten Stein gelegen hatte und der das Wappen des Grafen von Seeburg trug! – Ich habe nicht nötig aufzuschreiben, was folgte! – – – – Wir trennten uns damals so bald nicht. Den ganzen Abend ließ die weinende Helene die kleine Elise nicht aus den Armen, und Gustav – Gustav, der Taugenichts der Gasse, begrüßte jubelnd seine Kusine auf seine Weise.

Nachdem er lange unstät sich umhergetrieben hatte, heiratete in Italien der Graf Friedrich Seeburg eine schöne, vornehme, aber arme Italienerin; sie ward die Mutter Helenens und starb, sie gebärend, im zweiten Jahr ihrer Ehe. Die Griechen dachten sich die Kluft zwischen Gott und dem Menschtum ausgefüllt durch ein Vermittelndes, das Dämonische: da schwebten, »damit das Ganze in sich selbst verbunden sei«, Geister »viel und vielerlei« auf und nieder, strafende und lohnende Boten der Gottheit, und niemand entging seinen Taten. Diese

Geister verfolgten auch den Grafen: Reue, Ruhelosigkeit, Lebensüberdruß hießen sie, und auf jede Lebensfreude legten sie ihre ertötende Hand. Wieder zog der Graf über die Alpen nach Deutschland. Das Schloß Seeburg war verkauft – er kam nach Wien, wo er menschenscheu und finster in einem einsamen kleinen Hause wohnte. Oft hörte ihn seine Tochter auf und ab gehen in der Nacht; sie hatte keine Bekanntinnen, keine Freundin; eine alte Dienerin ihrer Mutter war ihr ganzer Umgang. So verlebte sie ihre ersten Jugendjahre fast ganz sich selbst überlassen, während ihr Vater immer finsterer und finsterer ward. Er verbot ihr zu singen, zu spielen; sie seufzte und fügte sich. Da wurde eines Morgens der alte Graf Seeburg tot im Bett gefunden; kein Mensch war bei seinen letzten Augenblicken zugegen gewesen, er war gestorben, wie ihn Helene nur gekannt hatte, – einsam und allein. Einsam und verlassen war aber auch sie jetzt, ein junges Mädchen in einer großen, fremden Stadt, die sie nicht kannte, wo sie niemand kannte. Es fand sich, daß die Hinterlassenschaft ihres Vaters kaum hinreichte, die während seines Aufenthalts in Wien gemachten Schulden zu bezahlen.

Unter den wenigen, die von Zeit zu Zeit das Haus ihres Vaters betreten hatten, war ein Doktor Berg, ein nicht mehr ganz junger Mann, und dieser war der einzige, der, an das Totenbett des alten Grafen gerufen, nachdem er ihm die Augen zugedrückt hatte, sich der jungen Waise annahm. Er brachte ihre Vermögensverhältnisse in Ordnung; er führte sie, die ebenfalls fast menschenscheu Gewordene, zu guten Menschen, zu seiner alten freundlichen Mutter. Er schien alles, was er tat, nur als seine Pflicht anzusehen, und er, der ihr anfangs gleichgültig war, gewann ihre Zuneigung mehr und mehr. Da bot er ihr seine Hand, und die Gräfin Helene Seeburg ward seine zufriedene, glückliche Gattin, bald noch glücklicher durch die Geburt eines Sohnes, der Gustav genannt wurde. Da zwangen Verhältnisse – auch seine Mutter war gestorben – den Doktor Berg, Wien zu verlassen; er zog hierher und bemühte sich, eine Praxis zu gewinnen. Eben schien es ihm zu gelingen, als eine heftige Seuche, die verheerend von Osten kam und über das ganze Land todbringend zog, auch ihn wegraffte; er ließ seine Frau und seinen Sohn fast unbemittelt zurück. Auf dem Johanniskirchhof, zwanzig Schritte von Franz und Marie Ralff, ward er begraben.

Das war es, was die Frau Helene Berg erzählte, während der Ring mit dem Wappen der Grafen Seeburg, die Schlange, die den Rubin umwand, vor ihr auf dem Tische funkelte. Noch an demselben Abend trug ich ihn auf die Königsbrücke und warf ihn weithin in den Strom, nachdem ich ihn in zwei Stücke zerbrochen hatte. Helene lehnte neben mir am Geländer, und schweigend gingen wir zurück in die Sperlingsgasse zu – unsern Kindern.

War's nicht ein hübsches, ein glückliches Vorzeichen, dieser kleine goldgelbe Vogel, der zwischen den beiden Wohnungen hin und her flatterte, der seine Wohnung dort und hier hatte, oft ein kleiner treuer Bote war und an seinem beweglichen Hälschen gar wichtige Nachrichten, Fragen oder Antworten hinüber- und herübertrug?

»Schau mal nach, Liese, das Flämmchen trägt wieder einen Zettel am Halse. Jetzt werden wir wohl erfahren, wo der Bösewicht, über den ich die alte Martha draußen noch brummen höre, steckt.«

Zwitschernd hüpft Flämmchen auf Elisens Hand. Sie nimmt ihm den Zettel ab, und in einer weitbeinigen Knabenhandschrift lautet die Botschaft:

»Liese!

Da ich mich vor morgen bei Euch nicht zu zeigen wage und noch dazu leider gezwungen bin (scheußlich!) 3 Seiten, schreibe drei Seiten, voll lateinischen Unsinns zu übersetzen (ich möchte nur wissen, wozu ein Maler, und ich *will* einer werden, Latein braucht?????), so bitte ich

Dich, den Onkel *(Du brauchst ihm diesen Brief nicht zu zeigen)* ebenso auf seinem Lehnstuhl festzubinden, wie ich die alte Martha festgebunden habe, und *so bald als möglich* vor die Tür zu kommen. – Ich will Dir mal was Wichtiges sagen.   Gustav.

P. Scr. Ich passe auf, und wenn ich Deine Nasenspitze sehe, schleiche ich an den Häusern hin zu Euerer Tür! Komme bald!!

P. Scr. Bring Deine Korbtasche mit!«

»Was mag er nur wollen?« fragt Lieschen, die schon nach dem Nagel guckt, an welchem ihre Tasche hängt, während ich trotz des warnenden Passus den Brief des Übeltäters und seine echte Tertianerlogik studiere. Es ist prächtig: *weil ich* ein Exerzitium von bedenklichster Länge machen muß – *so komme so bald als möglich!* Und dann die kleine Heuchlerin, die recht gut weiß, was der Faulpelz will!

»Was für einen Tag haben wir heute, Lieschen?«

»Ah – Sonnabend!« ruft Elise. »Jetzt weiß ich's! Er hat sein Taschengeld gekriegt.«

»Welches eigentlich die alte Martha konfiszieren müßte. Höre, Lieschen; schreib ihm als Bedingung Deines Kommens vor, daß die ›scheußliche‹ Arbeit fertig sein müsse.«

»Wie lange dauert das wohl, Onkel?« fragt die Liese ganz bedenklich; sie zöge das »So bald als möglich« unbedingt vor.

»Nun – zwei Stunden; mindestens!«

»Oh, oh zwei Stunden?!«

»Ja, und dann wimmelt sie doch noch von Fehlern, einer immer schlimmer als der andere.«

»Onkel, Gustav sagt aber: je länger er an einer Arbeit säße, desto mehr Böcke mache er.«

»Nun denn, wenn er das sagt, so soll er sie fürs erste nur fertigmachen und mit herüberbringen. Schreib ihm das!«

Elise stellt jetzt eine große Auswahl unter meinen Federn an und beklagt sich sehr über »unsere« schlechte Dinte, während Flämmchen, auf einer Stuhllehne sitzend, anfangs geduldig wartet, dann aber, als ihm die Sache zu lange dauert, sich bemüht, über dem Tisch flatternd, ebenfalls in das Dintenfaß zu schauen, um den Grund der Zögerung zu erfahren. Endlich jedoch ist Elise mit ihren Vorbereitungen fertig und schreibt:

»Lieber Gustav!
Dein Brief ist glücklich angekommen. Flämmchen hat ihn gebracht. Die alte Martha hat einen nassen Waschlappen im Fenster liegen; sie will Dich tüchtig waschen, wenn Du kommst. Den Onkel kann ich nicht festbinden, er rennt heute immer in der Stube auf und ab und sitzt keinen Augenblick still. Du sollst erst Dein Exerzitium fertig machen und es mitbringen, eher soll ich nicht kommen! Mach schnell!!! Meine Tasche bringe ich mit!
Elise.«

Auch diese Botschaft wird dem Flämmchen umgehängt – die Praxis hat es gelehrig gemacht; zwitschernd schüttelt es das Köpfchen, als wolle es sagen: nun ist's aber genug, jetzt komme ich nicht wieder, und – verschwunden ist's. Elise sitzt wartend vor ihrem Nähtischchen unter der Efeulaube, ich vertiefe mich wieder in meine Bücher, aber keine halbe Stunde vergeht, da ertönt unterm Fenster ein heller Pfiff, und Elise springt auf und schaut hinaus.
»Da ist er schon!« ruft sie halb zurück mir zu.
»Komm herauf, Gustav!« ruft sie hinunter.
»Dieses weniger!« erschallt unten die Schülerredensart, und mich wundert wirklich, daß der Bengel diesmal nicht die noch dazugehörende weise Benachrichtigung damit verbindet: Aber mein Bruder bläst die Flöte.
»Hast du dein Exer?« (scilicet zitium) ruft Elise.
»Versteht sich; fix und fertig, komm herunter, du kannst es *ihm* hinaufbringen.«

Elise sieht mich fragend an, und ich nicke. Herunter ist sie wie der Blitz, und ich gehe ans offene Fenster, hüte mich aber wohl, etwas von meiner werten Persönlichkeit sehen zu lassen.

»Du bist aber schnell damit fertig geworden, Gustav!« sagt Elise, und ich stelle mir oben lebhaft vor, wie der Schlingel grinst, als er ihr sein Machwerk einhändigt.

> »Mit Geduld und Spucke
> Fängt man jede Mucke!«

lautet die Antwort: »Hier, nimm dich in acht, es ist noch naß; und höre, Lieschen, – komm schnell wieder herunter, ehe *er* hineingekuckt hat; er könnte mich noch zurückrufen!«

»Taugenichts! Das mag was Schönes sein!« moralisiert Elise, die ich nun die Treppe heraufkommen höre.

»Da ist's, Onkel!« ruft sie in die kaum handbreit geöffnete Tür, wirft das edle Manuskript auf den nächsten Stuhl, schlägt die Tür zu und – in drei Sätzen ist sie die Treppe hinunter.

»Liese, Lieschen, Elise!« rufe ich, aber wer nicht hört, ist Fräulein Elise Johanne Ralff.

»Komm schnell, *er* ruft schon!« sagt unten der Schlingel, sie am Arm fassend, und fort sind sie um die Ecke!

Da liegt nun das blaue Heft, auf dem Umschlag: »Gustav Berg« und drunter die geniale Übersetzung Gustavus Mons mit Angabe von Wohnort, Datum und Jahreszahl. Ich schlage es auf, und es ist in der Tat zweifelhaft, ob der Kollaborator Besenmeier es mit roter Dinte oder ob es Meister Gustavus Mons mit schwarzer geschrieben hat. – Hier sind die neuesten Seiten. Reizend! Ita uno tempore quatuor locubis (Schlingel!) pugnabatur etc. etc. Als Schulmeister müßte ich ausrufen: »Was *soll* aus dem Jungen werden?« Als Nichtschulmeister aber halte ich mich an das – Löschblatt und rufe aus: »Was *kann* aus dem Jungen werden!« – Hier »an vier Orten« schlagen sie ebenfalls, Römer, Karthager, Mazedonier, Sarden, und zwar besser als im Latein: Pferde, Menschen, Hannibal ante portas, Triarier, Veliten, Principes! Ausgezeichnet! Ich werde dem Schlingel eine tüchtige Rede halten sowohl über seine »locibus«, als auch über die Unverschämtheit, ein Heft mit solch beschmiertem Löschblatt drin »abliefern« zu wollen. Das letztere aber werde ich konfiszieren, und Zeichenstunde soll der Junge auch haben; dieser Signifer hat doch etwas zu lange Arme.

Eine halbe Stunde sitze ich nun noch arbeitend, dann schlägt es auf der Sophienkirche sechs. Ich weiß nicht, ist es das schlechte Beispiel, welches mir da eben gegeben wurde, oder der blaue Sommerhimmel und die Sonne draußen; auf meinem Papier rücke ich nicht weiter, wohl aber unruhig auf dem Stuhl hin und her. Elise hat übrigens auch recht: »unsere« Dinte ist wirklich abscheulich. Ich schlage meine Bücher zu, ziehe den Rock an und gehe den Tönen eines Fortepianos nach, welche von drüben herüberklingen. Wenn ich in Nr. zwölf die Treppe hinaufgestiegen bin, so finde ich dort in dem einfach, aber hübsch ausgestatteten Zimmer des ersten Stocks eine Dame vor dem Klavier sitzen, die mir freundlich zunickt, ohne sich in ihren Phantasien stören zu lassen. Ich setze mich neben die Rosen- und Resedatöpfe im Fenster, der Musik lauschend, und kann dabei zugleich einen musternden Blick über das Zimmer gleiten lassen. Hier gleich neben mir unter den Blumen steht Flämmchens Messingbauer, in welchem der kleine Vogel bereits auf der Stange sitzt und das Köpfchen unter den Flügel gezogen hat. Müde von den Anstrengungen des Tages ist er früh zu Bett gegangen. Im zweiten Fenster mir gegenüber steht ein ähnliches Nähtischchen wie das, vor welchem ich sitze; ein Stickrahmen mit angefangener Arbeit liegt darauf. Das ist Elisens Platz; auch sie hat wie Flämmchen hier eine zweite Behausung. Zwischen beiden Fenstern, gegen das Licht gezogen, macht sich ein einst rot bemalt gewesener Tisch breit; bedeckt mit

Büchern, Schreibzeug, Heften, Federmessern usw. usw., bekritzelt, zerschnitten, zerhackt ist er der Schauplatz von Gustavs »stillen Freuden«.

Hier brütet das Genie über seinen »locibus«, den Kopf auf beide Fäuste gestützt und in den Haaren wühlend; hier füllen sich die Blätter mit Fratzen aller Art statt mit lateinischen Phrasen; hier werden alle die Dummheiten ausgebrütet, welche die Gasse in Verwunderung und Verwirrung setzen sollen; hier werden mit dem demütigsten Gesicht, der reuevollsten Miene die Ermahnungen und Vorwürfe, welche die Mutter von ihrem Thron herab auf das Haupt des Taugenichts der Sperlingsgasse schüttet, in Empfang genommen und richtig quittiert durch – einen tollen Streich eine Viertelstunde nachher; hier, kurz hier – ist Gustav Bergs Schreibtisch!

Als die Tante Helene ihr Spiel beendet hat, erzähle ich ihr die Geschichte des Katzendiners, von dem sie natürlich noch nicht das mindeste weiß.

»Ich kann ihn nicht mehr bändigen!« ruft sie halb lachend, halb in Verzweiflung aus. »Und die Elise verdirbt er mir auch ganz! Statt zu sticken und Vokabeln aufzuschlagen, schießen sie sich mit Papierkugeln; wenn er ihr einen Käfer in den Nacken gleiten läßt, bin ich sicher, daß sie ihm einen Zopf ansteckt oder einen Eselskopf auf den Rücken malt. Ich spreche und schelte mich heiser und müde, aber es hilft nichts! ›Tante, er hat angefangen, ich saß ganz ruhig!‹ ›Mutter, 's ist nicht wahr, sie hat zuerst geschossen!‹ So geht das den ganzen lieben Tag! Wo mögen sie nur jetzt wieder stecken?«

»Wenn man den Wolf an die Wand malt, so kommt er um die Ecke!« sagt das Sprichwort, und unsere Altvordern wußten, was sie taten, als sie es aufbrachten. Mit Helenens Frage öffnet sich die Tür, oder vielmehr sie wird aufgerissen, und herein, hochrot, stürzen – Windbeutel und Wildfang! Kaum erblickt mich aber Freund Gustav, so macht er kehrt und sucht schleunigst die Tür wiederzugewinnen, glücklicherweise aber bin ich diesmal schneller.

»Halt, Meister! Hiergeblieben!«

»Ja, hiergeblieben, Gustav!« ruft die Mutter.

Ich beginne nun das Verhör.

»Wie alt bist du jetzt, Gustav? Antwort!«

»Vierzehn und ein halb!«

»Welchen Platz in der Klasse hast du jetzt?«

»Ich bin der Vierundzwanzigste von oben!«

»Und von unten?«

»Der – der – der Fünfte!« – (Pause.)

Ich lege nun ein Gesicht an wie Zeus Kronion, wenn's lange heiß gewesen ist und er donnern will, und beginne eine Rede, die anfängt: Als ich in deinem Alter war (wie Nota bene alle Väter und Erzieher beginnen, seit Adam seinen Erstgeborenen »rüffelte«); ich flechte die Milchgeschichte ein, gehe dann zu den »locibus« in der letzten Arbeit über, bringe einen kleinen Seitenhieb auf Elise an und ende, indem ich die rührend-pathetische Seite – den Kummer der Mutter – herauskehre.

Während der ganzen Dauer dieser »Pauke« hat mein Missetäter, bald auf dem einen, bald auf dem andern Fuß stehend, mit einem dummpfiffigreuigwehmütigen Gesicht angestrengt einen Punkt oben an der Decke, der ihm sehr merkwürdig erscheinen muß, ins Auge gefaßt. Kaum aber habe ich geendet, so verliert auch besagter Punkt alles Interesse für den Schlingel, »die Erde hat ihn wieder«, er schiebt sich hinter Elise, die fortwährend mit ihrer Schürze zu tun gehabt hat, und dann zu seiner Mutter, die ihm bemerkt:

»Siehst du; ich hab's dir oft gesagt, aber auf *mich* hörst du nicht. Wie heiß ihr seid! Geh aus dem Zugwind, Elise, Kind, du erkältest dich! Wo habt ihr eigentlich gesteckt?«

»Wir sind nur auf dem Fontänenplatz gewesen!« sagt Elise, mit dem Rücken der Hand über den Mund fahrend.

»So! – Und was habt ihr da gemacht?«

»Wir haben die Goldfische gefüttert!«

»Die Goldfische?! – Gustav, wieviel von deinem Taschengeld hast du noch?«

Bei dieser Wendung des Gesprächs steht Gustav auf einmal wieder auf einem Bein und scheint sehr zu bedauern, daß er sich nicht wie die Gänse mit dem andern hinterm Ohr kratzen kann. Langsam fährt er mit der Hand in die Tasche, besinnt sich aber und zieht sie schnell zurück.

»Nun?!«

»Hast du's mir zum Ausgeben gegeben, Mama?« fragt der Schlingel, den seine Erziehung Weiberlogik kennengelehrt hat.

»Freilich – aber – aber – – –«

»Nun, ausgegeben hab ich's! Liese kann es bezeugen!«

»Ja, *das kann ich!*« ruft Lieschen ganz eifrig. »Darüber braucht ihr ihn nicht auszuschelten!«

Ich komme jetzt der bedrängten Tante zu Hülfe.

»Ausgeben kann er's freilich, aber das Wie ist jetzt die Frage. Was habt ihr mit dem Gelde angefangen?«

Das Paar sieht sich stumm an. Plötzlich greift Liese in ihre Tasche, zieht einen Kirschkern hervor und schnellt ihn Gustav an die Nase. Die Frage ist gelöst.

»Ach so!« ruft die Tante Berg. »Nun, es ist gut, daß es fort ist, so kann er wenigstens nicht wieder Zigarren dafür kaufen wie vorige Woche.«

Auch ich bin ganz damit einverstanden, während Elise dem Vetter den Ellenbogen in die Seite stößt und ihm zuflüstert: »Warte nur, morgen kriege ich meins!«

Glückliche Kindheit! Alle späteren Lebensalter, die eine einsame Minute fröhlich verträumen wollen, lassen dich vor sich aufsteigen, und ich – der alternde Greis, fülle diese Bogen mit längst vergangenen, längst vergessenen Kindergedanken und Kindersorgen! Träumt nicht sogar die Menschheit von einem »goldenen Zeitalter«, einer längst untergegangenen glücklichen Kinder-Welt?

Am 28. Februar.

Es ist gar kein übler Monat, dieser Februar, man muß ihn nur zu nehmen wissen! – Da ist erstlich die ungeheuere Merkwürdigkeit der fehlenden Tage. Wie habe ich mir einst, vor langen Jahren, den Kopf über ihr Verbleiben zerbrochen! Jeder andere Monat paßte aufs Haar mit Einunddreißig auf den Knöchel der Hand, mit Dreißig in das Grübchen, und nur dieser eine Februar – 's war zu merkwürdig! – Das ist ein Stück aus der formellen Seite der Vorzüge dieses Monats, jetzt wollen wir aber auch die inhaltvolle in Betrachtung ziehen. Was ist an diesem Regen auszusetzen? Tut er nicht sein möglichstes, die Pflicht eines braven Regens zu erfüllen? Macht er nicht naß, was das Zeug halten will und mehr? Der alte Marquart in seinem Keller ist freilich übel dran, seine Barrikaden und Dämme, die er brummend errichtet, werden weggeschwemmt, seine Treppe verwandelt sich in einen Niagarafall. Alles, was Loch heißt, nimmt der Regen von Gottes Gnaden in Besitz. Immer ist er da; seine Ausdauer grenzt fast an Hartnäckigkeit! Man sollte meinen, nachts würde er sich doch wohl etwas Ruhe gönnen. Bewahre! Da pladdert und plätschert er erst recht. Da wäscht er Nachtschwärmer von außen, nachdem sie sich von innen gewaschen haben; da wäscht er Doktoren und Hebammen auf ihren Berufswegen; da wäscht er Kutscher und Pferde, Herren und Damen – maskiert und unmaskiert; da wäscht er Katzen auf den Dächern und Ratten in den Rinnsteinen; da wäscht er Nachtwächter und Schildwachen selbst in ihrem Schilderhaus. Alles, was er erreichen kann, wäscht er! Kurz: »Bei Tag und Nacht allgemeiner Scheuertag, und Hausmütterchen Natur so unliebenswürdig, wie nur eine Hausfrau um drei Uhr nachmittags an einem Sonnabend sein kann.« Das ist das Bulletin des Februars, den man einst mensis purgatorius nannte. – Jetzt finde ich auch einen Vergleich für das Aussehen der großen Stadt. Lange genug hab ich mich besonnen, keiner schien passend. Nun aber hab ich's! Aufs Haar gleicht sie einem unglücklichen Hausvater, den die Fluten des sonnabendlichen Scheuerns auf einen Stuhl am kalten Ofen geschwemmt haben, wo er sitzt – ein neuer Robinson Krusoe – mit Kind, Hund, Katze und Dompfaffenbauer, die Beine auf einem hohen Schemel stehend und die Schlafrockenden herabhängend in die Wogen.

Brr! – Das ist mal wieder ein Wetter, um in alten Mappen zu wühlen, und ich wühle auch darin schon seit geraumer Zeit! Da muß ein Brief sein, den ich trotz aller Mühe nicht finden kann und der doch eigentlich schon früher der Chronik hätte eingelegt werden sollen. Briefe mit späterem Datum von derselben Hand finde ich genug; sie berichten von Kindtaufen, und einer auch von dem Hinscheiden eines ehrwürdigen Pudels, »Rezensent« genannt. Ich möchte aber gern ein älteres Schreiben haben, welches noch nicht von Kindtaufen erzählt! Gottlob, hier ist's! Die Chronik hätte es, wie gesagt, viel früher aufnehmen müssen, aber was tut's? Je älter *solche* Briefe werden, je älter ihr Schreiber selbst geworden ist, desto frischer klingen sie!

Hier ist das Skriptum:

>»Unter Verantwortlichkeit der Redaktion.

Liebe und Getreue!

Eben hatte ich diesen Anfang ›Liebe und Getreue‹ gemacht, als sich auf einmal ein kleines Patschhändchen auf meine Schulter legte, ein brauner Lockenkopf sich vorbeugte und ein Stimmchen ganz fein sagte:

›Erlaube, liebes Kind (›liebes Kind‹, das bin ich, der Dr. Wimmer) – erlaube, liebes Kind, an was für ein Frauenzimmer willst du da schreiben?‹ Ich sah verwundert auf und erblickte – eine kleine runde Dame (sie sitzt jetzt neben mir und zieht mich für das ›rund‹ tüchtig am Ohr), die ein allerliebstes Mäulchen machte:

›Liebes Kind, ich möcht's halt gern wissen!‹

›Sollst du auch, Schatz‹, sagte ich lachend. ›Gib acht, es ist eine seltsame Geschichte! – Es war einmal ein Mann, der lief in der Welt herum, und die Leute nannten ihn Dr. Heinrich Wimmer; einige freilich titulierten ihn auch ‚Esel‘ oder so. Das waren aber nur die, welchen er dasselbe Epitheton gegeben hatte – was er oft sogar schriftlich, schwarz auf weiß, tat. Gut, dieser Mensch hatte eigentlich nur wenig wahre Freunde (Bekannte genug), denn er war so eine Art von Vagabond, wenn auch nicht in der schlimmsten Bedeutung des Worts. Er war ein Literat. Zu den Freunden, die ihn ertrugen und nicht ‚Esel‘ nannten, gehörte erstens ein Schulmeister namens Roder, zweitens ein ältlicher Herr, Wachholder genannt, und drittens – ein junges Mädchen (beruhige dich, Nannette, sie war höchstens elf Jahr alt, als wir schieden), namens Elise Ralff. Wir wohnten in einer großen Stadt, wo es viel Staub gibt und aus der sie mich, höchst wahrscheinlich aus Sorge um meine Gesundheit, wegjagten, weil jener Staub mich stets zum Husten brachte, ziemlich dicht zusammen und betrugen uns gegeneinander, wie gute Freunde sich betragen müssen. Sogar der Pudel Rezensent, mein vierter Freund, fühlte oft eine menschliche Rührung darüber, wie es in der Tat ein vortreffliches Vieh ist, was du auch dagegen sagen magst, Nannerl!

Und nun höre – grimme Othelloin, das ‚Liebe und Getreue‘ gilt den *drei* Freunden und ‚halt‘ nicht *einem* Frauenzimmer, du Eifersucht!

Da wir nun aber einmal dabei sind, so laß dir auch weitererzählen, liebe Nannette. Mit diesen Freunden lag ich an dem Tage, an welchem ich den letzten Staub von den Füßen über jene Sand-Stadt schüttelte, in einem Holze, wo wir den ganzen Tag über Vogelnester gesucht, Blumen gepflückt und Märchen erzählt hatten, als auf einmal ein Gefühl bodenloser Einsamkeit und moralischen Katzenjammers usw. usw. über mich kam.

Da stieg plötzlich, mitten im grünen Walde, wo die Vögel so lustig sangen und die Sonne so hell und fröhlich durch die Zweige schien, ein Gedanke in mir auf, ein Gedanke an ein kleines hübsches Mädchen, mit welchem ich einst zusammen gespielt und an das ich oft – oft gedacht hatte in spätern Jahren. – Daran aber dacht ich in dem Augenblick nicht, daß zwischen dem Kinderspiel und dem Waldtage so lange Zeit lag; – ich dachte – ich dachte: Heinrich, warum gehst du nicht nach München, wo du geboren bist, wo dein Onkel Pümpel, wo dein – kleines liebes Mühmchen Nannette wohnt?

Wie ein Lichtstrahl, viel heller und fröhlicher als die Sonne – durchzuckte mich das, ich sprang auf, warf den Hut in die Luft und schrie: ‚Hurra, ich gehe nach München zu meinem Onkel Pümpel, zu meiner Kusine Nannerl!' – Die Freunde sahen mich verwundert und lächelnd an, und der Lehrer Roder sagte: ‚Junge, das wäre prächtig, wenn du – solide würdest!'

(Gib mir einen Kuß, Schatz, und ich erzähle weiter.)

Sieh, da wand die kleine Liese Ralff dem Pudel einen hübschen Waldblumenkranz um den Pelz, sie drückten mir alle die Hand – das kleine Mädchen weinte sogar – und – – – ich ging nach München.

Lange Jahre waren hingegangen, seit ich meine Vaterstadt nicht gesehen hatte, und ganz wehmütig gestimmt schritt ich in der Abenddämmerung durch die alten bekannten Gassen der Altstadt. Da lag das Haus meiner Eltern – Fremde wohnten darin. Ich lugte durch die Ritze eines Fensterladens und sah zwei Kinder, die allein am Tische bei der Lampe saßen; sie waren sehr eifrig in ein Gänsespiel vertieft, und ich dachte an unsere Jugend, Nannerl, und das Herz ward mir immer schwerer. – Seidelgasse Nr. 20, da stand ich nun vor einem andern Haus. Dort hing ein altes wohlbekanntes Schild, ‚Pümpel's Buchhandlung' darauf gemalt. Der Laden war bereits geschlossen, der Onkel jedenfalls schon im Hofbräuhaus; ein Lichtschein erhellte noch die Fenster des obern Stockwerks.

Ich wagte kaum die Klingel zu ziehen. Endlich tat ich's aber doch. Mein Gott, ebenso jämmerlich klang die Glocke schon vor zehn Jahren. Schlürfende Schritte näherten sich – die Tür ging auf; wahrhaftig da war sie noch, die dicke Waberl, eher jünger als älter! Der Pudel und ich hätten sie beinah über den Haufen geworfen; sie kannte mich nicht und stand starr vor Schrecken und Verwunderung, als ich mit meinem vierbeinigen Begleiter in zwei Sätzen die Treppe hinauf war.

Eine kleine, runde... (Au, mein Ohr! Hör einmal, Nannette, das ist das Ohr, in welches es bei mir ‚hineingeht‘, was wird das für eine Ehe abgeben, wenn du mir das abkneifst! Nannette, ich würde in deiner Stelle mal das andere, zu welchem es ‚herausgeht‘, nehmen!) Dame trat mir entgegen:

‚Der Vater ist nicht zu Haus, mein Herr!‘ – – – Ich antwortete nicht, sondern nahm ihr das Licht aus der Hand – die kleine runde Dame erschrak ebenfalls gar sehr – und hielt es so, daß mir der Schein voll ins Gesicht fiel.

‚Herr Gott, der Vetter Heinrich!‘ rief die kleine, rrr... Dame. (Nannette, sag mal, ich glaube, ich habe dir in dem Augenblick einen Kuß gegeben?)

‚O welch abscheulicher Bart – – und eine Brille trägt er auch! Waberl, Waberl, schnell nach dem Bräuhaus: der Vetter Wimmer sei da!‘

Ja, er war da, der Vetter Heinrich Wimmer, und der alte Onkel kam auch; er umarmte den Landläufer und steckte ihn in seinen Sonntagsschlafrock; er wollte – – ja, was wollte er nicht alles! Der Pudel sprang wie toll und machte sogleich als ein vernünftiger Köter Freundschaft mit dem dicken Pümpelschen Kater Hinz.

Und dann – dann ward ich Redakteur der ‚Knospen‘, unter der Bedingung, den fatalen, politischen Husten vorher erst auszuschwitzen; dann ward ich von deinem

Papa, meinem guten, dicken, vortrefflichen Onkel, in den deutschen Buchhandel ‚eingeschossen‘, und dann – – Nun, Nannette, und dann?‹ – – – – – – – – – – – – – *Meine Herren und Freunde, was hab ich Ihnen da geschrieben!* – So geht's, wenn man verlobt ist und neben seiner Braut einen Brief schreiben will! Die reine Unmöglichkeit! Statt eines soliden, nach allen Regeln der Logik und Briefschreibekunst abgefaßten Berichts, schmiere ich Ihnen meine Unterhaltung mit dem Frauenzimmer. 's ist göttlich!

Nun – was tut's? Die Hauptmomente meiner Geschichte habt Ihr doch bei der Gelegenheit erfahren. Ich habe eine neue Seite meines Lebens aufgeschlagen; und wer hat diese vita nuova bewirkt? Der edle Polizeikommissar Stulpnase nebst seinen Myrmidonen und – meine kleine Beatrice, genannt Nannette Pümpel! Gesegnet sei das Haus Pümpel et Comp. bis ins tausendste Glied!! –

Ich schließe. Meine gentilissima verlangt ebenfalls Platz auf diesem Bogen. Mich soll's wundern, was sie schreiben wird; ihre Augen leuchten gar arglistig.

Dr. Wimmer.

Liebe, kleine Elise!

Obgleich wir uns noch nicht mit Augen gesehen haben, so kann ich doch halt nicht unterlassen, Dir, Herz, diesen ganz kleinen Brief zu schreiben, der böse Mensch hat nicht viel Raum übergelassen. So ganz böse freilich ist er doch nicht, denn er hat mir viel Gutes und Schönes von Dir erzählt, aber sage doch den beiden Herren, die ich auch nicht kenne, daß sie das törichte Zeuch, was er alles geschrieben hat, halt nicht alles glauben. Ich hab ihn durchaus nicht so weit ins Ohr gekneipt, als er sagt. – Liebes Kind, Ihr müßt uns einmal alle besuchen. Ich habe zwei Kanarienvögel und einen Stieglitz, der sich sein Futter selbst heraufzieht. Ich hätte Dir gern eins von den Vögelchen geschickt, aber der Onkel Doktor meint, sie könnten das Fahren nicht vertragen, das könnte selbst sein häßlicher Puhdel nicht. Es ist nur gut, daß das schwarze Tier sich so vor meinem schönen bunten Hinz fürchtet; sie beißen sich zwar halt nicht, aber sie sehen sich oft schief an von der Seite. Liebes Kind, besuche uns einmal und grüße den Herrn Onkel Wachholder und den Herrn Lehrer recht schön!

Deine unbekannte Freundin
Nannette P.

P. Scr. Verehrtester, überreichen Sie doch meiner dicken Freundin, der Madam Pimpernell, beifolgende drei Fünftalerscheine; da wird ein noch zu tilgender Schuldenrest sein.   Dr. W.

P. Scr. Ich muß in die Küche, sonst hätte ich mich eben noch recht über den Doktor zu beklagen. Er ist recht böse. Gestern hat er sein Dintenfaß über meine beste Tischdecke gegossen. Das geht mein Lebtag nicht wieder heraus! – Aber das ist das wenigste. – 's ist nur gut, daß ich den Tabaksdampf gewohnt bin, auch mein Papa macht furchtbare Wolken, und die Gardinen müssen nun noch einmal so bald gewaschen werden. Adieu!

Nannette.

P. Scr. Der Onkel Pümpel hat sich's in den Kopf gesetzt, dem armen ›Puhdel‹, wie Nann'l schreibt – auf seine alten Tage noch das ›Totstellen‹ beizubringen.   Dr. W.

P. Scr. Bier mag er schon! (Ich meine halt den Pudehl – so wird's wohl recht geschrieben sein.) Gott, ich muß wirklich in die Küchen!   N.

P. Scr. Nannette ist fort! Meine lieben Freunde, ich bin sehr glücklich und fidel! Ich hoffe auf baldige Nachrichten von Euch allen. Gruß und Brüderschaft!

Euer *H. Wimmer.*«

Welchen Jubel hatte einst dieser Doppelbrief mit seinen Postskripten in der Sperlingsgasse erregt! Wie tanzte an jenem Augustnachmittag im Jahr 1841, als er ankam, der Lehrer Roder mit der kleinen Elise im Zimmer herum! Heute, wo ich ihn wieder hervorsuchte, ist weder Roder bei mir – sie haben ihn im Jahr Achtzehnhundertundneunundvierzig nach Amerika gejagt, *sie fürchteten* sich gewaltig vor ihm –, noch guckt das kleine Lieschen, auf einem Stuhl stehend, mir über die Schulter. Aber allein bin ich doch nicht beim Wiederlesen; trotz dem Regen hat sich der Zeichner Strobel herausgewagt und ist, da das Glück dem Kühnen lächelt, wohlbehalten, wenn auch etwas durchnäßt, bei mir angekommen.

»Es ist ein prächtiges Ehepaar geworden«, sagte er lächelnd, indem er mir die Nadel einfädelte, mit welcher ich das Dokument der Chronik anheften wollte. »Seit der Doktor den bösen politischen Husten, der ihn sonst plagte, losgeworden ist, hat er einen Umfang gewonnen, dem nur das Embonpoint der kleinen fidelen Frau Doktorin Nannerl nahe kommt. Und diese kleinen, fetten Wimmerleins: Hansl, Fritzl und Eliserl, ›das jüngste Wurm‹, wie der Doktor sagt! – Und diese Nachkommenschaft des edeln Rezensent! – Für jedes Wimmerlein ein Pudel, einer immer schwärzer und schnurrbärtiger als der andere. Wie heißen sie doch? Richtig: Stulpnas (gewöhnlich Stulp abgekürzt), Dinte und Quirl. Es ist ein Schauspiel für Götter, die Familie spazierengehen zu sehen. Voran schreitet der Doktor mit dem alten Großvater Pümpel, dann folgen Dinte und Quirl, die den Korbwagen ziehen, in welchem das ›Kroop‹ Elise liegt. Neben ihnen trabt Stulp mit des Doktors Hut und Stock, und zuletzt kommt die Nannerl, an der Rechten den Hans, an der Linken den Fritz. Von Zeit zu Zeit treibt sie mit dem Sonnenschirm das Paar der Zugtiere an oder ruft dem Doktor zu:

›Wimmer, du wirst gleich dein Taschentuch verlieren!‹
oder:
›Wimmer, renne nicht so mit dem Vater. Wir kommen halt nicht mit!‹
oder:
›Wimmer, Stulp hat nur noch deinen Stock!‹

Dann dreht sich der Doktor gravitätisch um, wirft einen Feldherrnblick über den langsam daherziehenden Heereszug, pustet und fächelt, knöpft die Weste auf, bindet das Halstuch ab oder zieht wohl gar den Rock aus und sagt:

›Schatz, das Spazierengehen müssen wir aufstecken. Beim Zeus, es wird zu angreifend für unsereinen! – Stulp, Schlingel, hol meinen Hut – dort, allons!‹

Während nun der Zug so lange hält, bis Stulp mit dem Verlorenen zurückkommt, sagt der Alte wohl:

›Heinerich, paß auf, das neue Komplimentierbuch geht nicht!‹

›Weshalb nicht, Papa?‹

›Wir sind hierzulande nicht recht dran gewöhnt!‹ lautet die Antwort.

›Das weiß ich schon aus den Nibelungen und dem Parzival‹, sagt der Doktor, eine gewaltige Rauchwolke auspuffend. ›Es soll aber schon ‚gehen‘, Onkel und Schwiegerpapa Pümpel! Das Ungewohnte und Ungewöhnliche macht am meisten Glück. Fritzl, laß den Frosch in Ruhe, setz ihn wieder ins Gras, sonst kriegst du ihn gebraten zum Abendessen, was keinem jungen Bayern angenehm sein kann! – Vorwärts! Yankee doodle doodle dandy!‹ Damit setzt sich das Haus Pümpel & Komp. wieder in Marsch.«

Ich lachte herzlich über diese Schilderung. »Es wachse, blühe und grüne das Haus Pümpel & Kompanie wie – wie – –«

»Hopfen! – Vivat hoch!« schrie der Zeichner, nahm den Hut und trabte wieder davon. Wo er gesessen hatte, stand ein kleiner Sumpf Regenwasser: einen Schirm brauchte ich ihm also nicht anzubieten.

Abends 11 Uhr.

Wie traurig hat dieser Tag geendet! Ich wollte die Geschichte der armen Tänzerin über mir, die wir einst auf den Weihnachtsmarkt begleiteten, nicht erzählen aus Furcht, diesem Bilderbuch eine dunkle Seite mehr zu schaffen; aber die unsichtbare Hand, welche die gewaltigen Blätter des Buches *Welt und Leben* eins nach dem andern umwendet, mit ihren zertretenen Generationen, gemordeten Völkern und gestorbenen Individuen, will es anders als der kleine nachzeichnende Mensch. Dunkel wird doch dieses Blatt, dunkel – wie der Tod!

»Herr Wachholder«, sagte die Frau Anna Werner, die um neun Uhr abends an meiner Tür klopfte. »Herr Wachholder, das Kind der Tänzerin stirbt in dieser Nacht! Der Doktor Ehrhard, der eben oben ist, hat's gesagt. Ist's nicht schrecklich, daß die Mutter in diesem Augenblick tanzen muß? Sie haben ihr nicht erlauben wollen, die schlechten Menschen, wegzubleiben diesen Abend: es wäre heute der Geburtstag der Königin, sie *müsse* tanzen!«

Arme, arme Mutter! Ein hübscher, leichtsinniger Schmetterling gaukeltest du, bis die Verführung kam und siegte. Verlassen, verspottet, suchtest du dein Glück nur in den Augen, in dem Lächeln deines Kindes, und jetzt nimmt dir der Tod auch das!

Arme, arme Mutter! Mit geschminkten Wangen und den Tod im Herzen zu tanzen! Du hörst nicht die tausend jubelnden Stimmen der Menge, du hörst nicht die rauschende Musik: das Ächzen des winzigen, sterbenden Wesens in der fernen Dachstube übertönt alles. – Ich steige die enge, dunkle Treppe hinauf, die zu der Wohnung der Tänzerin führt. Frau Anna und der gute, alte Doktor Ehrhard sitzen an dem Bettchen des kranken Kindes. Eine verdeckte Lampe wirft ein trübes Licht über das kleine Zimmerchen; hier und da liegt auf den Stühlen phantastischer Putz, eine schwarze Halbmaske unter den Arzneigläsern auf dem Tische. Der Doktor legt das Ohr dem Knaben auf die Brust und lauscht den schweren, ängstlichen Atemzügen; ich stehe am Fenster und horche in die Nacht hinaus. Der Regen schlägt noch immer gegen die Scheiben; aus einem Tanzlokal der niedrigsten Volksklasse dringen die schrillen, schneidenden Töne einer Geige bis hier herauf. – Jetzt

zieht der Doktor die Uhr hervor und sagt leise und ernst:
»Sie muß sich beeilen!«
Das Kind stöhnt in seinem unruhigen Schlaf; die Hand des Todes drückt schwer und schwerer auf das kleine unwissende Herz, dem sich gleich ein Geheimnis enthüllen wird, vor welchem alle Weisheit der Erde ratlos steht.
Auf der Sophienkirche schlägt es dumpf zehn. Der Wind macht sich plötzlich auf und rüttelt an den schlechtverwahrten Fenstern. Die Februarnacht wird immer unheimlicher und düsterer.
Unter Blumenkränzen sich verneigend, steht jetzt im Theater die große, berühmte Künstlerin, die Menge jubelt und klatscht Beifall; der König, die Königin, das Publikum haben sich erhoben – der schwere, goldbesternte Vorhang rollt langsam nieder. Die bleiche Königin ist müde in ihren Wagen gestiegen; die große Künstlerin nimmt die Glückwünsche und Schmeicheleien der sie Umgebenden in Empfang; leer wird das eben noch so menschengefüllte Opernhaus, und – die arme Choristin ist halb bewußtlos an einer Kulisse zu Boden gesunken, um, wie aus wildem Traume zu noch wilderer Wirklichkeit erwachend, mit dem herzzerreißenden Schrei: »Mein Kind, mein Kind!« fortzustürzen. – Wir in dem kleinen Dachstübchen haben das nicht gesehen, nicht gehört, aber jeder kürzer werdende Atemzug des sterbenden Kindes sagte uns, was dort in dem lichterglänzenden, musikerfüllten Gebäude am andern Ende der großen Stadt geschehe.
Horch! Ein Wagen rasselt heran; er hält drunten.
»Die Mutter«, sagt der Doktor aufstehend. »Es war Zeit!«
Ein eiliger Schritt kommt die Treppe herauf; eine Frau, in einen dunkeln Mantel gehüllt, erscheint todbleich und atemlos in der Tür. Sie läßt den regenfeuchten Mantel fallen, und im phantastischen Kostüm der Teufelinnen,

wie wir es in Satanella sahen, stürzt sie auf das Bettchen zu.

»Mein Kind! Mein Kind!« flüstert sie, in gräßlicher Angst den Doktor ansehend. Sie beugt sich, sie hört den leisen Atem des Kindes: Es lebt noch! – Das schwarze Lockenhaupt mit dem Flitterputz von Glasdiamanten und feuerroten Bändern sinkt auf das ärmliche Kissen.

»Mama, liebe Mama!« stöhnt das sterbende Kind, mit den kleinen fieberheißen Händchen durch die schwarzen Haare der Mutter greifend, daß die Steine darin blitzen und funkeln. – – Jetzt läuft ein Schauer über den kleinen Körper – – –

»Vorüber!« – sagt der alte Doktor dumpf, mir die Hand drückend.

Frau Anna und eine Nachbarin blieben die Nacht bei der armen, bewußtlosen Mutter.

Am 7. März.

Gestern nachmittag begannen die schweren Regenwolken, die wochenlang über der großen Stadt gehangen hatten, sich zu heben. Sie zerrissen im Norden wie ein Vorhang und wälzten sich langsam und schwerfällig dem Süden zu. Ein Sonnenstrahl glitt pfeilschnell über die Fenster und Wände mir gegenüber, um ebenso schnell zu schwinden; ein anderer von etwas längerer Dauer folgte ihm, und jetzt liegt der prächtigste Frühlingssonnenschein auf den Dächern und in den Straßen der Stadt. Wahrlich, jetzt gleicht die Stadt nicht mehr einem scheuergeplagten Ehemann; sie gleicht vielmehr seiner bessern Hälfte, die nun ihre Pflicht getan zu haben meint, erschöpft auf einen Stuhl zum Kaffeetrinken niedersinkt und lispelt: »Puh! hab ich mich abgequält, aber gottlob, nun ist's auch mal wieder rein!«

Ja, rein ist's! Verschwunden ist der Schnee, der zuletzt doch gar zu grau und unansehnlich geworden war; viel mißmutige, verdrossene Gesichter haben sich aufgehellt, und – die kleine Leiche von oben ist fort. Die alte

Großmutter Karsten hat auch ihr nachgeblickt; sie hat die arme Mutter auf die Stirn geküßt, als man den Sarg hinabtrug, und hat, gleichsam als wundere sie sich über etwas, lange das Haupt geschüttelt. Wer weiß, wieviel jüngere Leben sie noch dahinschwinden sieht!

Ich habe diese Blätter, glaub ich, einmal ein Traumbuch genannt – wahrlich, sie sind es auch.

Wie Schatten ziehen die Bilder bald hell und sonnig, bald finster und traurig vorüber. Jetzt ist der dunkle Grund, aus dem sie sich ablösen, ganz bedeckt von Leben und Jubel; jetzt taucht wieder die unheimliche finstere Folie auf. Die Freude verstummt, der Jubel verhallt, es ist tote Nacht allenthalben, die nur dann und wann ein Klagelaut unterbricht. Sei die Nacht aber auch noch so dunkel, ein Stern funkelt stets hinein: Elise! – Ich brauche nur in meine alten Mappen und Erinnerungsbücher mich zu versenken, und die Gespenster entfliehen, die Nebel sinken, und es wird wieder fröhlicher Tag in mir.

Elise!

Die Knospe, die hundert duftige Blumenblätter in ihrer grünen Hülle einschloß, entfaltet sich wie ein süßes, liebliches Geheimnis. Noch ein warmer Kuß der Sonne, und die Zentifolie, den reinen Tautropfen der Jugend und der Unschuld im Busen, ist die schönste der Erden-blüten.

Ich glaube an keine Offenbarung als an die, welche wir im Auge des geliebten Wesens lesen; sie allein ist wahr, sie allein ist untrüglich; in dem Auge der Liebe allein schauen wir Gott »von Angesicht zu Angesicht«. Die Zunge ist schwach und des Menschen Sprache unvoll-kommen; die Schrift ist noch schwächer und unvollkom-mener, und ein Blatt Papier zum Urquell der Erkenntnis des ewigen Geistes machen zu wollen, ist ein arm töricht Beginnen. Ich drücke die Augen zu, und – *sie* ist vor mir mit ihrem süßen Lächeln, *sie* schlägt sie auf, diese großen blauen Augen, in denen ich Trost suche und finde. Elise,

Elise, nun bist du ein großes, schönes Mädchen geworden, und das Bild dort, welches dein toter Vater von
deiner toten Mutter malte, gleicht einem Spiegel, wenn
du so sinnend davor stehst und so süßtraurig lächelnd
zu ihm emporblickst. Die wilden Spiele, die tollen
Streiche in dem Hause und auf der Gasse sind vorüber
(wenn auch noch nicht ganz, Schelm); wo du sonst
lachtest, Elise, lächelst du jetzt, wo du sonst weintest
und klagtest, senkst du jetzt die Augen und träumst;
wo du sonst den Schürzenzipfel in den Mund stecktest
oder die Ärmchen auf dem Rücken ineinander wan-
dest, fliegt jetzt ein hohes Rot über deine Wangen – du
bist eine Jungfrau geworden in den Blättern der Chronik, Elise!

Oftmals lässest du, vor dem Nähtischchen deiner Mutter
unter der Efeulaube sitzend, die Arbeit lauschend in den
Schoß sinken, das Köpfchen in das dichteste Blätterwerk
verbergend. Eine helle, frische Stimme klingt dann von
drüben herüber, ein Studentenlied anstimmend. Wo will
Flämmchen hin, Elise? – Einen Augenblick sitzt es auf
ihrer Schulter, ihr ins Ohr zwitschernd, als habe es ihr
ein wichtiges, ein gar wichtiges Geheimnis mitzuteilen,
dann verschwindet es aus dem Fenster. Wo ist es geblieben?
Die Stimme drüben, die plötzlich mitten in ihrem Gesang
abbricht, gibt Antwort darauf. Ein wohlbekanntes, wenig
verändertes, braunes Gesicht, von dunkeln Locken
umwallt, erscheint in Nr. zwölf am Fenster; es ist der
junge Maler Gustav Berg, der Vetter Gustav, der einstige
Taugenichts der Gasse, jetzt ein »denkender« Künstler
und, wie man munkelt, oft genug der »Taugenichts des
Ateliers« beim Meister Frey in der Rosenstraße.
»Kusine, Kusine Elise! Onkel Wachholder!« ruft er.
»Die Mama ist außer sich! Flämmchen hat ein Leinölglas
umgestoßen und – Unordnung über Unordnung – nicht
nur eine sehr angenehme Verschönerung auf dem Fußbo-

den, sondern auch eine sehr unangenehme Verbesserung auf meiner Zeichnung angebracht. Es ist keine Möglichkeit, weiterzuarbeiten! Wie wär's mit einem Spaziergang?«

Ich denke lächelnd an den Doktor Wimmer, der auch einst oft genug Ähnliches von drüben herüberrief; die Chronik der Sperlingsgasse hat ihre Wiederholungen wie alles in der Welt. – Elise setzt ihren Strohhut auf, und wir gehen hinüber. Auf der Treppe schon empfängt uns Gustav, noch im leichten farbebeschmutzten Malrock, den Kanarienvogel auf dem Finger.

»Da ist der Verbrecher«, lacht er. »Sieh, Lieschen, wie unschuldig er aussieht, grade wie du, die doch auch um kein Haarbreit besser ist als er.«

»Was? – Was hab ich denn verbrochen?« fragt Elise.

»Höre nicht auf den bösen Menschen«, sagt die Tante Helene, die jetzt in der Tür erscheint.

»So; – das ist ja prächtig, Mama! Höre nicht auf den bösen Menschen! Das ist himmlisch! Onkel Wachholder, das Frauenzimmervolk hängt wie Pech zusammen; ich rufe Sie zum Richter auf. Aber kommen Sie herein, die Sache ist zu wichtig, als daß man sie auf der Treppe abmachen könnte.«

Wir treten ein, jeder sucht sich einen Platz, und Gustav beginnt:

»Hören Sie zu, Onkel! Heute morgen gehe ich, mit meiner Zeichenmappe unter dem Arm, ganz solide von hier weg. Die besten Vorsätze und Gesinnungen bewegten meinen Busen, und ich rechnete mir innerlich für den immensen Fleiß, den ich heute beweisen wollte, verschiedene Bummeleien zugute. Ich wollte, ich hätte das Selbstgespräch, welches ich hielt, stenographieren können, es würde mir jetzt von großem Nutzen sein. An mancher Scylla und Charybdis, wo meine guten Vorsätze sonst dann und wann gescheitert waren, war ich diesmal glücklich vorbeigesegelt. Als mich Thomas Helldorf aus seinem Fenster anbrüllte, hatte ich mich taub

gestellt, als aus Schnollys Konditorei Leopold Dunkel
mir zuwinkte, hatte ich mich blind gestellt; gefühllos zu
sein, hatte ich geheuchelt, als Richard Breimüller mich in
die Seite stieß und mir den Arm fast ausrenkte, um mich
mit zu einem großartigen Frühstück zu ziehen, welches
die unmoralischen Menschen, die Freiwilligen von den
Zweiunddreißigern, gaben. Ich entwickelte eine riesige
Moral! Da biege ich im vollen Gefühl meiner Sittlichkeit
um die Ecke, die auf den Gemüsemarkt führt, und –
renne gegen einen Korb oder vielmehr eine Korbträge-
rin, die mir entgegenkommt und mir ohne weiteres mit
ihrem Sonnenschirm den Weg versperrt...«

»O dieser Lügner!« fällt hier Elise ein. »Wer hat dir den
Weg versperrt? Hast *du* mich nicht angehalten? Hast *du*
mir nicht meinen Korb weggenommen? Du...«

»...die mir also den Weg versperrt und...«

»Verleumder! – Hast *du* mir nicht meinen ganzen Korb
umgekramt und die größte Mohrrübe hervorgezogen,
um sie auf der Stelle mit deinem Messer...«

»...die mir, wie gesagt, den Weg versperrt und sagt:
›Sieh, das ist prächtig, Gustav; jetzt sollst du wider
deinen Willen einmal zu etwas nützlich sein; hier nimm
meinen Korb!‹ – Kannst du das leugnen, Liese?«

»Onkel, er lügt entsetzlich«, sagt Elise, »er verdreht die
ganze Geschichte. Ich hätte *ihn* doch nicht den Korb
tragen lassen?! Er war es, der ihn nicht wieder herausgab,
und da er noch dazu zwischen jedem Biß, den er an seine
Mohrrübe tat, an einem Rosenstrauch roch, welchen er
ebenfalls herausgewühlt hatte, so sagte ich: ›Ich habe
keine Zeit mehr und...‹«

»Onkel Wachholder«, unterbricht jetzt Gustav, »ich verband das Schöne mit dem Nützlichen! Mama, sind rohe
Mohrrüben nicht etwa gut gegen – gegen alles mögliche?«

»...ich habe keine Zeit mehr, und wenn du den Korb
einmal nicht wieder herausgeben willst, so behalte ihn
und schleppe ihn meinetwegen!«

»Siehst du! Seht ihr! Da gesteht sie ihre Schlechtigkeit selbst ein. Denken Sie, Onkel Wachholder, auf einmal dreht sie sich um, rennt davon wie eine Gazelle und läßt mich an der Ecke stehen wie ein Kamel, beladen mit Rosen von Schiras und Gemüse aus dem Tal von Schâm. ›Elise, Lieschen, Kusine Ralff!‹ rufe ich aus vollem Halse; ›Liese, mit dem Korb kann ich doch nicht ins Atelier gehen! Himmlische Kusine Lieschen, befreie mich von diesem Stilleben!‹ – Wer aber nicht hört, ist Elise. Was war zu tun? Ich setze mich in Trab; mit Korb und Mappe, mit Rüben und Rosen hinter ihr her. Solch eine Jagd! – Von Zeit zu Zeit sehe ich ihren Strohhut oder ihr blaues Kleid zwischen dem Schwefelholz-, Herings-, Butter- und Käsehandel – ich glaube, sie zu haben – Täuschung, da ist sie wieder hinter einer Bude verschwunden! Ich fange an, dem kaufenden und verkaufenden Publikum sehr lächerlich zu werden mit meiner Mohrrübe, die ich noch immer krampfhaft in der Hand halte. Ich trete in einen Eierkorb! Riesiger Skandal! – Die Polizei erscheint! ›Verkoofen Se Ihr Grünkraut sachte‹, sagt grinsend Polizeimann Nr. 69, ›immer langtemang!‹ – Ich bezahle für den Eierkorb mit blutendem Herzen und gelben Stiefeln; von Elise keine Spur! – Neue Jagd – ich glitsche über einem Kohlstrunk aus – baff, da liege ich mit Korb und Mappe; Kohlrüben, Rosen, Zwiebeln, meine Zeichnungen und Elisens Marktrechnungen im malerischen Durcheinander um mich her. ›O Jotte, det arme Kind‹, sagt eine dicke Gemüsefrau, ›ebent in die Eier und nu in den D . . .! Soll ich Se ufhelfen, Männeken?‹ – ›Immer langtemang‹, grinst wieder Polizeimann Nr. 69, der mir wie mein böses Prinzip gefolgt ist. – Ich suche meine Schätze, die ich zu allen Teufeln wünsche, gleich im Liegen auf, und erhebe mich dann in einer wirklich anmutigen Verfassung. Außer Atem und hinkend schlage ich mich durch die Menge und sinke auf den Eckstein an derselben Ecke, wo mein Leiden begonnen hatte. Ich stelle den Korb zwischen die

Beine und starre mit äußerst bitterm Gefühl hinein. Soll ich das Ungetüm wirklich hinschleppen nach der Sperlingsgasse? Vorüber an der Kaserne der Zweiunddreißiger und an Schnollys Konditorei? – Einen Spitznamen hätte ich und meine ganze Nachkommenschaft weg – drei Ellen lang! Mein innerster Mensch sträubte sich zu mächtig dagegen. Eine Droschke konnte ich nicht nehmen, denn meinen Geldvorrat hatte das Eierunglück aufgefressen, es blieb mir nichts anderes übrig, als eine neue Mohrrübe abzukratzen, meine Verzweiflung an ihr zu verbeißen. Das kommt davon, wenn man mit soliden Vorsätzen von zu Hause weggeht! Wie gemütlich hätte ich in dem Augenblick statt auf diesem fatalen Eckstein bei dem Frühstück der Freiwilligen sitzen können! Ich weiß nicht, wie lange ich so brütend da gekauert habe, als ich plötzlich, um zum Himmel zu schauen, meinen Blick aufschlage, aber ihn halbwegs erstarrt ruhen lasse! – – *Da saß sie!* – Kichernd lehnt sie an dem Eckstein der andern Straßenecke mir gegenüber, eine große, grüne, angebissene Birne in der Hand! ›Guten Morgen, Vetter!‹ lacht sie, ohne sich vom Fleck zu rühren. ›Könntest du mir jetzt vielleicht meinen Korb geben? Ich muß wirklich nach Haus; der Onkel kriegt sonst nichts zu essen!‹ – Ich fahre mit der Hand über die Stirn, ich muß wirklich erst meine Sinne zusammensuchen; ich stoße einen tiefen Seufzer aus – da erhebt sie sich, als schicke sie sich an, wieder fortzurennen. In Todesangst springe ich auf, bin in einem Satz mit dem verdammten Korb an ihrer Seite, hänge ihn ihr an den Arm und sinke nun auf den Eckstein neben ihr, um auch ihn als Sitzmittel zu probieren. – ›Hab ich dich aber gesucht, Gustav!‹ hohnlächelt die Boshafte. ›Gott, wie siehst du aus? Wo hast du denn gesteckt?‹ – ›Δαιμονίη!‹ murmele ich dumpf, während es noch dumpfer auf der unierten Kirche elf schlägt und die Atelierszeit ihrem Ende naht; und so ziehen wir nach Haus, Elise immer kichernd voran, ich hinkend hinter ihr her, meine Rockschöße vorsichtig zusammenhaltend.

Eine derangierte Toilette, ein leerer Geldbeutel, müde Beine, ein gräßlicher Nachgeschmack von den fatalen Mohrrüben und das bodenlose Gefühl, mich unendlich lächerlich gemacht zu haben, das waren die Ergebnisse dieses Morgens! Und nun richten Sie, Onkel Johannes!«

»Onkel, laß das Richten nur sein«, sagt Elise. »Er hat sich schon selbst gerichtet. Hat er nicht?«

»Ich glaube auch«, sagt die Tante Berg.

»Ich desgleichen«, gebe ich mein Verdikt ab.

»Das dachte ich wohl«, brummt der denkende Künstler. »Wann hätte je die Unschuld gesiegt?! Abgemacht. Wie wird's nun mit unserm Spaziergang?«

»Ja, wo wollen wir hin?« ruft Elise, und Gustav meint: »Ein Vorschlag zur Güte: wir gehen nach dem Wasserhof; da ist bal champêtre! Was meinst du, Lieschen?«

»*Kann* man da hingehen?« fragt die Tante Berg bedenklich.

»Warum nicht? Sind *wir* doch dabei!« sagt der denkende Künstler, gravitätisch den Halskragen in die Höhe zupfend. »Übrigens ist heute auch das Atelier mit seinen Schwestern da; ebenso der Professor Frey mit seinen sechs Nichten, und...«

»Nach dem Wasserhof!« rufe ich elektrisiert. »Tante Berg, man *kann* dahin gehen!«

Und wir gehen hin. –

Wer kennt nicht den Wasserhof? Hat ihn nicht Goethe im ›Faust‹ unsterblich gemacht? »Der Weg dahin ist gar nicht schön.« Welcher Weg um diese Stadt ist schön? Es lebe der Wasserhof! Da gibt es Schatten und kühle Lauben am Tage, Musik, bunte Lampen und fliegende Johanniswürmer am Abend; da gibt es Kellner mit einst weißen Servietten, die in der rechten Hosentasche stecken; da gibt es vor allem einen – prächtigen Tanzplatz im Grünen!

»Lieschen, heute morgen hast du mir einen Korb gegeben, ich will dir das verzeihen, wenn du mir jetzt keinen anhängen willst: Mein Fräulein, darf ich um den ersten Walzer bitten?«

»Laß uns erst ankommen, Vetter!« sagt Lieschen, die auf dem ganzen Weg stets die Vorderste wäre, wenn nicht Gustav gleichen Schritt mit ihr hielte. – –

Da sind wir! Heda, da sitzt schon der alte Meister Frey mit der langen Pfeife hinter einer Flasche Wein, behaglich dem lustigen Treiben zuschauend und lächelnd das schwarze Käppchen auf den langen weißen Haaren hin und her schiebend. Schon aus der Ferne winkt er uns, als wir uns durch die Menge drängen, und ruft uns sein »Willkommen« entgegen. Hurra, da ist das »Atelier mit seinen Schwestern«, wie Gustav sagt, und die sechs Nichten des Professors. Eine lustige Gruppe: lange Haare, schwarze Sammetröcke, Kalabreser mit gewaltigen Troddeln, dann wieder weiße Kleider, bunte Bänder, Strohhüte und Gustav und Elise natürlich sogleich mitten dazwischen. Beim heiligen Vocabulus, ist das nicht der lange Oberlehrer Besenmeier, der da, aptus adliciendis feminarum animis, der dicken Frau Rektorin Dippelmann einen Stuhl erobert? Wahrlich, er ist's, und da ist der Rektor selbst, der Ruten und Beile so vollständig abgelegt hat, daß ihn in diesem Augenblick jeder Sekundaner ohne böse Folgen um – Feuer für seine Zigarre bitten könnte. Wen haben wir hier? Darf ich meinen Augen trauen? Der königliche Professor der Gottesgelahrtheit, Hof- und Domprediger Dr. Niepeguck!? – Wirklich, er ist's; mit Frau und Kindern steuert er durch die Menge. »Weg die Dogmatik!« lautet das Studentenlied: warum sollte der alte Hallenser das an einem solchen prächtigen Abend nicht auch noch einmal in – das Doppelkinn summen dürfen? Wie die Universität vertreten ist! Professoren, Privatdozenten und Studenten von allen Fakultäten und Verbindungen! Dacht ich mir's doch, da sind auch die »unmoralischen Menschen«, die Freiwilligen! Natürlich durften sie nicht fehlen! –

»Guten Abend, Cäcilie, Anna! Guten Abend, Elise,

Johanne, Klärchen, Josephine! Das ist ja prächtig, daß ihr auch da seid!« schwirrt und summt das durcheinander.

»Gott, wo bleibt mein Tänzer! Der abscheuliche Mensch wird mich doch nicht ›sitzen‹ lassen?!«

»Auf keinen Fall, mein Fräulein!« sagt der Auskultator Krippenstapel, sein ambrosisches Haupt über die Schulter der erschrockenen Sprecherin streckend und etwas von »nur Personalarrest« murmelnd.

»Lieschen, keinen Korb – bitte!« ruft Gustav, ein Paar wundersame Handschuh anziehend und eine Rosenknospe ins Knopfloch steckend.

»Nun, Vetter, – wenn's denn nicht anders sein kann – so komm schnell, die Musik fängt schon an.«

»Höre, Peter van Laar«, sagt Gustav schon im Rennen zu einem wohlbeleibten Kunstjünger, »wenn du mich wieder auf den Fuß trittst wie neulich, stecke ich dich morgen mit der Nase in dein Terpentinfaß! Komm, Lieschen!« –

Prr – davon sind sie: »Mutwillge Sommervögel.«

Ich habe unterdessen mit der Tante Helene Platz am Tische des Meister Frey genommen, der eben unter schallendem Gelächter eine Schnurre aus seinem italischen Wanderleben beendet. Der Domprediger redet über die Wirkungen des Weißbiers auf seine Konstitution, während Petrus und Paulus, seine Sprößlinge, sich unter dem Tisch wälzen und balgen und die Frau Domprediger sich darüber aufhält, daß die Kellner sich mit der Hand schneuzen.

»Es ist immer noch besser als in die Serviette!« sagt der Rektor Dippelmann, eine Prise nehmend und in der Zerstreuung die Dose der Tante Helene anbietend. An ein und demselben Punkt werden nun zwei Gespräche angeknüpft: die Weiber plumpsen in die große Wäsche und der Domprediger mit dem Rektor Dippelmann in die – Theologie.

»Kommen Sie, Wachholder«, sagt der Professor Frey,

»wir wollen lieber den Kindern beim Tanzen zusehen! Mir wird wässerig und schwül zugleich.«

Da ich wirklich etwas Ähnliches in mir spüre, nehme ich den Vorschlag mit Freuden an, und wir wandeln durch die Gänge mit den bunten Lampen und Laubgewinden dem Tanzplatz zu. Da ist ein lustiges Treiben.

»Welche prächtigen Reflexe!« ruft der alte Maler ganz enthusiasmiert. »Sehen Sie, Wachholder, da kommt der Berg, aus dem ich Ihnen trotz seiner sporadischen Bummelei und Liederlichkeit doch noch einen *echten* Künstler mache. Nun, fanello«, wendet er sich an den Herbeieilenden, »ich hoffe, Ihr werdet meine Mädchen nicht ›dörren‹ lassen – wie sie sagen!«

Der denkende Künstler grinst auf eine unbeschreibliche Weise: »Wir tun unser möglichstes, Herr Professor. Sehen Sie nur den Peter Laar! Segelt er nicht wie ein wahrer Fapresto mit Fräulein Julie dahin? Hier können Sie sich doch wahrlich nicht beklagen, daß er keine Fortschritte mache. Sehen Sie nur, wie er weiterkommt. Sehen Sie, wie – buff! Dacht ich's doch! Da bohrt er den Auskultator Krippenstapel mit seiner Donna zu Grund! Alle Wetter! Das gibt Skandal! Da muß ich retten!«

»Herr!« schreit der königliche Auskultator wütend aufspringend und seine Tänzerin trostlos-lächerlich auf ihrem »séant« sitzen lassend. »Herr, können Sie nicht sehen, haben Sie keine Augen im Kopfe, Sie ...«

»Halt, Krippenstapel!« fällt hier Gustav ein, den gefallenen Engel des Juristen aufhebend. »Sie sollen fürchterlich gerächt werden, ich gebe Ihnen mein Ehrenwort! Peter Holzmann, Bamboccio, Ungetüm! ein schreckliches Los harrt morgen deiner! – Mein Fräulein, Sie haben sich doch nicht weh getan? Wollen Sie eine kalte Messerklinge auflegen, das soll gut sein gegen Beulen? – Fräulein Julie, geben Sie doch gefälligst dem dicken Ungeheuer an Ihrer Seite einen tüchtigen Nasenstüber als Vorgeschmack! – Krippenstapel, sei'n Sie ein guter Kerl und fangen Sie keinen Lärm an; kommen Sie, lassen Sie sich von Ihrer Dame eine Stecknadel geben, ehe Sie weiterschweben. Vergessen Sie's nicht, es ist wichtig; ich als Ästhetiker muß das wissen!«

Ein allgemeines Gelächter löst die Sache in Wohlgefallen auf. Krippenstapel schleicht mit seiner Stecknadel ingrimmig ins Gebüsch; seine Dame verkündet hinter ihrem Taschentuch, keine kalte Messerklinge anwenden zu wollen; Peter Holzmann stolpert mit Fräulein Julie zu einem Sitz, und alle übrigen Paare ordnen sich zu einem neuen Tanz.

Schon während des Verlaufs dieser Szene habe ich mich gewundert, nirgends Elisens Lockenkopf hervorlugen zu sehen, nirgends ihr helles Lachen zu hören; als nun ein neuer Tanz beginnt und sie auch jetzt nicht erscheint, wird mir die Sache bedenklich.

»Gustav, heda hier! Wo hast du denn meine Liese gelassen?«

»Ich? – Onkel, fragen Sie lieber: wo hat dich die Liese gelassen. Sie behauptet böse zu sein und ist mit Fräulein Henriette Frey weggelaufen, nachdem sie mich einen – einen ›Teekessel‹ genannt hat.«

»So? – Was habt ihr denn wieder vorgehabt?«

»Ich kann mich auf Weiteres nicht einlassen!« sagt der »denkende Künstler«, zieht ein wehmütig-sein-sollendes Gesicht und verschwindet unter der Menge.

»Wenn die Sachen so stehen«, lacht der alte Frey, »so werden die Mädchen jetzt wohl bei der Wäsche und Theologie sitzen. Kommen Sie, wir müssen uns doch erkundigen, was der Friedensstifter (machte er seine Sache nicht prächtig?) da für Unheil und Unfrieden angestiftet hat!«

»Ich kann's mir schon vorstellen«, brumme ich in den Bart, und so schlagen wir uns seitwärts ins Gebüsch und gelangen zu unserm Tisch zurück.

»Richtig, da sitzen die Turteltäubchen!« ruft der Professor. »Wie andächtig sie dem Oberlehrer Besenmeier zuzuhören scheinen und doch ganz woanders sind! Kurre, kurre, kurre, Fräulein Elise, mein Täubchen, was hat Ihnen denn ein gewisser – hm – gewisser ›Teekessel‹ getan?«

»Wer?« fragt Lieschen, die sich dicht an die Tante gedrängt hat und von ihr mit einem gewaltigen Tuche umwickelt ist, während Henriette an ihrer andern Seite emsig sich mit ihrer Teetasse beschäftigt.

»Wer? fragst du!« nehme ich das Wort. »Nun, wir begegneten eben jemand, der ziemlich nahe am – ›Überkochen‹ war.«

»Ach, du meinst den Vetter! – Pah – *der!*«

»Nun, was hat's gegeben? Tante Helene, hat sie Ihnen vielleicht schon ihr Herz ausgeschüttet?«

»Nein!« sagt die Tante. »Haben sie sich wieder gezankt?«

»Es scheint so! Fräulein Henriette, Sie wissen gewiß etwas Näheres davon?«

»Soll ich's sagen, Lieschen?« fragt kichernd Henriette, ihre Freundin am Ohr zupfend.

»Meinetwegen!« sagt Elise, mit einem Gesicht wie Menschenhaß und Reue einen Nachtschmetterling verscheuchend, der ihr um den Kopf flattert und mit aller Gewalt sich in ihren Locken fangen will.

»Er hat – Herr Gustav hat gesagt: – wenn *er* ihr nicht die Tänzer schicke und Propaganda (ich glaube, so heißt's) für sie mache, so würde sie – ihr Lebtag außer ihm keinen kriegen. Sie müsse daher hübsch dankbar und zuvorkommend gegen ihn sein und« –

Ein Ausruf des Entsetzens entringt sich allen.

»Abscheulich!« ruft die Tante Berg. »Finis mundi!« lacht der Rektor Dippelmann. »Schändlich!« ächzt die Frau Rektorin; »Gräßlich!« die Frau Dompredigerin. »Beim Himmel, das ist stark!« meint ihr Gemahl. »Das hätte ich nicht gedacht!« brumm ich. »*Das* soll er büßen«, ruft der Professor Frey, »und ...«

»Er büßt es schon!« sagt eine Stimme, und der Übeltäter

guckt durch das Gebüsch hinter Elisens Platze. »Teilweise hat er es sogar schon gebüßt!«

Mit diesen Worten windet sich der Blasphemist vollends hervor, schiebt sich ganz sachte zwischen seine Mutter und Elise, die schnell nach der andern Seite rückt, wohin er ihr ebenso schnell folgt. Seinen Arm um sie legend, hält er folgende Rede: »Lieschen, englische Kusine Ralff, ich beschwöre dich, höre mich! – Glaubst du etwa, ich habe, nachdem du jenem Schauplatz eitler Freuden den Rücken gewandt, weitergewalzt? Du irrst! Du irrst! Gute Werke habe ich getan, meine Schuld zu sühnen: den edlen Holzmann – Holzmann, komm mal her und gib mir die Schachtel mit den feurigen Tränen! –, den edlen Holzmann habe ich aus den Klauen des racheschnaubenden Krippenstapels gerettet; Fräulein Thekla Stichel habe ich aus der amüsantesten aller Lagen, oder vielmehr Sitzungen, emporgezogen; als mitten im Contretanz dem Freiwilligen Breimüller der Steg riß und ihm die Unnennbare bis zum Knie hinaufschnurrte, habe ich ihm eine Droschke herbeigepfiffen; kurz überall, wo Tränen zu trocknen waren, war auch ich – wie gesagt, nur um meine Schuld zu büßen. Und hier, Lieschen (Holzmann, gib mir die Schachtel), nicht allein getrocknet habe ich Tränen, auch gesammelt habe ich welche! – Sieh, Lieschen!«

Einen Ausruf der Verwunderung und Freude stößt Elise trotz ihrem Groll aus, als ihr der Bösewicht den Inhalt seiner Schachtel in den Schoß schüttet und unzählige funkelnde, leuchtende Johanniswürmer um sie herum kriechen und schwirren.

Die Lampen sind weit genug entfernt, daß die Tierchen in ihrem ganzen Glanz erscheinen können, und es ist wirklich ein hübscher Anblick – diese besternte Elise!

»Das sind meine Reuetränen, und du – kriegst Tänzer leider zu viel – ohne mich! – und ich *bin* ein Teekessel und et cetera – Lieschen?! – Lieschen, gucke *mich* mal an!«

»Taugenichts!« sagt Elise, dem Sünder in die Haare greifend, und – der Friede ist geschlossen! –

War denn der alte Meister Frey an diesem Abend ganz aus Rand und Band? Auf einmal verkündete er, daß er seinen morgenden 69sten Geburtstag (es war der letzte seines Lebens) jetzt feiern wolle, da bei solchen Gelegenheiten das Improvisieren den wahren Genuß und Jubel hervorbringe. Das halbe Atelier machte er halb betrunken, die ganze weibliche Welt ganz angeheitert. Ein Kranz wurde ihm aufgesetzt trotz allem Sträuben – ein Kranz, der nur so sein mußte. Der Domprediger hielt eine Rede, die »verehrter Greis« anfing und ähnlich endete, und Reden wurden losgelassen und Toaste ausgebracht bis zwölf Uhr. Dann erhob sich das alte bekränzte Geburtstagskind, beklagte sich über Nachtkühle und Nachtfeuchte, und – das Fest war vorbei.

Vorbei! Wo sind heute alle die, welche es feierten?

Tot ist der alte Meister Frey, zerstreut in alle Welt sind seine Schüler. Peter Holzmann, genannt Peter van Laar, oder auch Bamboccio, ist 1849 in einer römischen Villa von französischen Plünderern erstochen, als er eine Raphaelsche Madonna vor ihrer Zerstörungswut schützen wollte. Der Domprediger ist noch immer nicht zum Mormonentum übergetreten, und der Oberlehrer Besenmeier hat Fräulein Julie Frey geheiratet und steht – »mit dem Gürtel, mit dem Schleier reißt der schöne Wahn entzwei« – fürchterlich unter dem Pantoffel. Die Frau Rektor Dippelmann knüpft noch immer alle Morgen ihrem Gemahl die Halsbinde um, steckt ihm das Butterbrod, in die gestrige Zeitung gewickelt, in die Rocktasche und sieht ihm stolz aus dem Fenster, wie er über die Friedensbrücke nach dem Schimmelstädtischen Gymnasium wandelt.

Und *Gustav* und *Elise?* – – – Ich werde nachher dieses Blatt der Chronik hinübertragen zu jener schönen ältlichen Frau in Nr. zwölf der Sperlingsgasse, deren Fortepianoklänge sich schon den ganzen Nachmittag über in meine Gedanken verwoben haben. Dann werden wir von *Gustav* und *Elise* sprechen!

Am 14. März.

»Hören Sie, Wachholder«, sagte heute Strobel, mit den zusammengehefteten Bogen der Chronik aufs Knie schlagend, »wenn Ihnen einmal Freund Hein das Lebenslicht ausgeblasen hat, irgend jemand unter Ihrem Nachlaß diese Blätter aufwühlt und er sich die Mühe gibt, hineinzugucken, ehe er sie zu gemeinnützigen Zwecken verwendet, so wird er in demselben Fall sein wie der alte Albrecht Dürer, der ein Jagdbild lobte, aber sich zugleich beklagte, er könne nicht recht unterscheiden, was eigentlich die Hunde und was die Hasen sein sollten. Sie würfeln wirklich Traum und Historie, Vergangenheit und Gegenwart zu toll durcheinander, Teuerster; wer darüber nicht konfus wird, der ist es schon! Und wenn Sie noch Ihre Bilder einfach hinstellten wie ein alter, vernünftiger, gelangweilter Herr und Memoirenschreiber! Aber nein, da rennt Ihnen Ihr Mitarbeitertum der ›Welken Blätter‹ zwischen die Beine, da putzen Sie Ihre Erinnerungen auf mit dem, was Ihnen der Augenblick eingibt, hängen hier ein Glöckchen an und da eins, und ehe man's sich versieht, haben Sie ein Ding hingestellt wie – wie ein Gebäude aus den bunten Steinen eines Kinderbaukastens. Das ist hübsch und bunt, aber – es paßt nichts recht zusammen, und wenn man es genau besieht – puh! – Nehmen Sie's nicht übel, aber manchmal gleicht Ihre Chronik doch dem Machwerk eines angehenden literarischen Lichts, das sich mit Rousseau getröstet hat: Avec quelque talent qu'on puisse être né, l'art d'écrire ne s'apprend pas tout d'un coup.«

Ich hatte dieser langen Rede des Karikaturenzeichners geduldig zugehört, jetzt sagte ich, während ich erbost meine Pfeife ausklopfte: »Sie haben vor einiger Zeit versprochen, ein Mitarbeiter meiner Chronik werden zu wollen, ich nehme Sie jetzt nach Ihrer so tief eingehenden Kritik sogleich beim Wort und – lasse Sie mit Dinte, Feder und Papier allein, daß Sie Ihren Beitrag derselben auf der Stelle anhängen. Der einst Konfuswerdende mag auch von Ihnen etwas mit aufwühlen. Guten Abend!«

Der Karikaturenmaler lachte, sagte »fiat« und begann eine Feder zu schneiden, während ich Hut und Stock nahm und abzog mit dem Gefühl eines Menschen, der eine belebte Straße hinabzieht unter der festen Überzeugung, daß ihm hinten ein ungreifbares, ellenlanges Band vom Vorhemde über den Rockkragen baumelt. »Und recht hat er doch!« brummte ich, indem ich die Treppe hinabstieg. »Wenn nur die Liese erst wieder da wäre! Komm zurück, Schlingel von Gustav, und bringe sie mit, daß euer alter Onkel ruhig wieder an seinem Werke de vanitate weiterschreiben kann!«

Damit trat ich aus dem Hause und zog eben die Handschuh an, als sich oben mein Fenster öffnete, der Karikaturenzeichner den Kopf heraussteckte und herunterrief:

»Hören Sie, alter Herr, ich kann Sie so nicht weggehen lassen – ich habe Gewissensbisse und muß erst Öl in Ihre Wunden gießen! Hören Sie, meine Tante teilt die Bücher in zwei Arten: gute, über welchen sie nach Tisch einschlafen kann, und schlechte, bei denen das nicht geht. Ihre Chronik würde sie unter die ersteren rechnen, wenn sie, aufgewühlt, ihr in die Hände fallen sollte. Adieu!«

Ich wandte dem unverschämten Gesellen lachend den Rücken und marschierte ab.

Am Abend.

Ich bin zurückgekommen von meinem Spaziergang und sitze wieder allein und einsam vor den zerstreuten Bogen meiner Chronik. Der Karikaturenzeichner hat wirklich ein Blatt vollgekritzelt, alle meine Federn verdorben, einen Dintenklecks auf den Fußboden gemacht, meinen Siegellackvorrat zerbissen, zerdreht und zerbrochen und

– eine Ecke von meinem Schreibtisch abgeschnitzelt. – Er hat mir fast die Fortsetzung der Aufzeichnung meiner Phantasien verleidet, und es war doch so süß, wenn der Blick an irgendeinen Gegenstand meines Zimmers, dort an jenes kleine leere Messingbauer, an jenen Sessel vor dem Nähtischchen, an ein altes Blatt, eine vertrocknete Blume, eine bunte Zeichnung in meiner Mappe sich festhing und allmählich eine Erinnerung nach der andern aufstieg und sich blühend und grünend darumschlang. Wir sind doch törichte Menschen! Wie oft durchkreuzt die Furcht vor dem Lächerlichwerden unsere innigsten, zartesten Gefühle! Man schämt sich der Träne und – spottet; man schämt sich des fröhlichen Lachens und – schneidet ein langweiliges Gesicht; die Tragödien des Lebens sucht man hinter der komischen Maske zu spielen, die Komödien hinter der tragischen; man ist ein Betrüger und Selbstquäler zugleich! – Mit einem Kinderbaukasten verglich Strobel diese bunten Blätter ohne Zusammenhang? Gut, gut – mag es sein – ich werde weiter damit spielen, weiter luftige, tolle Gebäude damit bauen, da *die* fern sind, welche mir die farbigsten Steine dazu lieferten! Ich werde von der Vergangenheit im Präsens und von der Gegenwart im Imperfektum sprechen, ich werde Märchen erzählen und daran glauben, Wahres zu einem Märchen machen und zuerst – die bekritzelten Blätter des Meisters Strobel der Chronik anheften! Hier sind sie:

Strobeliana

3 Uhr. Ich habe mir eine Zigarre angezündet, den Bogen neben mich ins Fenster gelegt und beginne meine Beobachtungen. Zuerst bringe ich zu Papier natürlich das Wetter: das holdseligste Himmelblau, den prächtigsten Sonnenschein. Hätte ich nur einen Funken poetischen Feuers in mir, so würde ich mir beide durch ein junges, schönes Paar personifizieren, welches da hoch oben im

Himmelszelt auf seinem weißen, weichen Wolkendivan
tändelt und kost und total vergessen hat, daß noch soviel
hunderttausend deutsche Hausfrauen auf – Märzschnee
warten zum Seifekochen! Wahrhaftig, da ist ja eine
Fliege! Welch ein Fund für einen Chronikenschreiber!
Summend stößt sie gegen die sonnebeschienenen Scheiben, die wir schnell schließen wollen, um das arme
Tierchen zu seinem Besten vor dem heuchlerischen
Frühling da draußen zu bewahren. Sie scheint auch jetzt
ihre Torheit einzusehen, sie läßt ab und umfliegt mich.
Halt, jetzt setzt sie sich auf meine Knie nach mehreren
vergeblichen Angriffen auf meine Nasenspitze; sie
nimmt den Kopf zwischen beide Vorderbeine, kratzt
sich hinter den Ohren und – – – kleiner.....! – Dahin
geht sie, eine Spur hinterlassend auf meinem Knie und –
in der Chronik der Sperlingsgasse. Ich wollte, es gäbe ein
Sprichwort: »Schämt euch vor den Fliegen an der
Wand.« Um wieviel menschliche Tollheiten und Torhei-
ten schnurren diese winzigen Flügelwesen! Wer weiß,
was der Punkt, den der kleine Tourist da eben niederge-
legt hat, eigentlich bedeutet? Wer weiß, ob es nicht ein
deponiertes Tagebuch ist, voll der geistreichsten Bemer-
kungen, ein Tagebuch, das man nur aufzurollen und zu
entziffern brauchte wie einen ägyptischen Papyrus, um
wunderbare, unerhörte Dinge zu erfahren? Welch eine
Revolution würde es hervorbringen, wenn dem so wäre,
wenn man sich vor den Fliegen an der Wand schämen
müßte! Wie würden die Fliegenklatschen in Gang kommen! Arme Fliegen! Kein »redlicher Greis in gestreifter
kalmankener Jacke« würde euch mehr verschonen »zur
Wintergesellschaft«. Wie den Vogel Dudu würde man
euch ausrotten und höchstens – einige, in Uniform
gesteckt, mit einer Kokarde auf jedem Flügel, als Regie-
rungsbeamte besolden. Es wäre schrecklich, und ich
breche ab. –

3¼ Uhr. – Welche Reisegedanken dieser blaue Himmel
schon wieder in mir erweckt! An solchen Vorfrühlings-

tagen, wo der Geist die Last des Winters noch nicht ganz abgeschüttelt hat, ist's, wo die Sehnsucht nach der Ferne uns am mächtigsten ergreift. Es ist ein sonderbares Ding um diese Sehnsucht, die wir nie verlieren, so alt wir sein mögen. Da zupft etwas an unserm tiefsten Innern: Komm heraus, komm heraus, was sitzest du so still, du Tor, und hältst Maulaffen feil? Hier findest du nicht, worüber du grübelst, wonach du dich sehnst, ohne es zu kennen. Sieh, wie blau, wie duftig die Ferne! Viel, viel weiter liegt's! Komm heraus, heraus!

Bah, diese blaue, duftige Ferne; wie oft hab ich mich von ihr verlocken lassen. Die Erde läßt uns ja nicht los; wir sind ihre Kinder, und sie ist nichts ohne uns, wir nichts ohne sie. – Folge jetzt der lockenden Stimme, deine Füße werden schon in den weichen Boden versinken; närrische Sprünge wirst du mit den Erdklößen an den Stiefeln machen! Fühle, daß zur Zeit, wo die Sehnsucht am stärksten ist, auch die Fesseln am stärksten sind; kehre um, ziehe Pantoffeln an und nimm die gestrige Zeitung vor die Nase: das Glück liegt nicht in der Ferne, nicht über dem »wechselnden Mond«! –

3½ Uhr. – Da höre ich eben unten in der Gasse eine merkwürdige Redensart aus dem Munde eines Tagelöhners, der einen andern, sehr übelgelaunt Aussehenden mit den Worten auf die Schulter klopft: »Man muß nie verzweifeln; kommt's nicht gut, *so kommt's doch schlecht heraus!*« In demselben Augenblick öffnet sich nebenan ein Fenster. Eine beschmierte rote Sammetmütze auf einem Wald schwarzer Haare beugt sich hervor; es ist mein würdiger Freund Monsieur Anastase Tourbillon, seines Zeichens ein französischer Sprachlehrer. Er scheint die Redensart drunten auch gehört und verstanden zu haben und gähnt:

»Ah, ouf, quelle bête allemande! Eh vogue la galère, jusqu'à la mort tout est vie!«

Da habt ihr die beiden Nationen und . . . . . Wetter! – da gebe ich nicht acht, und – meine Fliege von vorhin entschlüpft summend aus dem wiedergeöffneten Fenster! Nie mehr wird sie wieder meinen Freund Wachholder umschwirren, nie mehr auf dem Rande der Zuckerdose umherspazieren oder gegen die Scheiben stoßen! Sie hat, was sie wollte – unbegrenzte Freiheit, aber ach – heute abend – keinen warmen Ofen mehr, sich daran zu wärmen; in den Rinnsteinen der Sperlingsgasse fließt weder Milch noch Honig! – Verflucht sei die Freiheit! Amen! –

3¾ Uhr. Die meisten Dichterwerke der neuesten Zeit gleichen dem Bilde jenes italischen Meisters, der seine Geliebte malte als Herodias und sich in dem Kopfe des Täufers auf der Schüssel porträtierte. Da pinseln uns die Herren ein Weibsbild, Tendenz genannt, hin, welches anzubeten sie heucheln und welches auf dem Präsentierteller hochachtungsvoll und ergebenst uns das verzerrte Haupt des werten Schriftstellers selbst überreicht. Die Nützlichkeit solchen Treibens läßt sich nicht abstreiten, also – nur immer zu! – Wie komm ich *darauf*? –

4 Uhr. – Es ist merkwürdig; seit ich dieses Blatt bemale, ist dieselbe Traumseligkeit über mich gekommen, die dieser Chronik ein so zerfetztes, zerlumptes Ansehen gegeben hat. Wachholder hat recht, es ist ein eigentümlich behagliches Gefühl, seinen Gedankenspielen sich so ganz und gar hinzugeben, ohne sich Geist herausquälend im Kreise zu drehn, wie ein hartleibiger Pudel.

Wo war ich eben, als das Kindergeschrei drunten auf der Straße mich aufweckte? Ich will versuchen, es der Chronik einzuverleiben, worin zugleich für meinen ehrenwerten Freund Wachholder die größte Genugtuung für meine vorigen Reden liegen wird.

Es war an einem Sonntagmorgen im Juli, als ich auf braunschweigschem Grund und Boden am Uferrand der Weser lag und hinüberblickte nach dem jenseitigen Westfalen. Früh vor Sonnenaufgang war ich, über Berg und Tal streifend, mit dem ersten Strahl im Osten in ein gleichgültiges Dorf hinabgestiegen. Ich hatte Kaffee getrunken unter der Linde vor dem Dorfkrug, hatte behaglich das Treiben des Sonntagsmorgens im Dorf belauscht und andächtig der kleinen Glocke zugehört, die in dem spitzen, schiefergedeckten Kirchturm läutete. Manchem hübschen, drallen niedersächsischen Mädchen, das sich über den sonderbaren, plötzlich ins Dorf geschneiten Fremdling wunderte, hatte ich lächelnd zugenickt; ich hatte Bekanntschaft mit der gesamten Kinder-, Hühner-, Gänse- und Entenwelt des »Krugs« gemacht, dem weißen Spitz den Pelz gestreichelt und manche Frage über »Woher und Wohin« beantwortet. Mit meinem Wirt (der zugleich Ortsvorsteher war) hatte ich das Bienenhaus besucht, darauf die Gemeinde, den Kantor und Pastor in die Kirche gehen sehen und hatte mich zuletzt allein im Hofe unter der Linde gefunden, nur umgeben von der quackenden, piepsenden geflügelten Schar des Federviehs. Aus diesem dolce far niente hatte mich plötzlich das Schreien eines Kindes aufgeschreckt. Es drang aus dem Haus hinter mir und bewog mich aufzustehen und in das niedere, vom Weinstock umsponnene Fenster zu sehen. Eine alte Frau war eben beschäftigt, einen widerspenstigen, heulenden, strampelnden Bengel von vier Jahren mit Wasser, Seife und einem wollenen Lappen tüchtig zu waschen, welcher Prozedur drei bis vier andere kleine »Blaen« angstvoll zusahen, wartend, bis die Reihe an sie kommen würde.

»Nun, Mutter«, sagte ich, mich auf die Fensterbank lehnend; »und Ihr seid nicht in der Kirche?«

Die Alte sah auf und sagte lachend: »Et geit nich immer; ek mott düsse lüttgen Panzen waschen und antrecken – Herre – Kinderschrieen is ok een Gesangbauksversch!«

Ich nahm den Hut ab und trat unwillkürlich einen Schritt zurück. Welch eine wunderbar schöne Predigt lag in den fünf Worten des alten Weibes! Eine Schwalbe beschrieb eben ihren Bogen um mich, ihrem Neste unter dem niedrigen Dachrande zu, und klammerte sich, ihre Beute im Schnabel, an die Tür ihrer kleinen Wohnung, begrüßt von dem jubelnden Gezwitscher der federlosen Brut. Ich konnte der alten Frau kein Wort mehr sagen.

»Kinderschrieen is ok een Gesangbauksversch!« murmelte ich leise, zu meinem Tisch unter der Linde zurückgehend. Ich riß ein Blatt aus meiner Brieftasche, schrieb darauf: Kinderschrieen is ok een Gesangbauksversch, und zog es mit einem Strauß Waldblumen unter das Hutband.

Träumend schritt ich dann durch die Tür des Dorfkirchhofs, vorüber an den bunten, geputzten Gräbern, zu dem offnen Kirchtor (auf dem Lande braucht der Protestantismus seine Kirchen während des Gottesdienstes noch nicht zu schließen) und lehnte andächtig an der Esche davor. Mit großer Freude hörte ich, wie der junge Pastor eine Gellertsche Fabel in das Gleichnis aus dem fernen Orient schlang, während die Schwalben in dem heiligen Gebäude hin und her schossen und ein verirrter Schmetterling seinen Weg durch die geöffnete Kirchtür eben wieder zurückfand.

»Kinderschrieen is ok een Gesangbauksversch!« rief ich, über die niedere Mauer in das freie Feld springend und durch die gelben Kornwogen mit ihrem Kranz von Flatterrosen am Rande der Weser zuwandernd. Da hatte ich mich ins Gras unter einen Weidenbusch geworfen und träumte in das Murren des alten Stromes neben mir hinein, während drüben im katholischen Lande eine Prozession singend den Kapellenberg zu dem Marienbild hinaufzog und hinter mir die protestantischen Orgeltöne leise verklangen. Welch ein wundervoller, blauer, lächelnder Himmel über beiden Ufern, über beiden Religionen, welch eine wogende Gefühlswelt im Busen, anknüpfend an die fünf Worte der alten Bäuerin! Ich war damals jünger als jetzt und legte das Gesicht in die Hände:

>Nenn's Glück! Herz! Liebe! Gott!
Ich habe keinen Namen
Dafür! Gefühl ist alles« – – –

Ein näher kommender Gesang weckte mich plötzlich;
ich blickte auf. Brausend und schnaufend, die gelben
Fluten gewaltig peitschend, kam der »Hermann« die
Weser herunter. Der Kapitän stand auf dem Räderkasten
und griff grüßend an den Hut, als das Schiff vorbeischoß.
Hunderte von Auswandrern trug der Dampfer an mir
vorüber, hinunter den Strom, der einst so viele Römer-
leichen der Nordsee zugewälzt hatte. Ein Männerchor
sang: »Was ist des Deutschen Vaterland«, und die alten
Eichen schienen traurig die Wipfel zu schütteln; sie
wußten keine Antwort darauf zu geben, und das Schiff
flog weiter. Die Weser trägt keine fremden Leichen mehr
zur Nordsee hinab, wohl aber murrend und grollend ihre
eigenen unglücklichen Söhne und Töchter! – Ich verließ
meinen Ruheplatz und ging durch den Buchenwald den
nächsten Berg hinauf bis zu einer freien Stelle, von wo
aus der Blick weit hinausschweifen konnte ins schöne
Land des Sachsengaus. Welch eine Scholle deutscher
Erde! Dort jene blauen Höhenzüge – der Teutoburger
Wald! Dort jene schlanken Türme – die große germanische Kulturstätte, das Kloster Corvey! Dort jene Berg-
gruppe – der Ith, cui Idistaviso nomen, sagt Tacitus. Ich
bevölkerte die Gegend mit den Gestalten der Vorzeit.
Ich sah die achtzehnte, neunzehnte und zwanzigste
Legion unter dem Prokonsul Varus gegen die Weser
ziehen und lauschte ihrem fern verhallenden Todes-
schrei. Ich sah den Germanicus denselben Weg kommen
und lauschte dem Schlachtlärm am Idistavisus, bis der
große Arminius, der »turbator Germaniae«, durch die
Legionen und den Urwald sein weißes Roß spornte, das
Gesicht unkenntlich durch das eigene herabrieselnde
Blut, geschlagen, todmüde. Ich sah, wie er die Cheruska
von neuem aufrief zum neuen Kampf gegen die »urbs«,

wie das Volk zu den Waffen griff: Pugnam volunt, arma rapiunt plebes, primores, juventus, senes!

Aber wo ist denn die Puppe? kam mir damit plötzlich in den Sinn. Ich schleuderte den Tacitus ins Gras, stellte mich auf die Zehen, reckte den Hals aus, so lang als möglich, und schaute hinüber nach dem Teutoburger Walde. Da eine vorliegende »Bergdruffel« (wie Joach. Heinr. Campe sagt) mir einen Teil der fernen, blauen Höhen verbarg, gab ich mir sogar die Mühe, in eine hohe Buche hinaufzusteigen, wo ich auch das Fernglas zu Hülfe nahm. Vergeblich – nirgends eine Spur vom Hermannsbild! Alles, was ich zu sehen bekam, war der große Christoffel bei Kassel, und mit einem leisen Fluch kletterte ich wieder herunter von meinem luftigen Auslug. Hatte ich aber eben einen leisen Segenswunsch von mir gegeben, so ließ ich jetzt einen um so lautern los. Ich sah schön aus! »Das hat man davon«, brummte ich, während ich mir das Blut aus dem aufgeritzten Daumen sog, »das hat man davon, wenn man sich nach deutscher Größe umguckt: einen Dorn stößt man sich in den Finger, die Hosen zerreißt man, und zu sehen kriegt man nichts als den großen Christoffel.« Ärgerlich schob ich mein Fernglas zusammen, steckte den Tacitus zurück in die Tasche und ging hinkend den Berg hinunter wieder der Weser zu. Ärgerlich warf ich mich, am Rande des Flusses angekommen, abermals ins Gras. Was hatte sich alles zwischen die gefühlsselige Stimmung von vorhin und den jetzigen Augenblick gedrängt! Der Himmel war noch ebenso blau, die Berge noch ebenso grün, der Papierstreifen von vorhin steckte noch neben den Waldblumen an meinem Hute, und doch – wie verändert blickte mich das alles an! Hätte das Dampfschiff mit seinen Auswandrern nicht später kommen können, da es doch sonst immer lange genug auf sich warten läßt?! Hätte ich Narr nicht unterlassen können, nach dem Hermannsbild auszuschauen? Wie ruhig könnte ich dann jetzt im Grase meinen Mittagsschlaf halten, ohne mich über den großen

Christoffel, den so viele brave Katten mit ihrem Blute bezahlt haben, zu ärgern! – Ich versuchte mancherlei, um meinen Gleichmut wiederzugewinnen; ich kitzelte mich mit einem Grashalm am Nasenwinkel, ich porträtierte einen dicken, gemütlichen Frosch, der sich unter einem Klettenbusch sonnte, – es half alles nichts! – Der Dämon Mißmut ließ mich nicht los, wütend sprang ich auf, schrie: Hole der Henker die Wirtschaft! und marschierte brummend auf Rühle zu – – – Wetter, was ist das für ein Lärm in der Sperlingsgasse?! Heda – da ist ein Hunde-fuhrwerk in einen Viktualienkeller hinabgepoltert, und ich – ich, der Karikaturenzeichner Ulrich Strobel, sitze hier und schmiere Unsinn zusammen! Hol der Henker auch die Chronik der Sperlingsgasse! – Adieu, Wach-holder!

Am 21. März. Abend.

Es gibt ein Märchen – ich weiß nicht, wer es erzählt hat – von einem, der nach großem Unglück sich wünschte, die Erinnerung zu verlieren, und dem in einer dunkeln Nacht sein Wunsch gewährt ward. Er empfand von da an keinen Schmerz, keine Freude mehr; er verlernte zu weinen und zu lachen; es ward ihm einerlei, ob er Blumenknospen oder Menschenherzen zertrat: alles das hübsche Spielzeug, welches das Leben seinen Kindern mitgibt auf ihrem Wege von der Wiege bis zum Grabe, zerbrach ihm in den Händen mit der Erinnerung. Das ist eine schreckliche Vorstellung! Ihr Weisen und Prediger der Völker, nicht der Gedanke an Glück oder Unheil in der Zukunft ist's, der liebevoll, rein, heilig macht; nie ist dieser Gedanke rein von Egoismus, und über jede Blüte, die das Menschenherz treiben soll, legt er den Mehltau der Selbstsucht: die wahre, lautere Quelle jeder Tugend, jeder wahren Aufopferung ist die traurig süße Vergan-genheit mit ihren erloschenen Bildern, mit ihren ganz oder halb verklungenen Taten und Träumen. Wer könnte ein Kind beleidigen, der daran denkt, daß er einst selbst sich an die Mutterbrust geschmiegt, daß ein Mutterauge auf ihn herabgelächelt hat? Die Erinnerung ist das Gewinde, welches die Wiege mit dem Grabe verknüpft, und mag das dunkle, stachlichte Grün des Leidens, des Irrtums noch so vorwaltend sein, niemals wird's hier und da an einer hervorleuchtenden Blume fehlen, bei welcher wir verweilen und flüstern können: »Wie lieblich und heilig ist diese Stätte!«

Ich habe meine kleine Lampe angezündet und träume wieder über den Blättern meiner Chronik. Das, was die ältliche, freundlich-schöne Frau, die mir heute den Strauß junger Veilchenknospen herüberbrachte, auf den Wogen ihrer Melodien sich schaukeln läßt, kann ich ja nur auf diese Weise festhalten. – Ich habe bis jetzt Bilder gezeichnet aus unserer Kinder Kinderleben, heute will ich ein anderes farbiges Blatt malen, wie ein Zauberspiegel voll blühenden Lebens, voll süßen Flüsterns, voll träumenden Sehnens und lächelnden Träumens – ein einziges Blatt aus der vollen Pracht des Herzensfrühlings, ein einziges Blatt aus der Zeit der jungen Liebe!

»O, daß sie ewig grünen bliebe,
Die schöne Zeit der jungen Liebe!«

sang der Dichter, und überall treffen wir den Spruch an, auf Kaffeetassen, in Stammbüchern und auf Pfeifenköpfen. Das soll kein Spott sein! Was das Volk erfaßt hat, will es auch vor sich sehen, es spielt mit ihm, es spricht den gereimten Gedanken, den es zu seinem Eigentum gemacht hat, oft zwar mit einem Lächeln auf den Lippen aus, aber es trägt ihn darum doch tief im Herzen. Das Volk steigt nicht zu dem Wahren und Schönen hinauf, sondern zieht es zu sich herab, aber nicht, um es unter die Füße zu treten, sondern um es zu herzen, zu liebkosen, um es im ewig wechselnden Spiel zu drehen und zu wenden und sich über seinen Glanz zu wundern und zu freuen. Über der Wiege des ewigen Kindes »Menschheit« schweben die guten Genien, die großen Weltdichter, schütten aus ihren Füllhörnern die goldenen Weihnachtsfrüchte herab und sind mit ihren Wiegenliedern stets da, wenn häßliche schwarze Kobolde erschreckend dazwischengelugt haben.

Schön ist die Zeit der jungen Liebe! Sie ist gleich der Morgendämmerung, wo der Himmel im Osten leise sich rötet, wo Knospen, Blumen und alles Leben dem kommenden Tage in die Arme schlummern und nur hin und wieder eine Lerche, den Tau von den Flügeln schüttelnd, jubelnd, glückverkündend emporsteigt. Noch bedeckt der Nebelduft zauberhaft, geheimnisvoll alle Abgründe und öden Stellen des Lebens; die jungen Herzen glauben nur Blumen und flatternde Schmetterlinge und bunte nesterbauende Vöglein unter dem Schleier der Zukunft verborgen.

»Süßes Geliebtsein, süßeres Lieben!« hat ein anderer Dichter einmal ausgerufen, und ich, ein alter, einsamer Mann, bedecke die Augen mit der Hand, denke an die Gräber auf dem Johanniskirchhof, denke an den Stern meiner Jugend: »Maria!« – – – Würde ich diese Erinnerung mit all ihrem Schmerz für der ganzen Welt Macht, Reichtum, Weisheit lassen? – – – Ich glaube nicht. –

Der Mond kommt wieder hervor über die Dächer und vermischt sein weißes Licht mit dem kleinen Schein meiner Lampe; über und durch den alten immergrünen Efeu aus dem Ulfeldener Walde schießt er seine blanken Strahlen, seltsame Schatten auf den Fußboden und an die Wände werfend. Mit sich bringt er das heutige Blatt der Chronik der Sperlingsgasse.

Dort auf dem Stühlchen im Fenster zeichnet sich die feine, liebliche Gestalt Elisens dunkel in der Monddämmerung eines lange vergangenen Abends ab, während auf einem andern Stuhl niedriger neben ihr eine andere Gestalt sitzt. Was haben die beiden so heimlich, so leise sich zuzuraunen, was haben sie zu kichern? Ein Garnknäuel, das von Lieschens Nähtisch fällt und über den

Boden rollend um Stuhl- und andere Beine sich schlingt, ein verirrter Nachtschmetterling, eine vorbeischießende Fledermaus, ein Ball, der von der Straße ins Zimmer fliegt und über dessen Herausgabe Gustav mit dem unvorsichtigen Besitzer kapituliert, alles, alles wird in dieser Mondscheindämmerung zu einem Märchen, zu einem Traum. Ist nicht die Dämmerung die Zeit der Märchen; ist nicht die Zeit der jungen Liebe die Zeit des Traums? –

»Liebe kleine Elise!« flüstert Gustav, in das mondbeglänzte, zu ihm sich herabbeugende Gesicht schauend.

»Lieber großer Junge!« lächelt Elise, indem sie dem vormaligen Taugenichts der Gasse die Locken aus der Stirn streicht. Sie sagen einander weiter nichts, aber diese abgebrochenen Worte enthalten alles, was das Menschenherz in seinen heiligsten Augenblicken bewegt.

»Ich liebe dich so!« flüstert Gustav wieder, worauf Elise nichts erwidert, sondern den Kopf in die Blätter ihres Efeus verbirgt. Der Mond kann sich in diesem Augenblick wahrscheinlich in einem flimmernden Perlentröpfchen, das in einem blauen Auge hängt, spiegeln, und als das Köpfchen sich wieder erhebt aus dem grünen Blätterwerk, ist an Gustav die Reihe, Elise die Locken aus der Stirn zu streichen.

»Sieh, wie der Mond da oben schwimmt«, sagt Elise. »Warum macht er uns oft so tiefes Heimweh, als ob wir hier auf der Erde gar nicht recht zu Hause wären, Gustav? Sieh, da ist nur noch ein einziger kleiner Stern, mutterseelenallein, wie ein goldener Funken. Sieh – rechts vom Monde!«

»Ich sehe noch zwei!« sagt Gustav, »ganz nah und habe darum auch gar kein Heimweh und – willst du wohl wieder die Augen aufmachen, Blondkopf! – Sieh, das hast du davon; was ich noch Weises sagen wollte, hab ich nun rein vergessen!«

»Dann war's gewiß eine Lüge, Braunkopf!« meint Elise lachend. »Und nun steh auf, der Onkel und die Tante

sitzen da den ganzen Abend im Dunkeln; – es ist sehr
unrecht, daß wir uns gar nicht um sie bekümmern.
Komm, wir müssen wirklich zusehen, ob sie nicht eingeschlafen sind.«

Gewiß waren sie nicht eingeschlafen. Nur das Spinnrad
der alten Martha hatte aufgehört zu schnurren, und
schlummernd saß sie in ihrem Winkel.

»Soll ich euch Licht anzünden, oder – sollen wir wieder
einmal einen Mondscheingang machen?« fragt Elise, mir
den Arm um die Schulter legend.

»*Euch?*« fragt die Tante Helene. »Warum denn nur
›*euch*‹ Licht anzünden?«

»Das will ich dir sagen, Mama«, mischt sich Gustav ein.
»Du kannst bekanntlich keine Mäuse *sehen*, und da es
seit einiger Zeit hier beim Onkel Wachholder ordentlich
von ihnen wimmelt, so sind wir deinetwegen so aufop-
fernd, im Dunkeln zu sitzen.«

»Waren das etwa Mäuse, was wir da am Fenster knus-
pern und pispern hörten?« frage ich.

»Ich habe nichts gehört!« sagt Lieschen treuherzig, während Gustav: »Versteht sich!« ruft und den Inhalt eines
Obstkörbchens in seine Taschen ausleert.

»Was machst du da, Mäusekönig?« fragt seine Mutter.

»Ich verproviantiere mich zu unserer Mondscheinfahrt,
Mama; Lieschens Frage war natürlich höchst überflüssig.
Da, Liese, nimm den Rest – ich kann nicht mehr fas-
sen.«

Elise läßt sich das nicht zweimal sagen und scheint in der
Tat ihre Frage für unnötig zu halten. Nach einigen
Einwendungen der Tante wegen kalter Abendluft usw.
machen wir uns auf, hinaus in die Sommermondschein-
nacht!

Die scharfen Schatten auf dem Pflaster und an den Häuserwänden, das Glitzern der Fensterscheiben, die ziehenden, beleuchteten Wolken am dunkeln Nachthimmel,
die flüsternden Gruppen in den Haustüren und an den
Straßenecken, alles wird nun zu einem Bilde für Gustav,

zu einem Märchen für Elise. Da beleben sich die Straßen, Gassen und Plätze mit den wundersamsten Gestalten; auf den Ecksteinen lauern zusammengekauert grimmbärtige Kobolde; aus den dunkeln Torwegen der alten Patrizierhäuser treten seltsame Gesellen mit nickenden Federn und weiten Mänteln, und schöne Damen besteigen weiße Zelter, in die Nacht davonreitend; Söldner im Harnisch, die Partisanen auf den Schultern, ziehen über den Markt; Prozessionen vermummter Mönche winden sich langsam aus dem Domportal, und – alles liegt morgen in den hübschesten Skizzen festgebannt auf Elisens Nähtischchen oder treibt sich auf dem Fußboden umher.

Natürlich sind Gustav und Elise uns immer einige Schritte voraus, und nur von Zeit zu Zeit kann ich abgerissene Sätze ihrer Unterhaltung erfassen. Ich denke an Paul und Virginie unter den Palmbäumen von Isle de France; ich denke an die beiden süßern Gestalten des deutschen Märchens, an Jorinde und Joringel, von denen es heißt: »Sie waren in den Brauttagen, und sie hatten ihr größtes Vergnügen eins am andern.« – Nachdem wir manche Straße durchstreift und vor dem erleuchteten Opernhause die ein- und ausströmende Menge, die harrenden Equipagen, die Blumen und Zuckerwerk verkaufenden Kinder betrachtet haben, finden wir uns zuletzt auf dem Schloßplatz an dem Becken des lustig im Mondschein sprudelnden Springbrunnens zusammen. Von den Rasenplätzen bringt ein warmer Luftzug den Duft der Nachtviolen, der Holunder- und Goldregenbüsche zu uns herüber; am südlichen Himmel wetterleuchtet eine dunkle Wolke prächtig in die Mondnacht hinein, und neben uns plätschert und murmelt – als wolle er sich selbst in den Schlaf sprechen – der Springbrunnen. Es ist eine herrliche Sommernacht!

Woran denkt Elise? Wie nachdenklich sie, das Kinn in die Hand gelegt, dem schwatzenden Wasserspiel zuschaut!

»Lieschen, woran denkst du?« fragt die Tante Helene.
»Ihr würdet lachen«, antwortet Elise. »Es ist ein Traum und ein Märchen.«
»Erzählen! erzählen!« ruft Gustav, den Arm ihr um die Hüfte legend.

Was soll ich anfangen heute an diesem einsamen Abend? Ich ergreife ein Heftchen von blaßrotem Papier, bedeckt mit mädchenhaft zierlichen Schriftzügen, durchwoben mit hübschen feinen Federzeichnungen. Da ist's. So erzählte Elise an jenem fernen Abend, als der Brunnen neben uns plätscherte:
»Ich saß neulich mal des Abends ganz allein. Du warst ausgegangen, Onkel; Gustav war am Morgen schon mit seiner großen Mappe abgezogen, um Bäume und Bauerhäuser zu zeichnen; wo die Tante war, weiß ich nicht; kurz, ich war mutterseelenallein, und nur mein guter, dicker Kater schnurrte auf der Fußbank neben mir und putzte sich den Schnauzbart. Ich hatte eine Menge Augen an meinem Strickzeug fallen lassen und durchaus keine Lust, sie wieder aufzunehmen. So schrob ich denn die Lampe tief herunter und blickte aus dem Fenster in den Mond, der nicht ganz so voll wie heute über die Dächer und Schornsteine heraufkam. Es war ganz dämmerig in der Stube, und nur zuweilen tanzte ein Lichtschein aus den Fenstern drüben über die Wände. Da plötzlich war der Mond hoch genug gestiegen, ein glänzender, lustiger Strahl schoß wie ein weißer Blitz über meinen Topf mit Nachtviolen und ein Glas mit Waldblumen, welches neben mir stand, und – mit ihm kam mein Märchen oder mein Traum. Es war zu hübsch! – Zuerst guckte ich eine ganze Weile in die glänzende Straße auf dem Boden, die immer weiter rückte, als – auf einmal – ihr glaubt's gewiß nicht – der ganze Strahl von unzähligen, kleinen, zierlichen, durchsichtigen Flügelgestalten lebte, die darin auf- und abschwebten und durch ihren Glanz selbst die Bahn bildeten. Halb erschrocken und

halb erfreut sah ich diesem wundersamen Weben zu, als plötzlich das Blumenglas im Fenster einen schrillen, langanhaltenden Ton, wie er entsteht, wenn man mit dem Finger um den Rand eines Glases streicht, von sich gab. Das Wasser darin hob und senkte sich, blitzte, funkelte und bewegte die Waldrosen hin und her; die Blüten der Nachtviolen öffneten sich, und aus jeder schwebte ebenfalls ein zierlich geflügeltes Wesen, fast noch feiner als die Lichtgeisterchen. Nach allen Seiten flatterten sie, den köstlichsten Duft verbreitend. Währenddessen tönte der schrille Ton des Glases fort, bis er mit einem Male aufhörte, gleich einem Faden durchschnitten, worauf eine tiefe Stille eintrat. – Jetzt hatte der Mondstrahl deinen Schreibtisch erreicht, Onkelchen; das kleine Geistervolk tanzte lustig über deinen Büchern und Papieren, und so weit hatte ich mich schon von meiner Verwunderung erholt, daß ich herzlich über die sonderbaren Kapriolen einiger der winzigen Dingerchen lachen konnte, die auf alle Weise sich bemühten, in unser großes Dintenfaß zu gucken, ohne den Mut zu haben, sich in die Nähe zu wagen. Andere wieder schwebten über den Federn, und noch andere machten sich um einen recht dicken, abscheulichen Dintenklecks zu schaffen, welcher nicht trocknen wollte; sie schienen ihm das Lebenslicht mit aller Macht ausblasen zu wollen. Ich weiß nicht, wie lange ich diesen zauberischen Wesen zugesehen hatte, als eine Menge feiner Stimmchen ›Folge, folge!‹ rief, und ich, immer kleiner werdend, endlich selbst als ein solches geflügeltes Figürchen in den Tanz gezogen wurde und mit den Geistern des Mondlichts und den Duftgeistern der Waldblumen und der Nachtviolen langsam dem Fenster zuschwebte. Denn wie der Mond noch höher stieg, zog sich auch der Strahl mit seinen glänzenden Bewohnern wieder zurück und lief hinab an der Hauswand, um in die Gasse hinunterzusteigen. – Ich hatte durchaus keine Furcht, trotzdem daß es da draußen wie eine verzauberte Welt war. – Die ganze Gasse war ein Gewirr von Tönen und Licht, und nichts von dem Leben und Weben des Geistervolks war mir mehr verborgen, und von Geistervolk lebte und webte alles! Dabei hatte ich auch nicht die Fähigkeit verloren, die gröbere, gewöhnliche Welt zu schauen und zu vernehmen; ich kannte und belauschte die Leute in den Haustüren, die Kinderköpfe in den Fenstern, die schlafenden Sperlinge und Schwalben in ihren Nestern; es war wunderhübsch! – Jetzt zog der Strahl mit seinen Bewohnern schräg über unsere Wand fort und glitt auf die Fenster unserer Nachbarn zu. Halb zehn Uhr hörte ich's schlagen, als der Reigen vor dem Fenster der armen Frau Nudhart, die mit ihrem kranken Kind da wohnt, ankam und zitternd über einen knospenden Rosenbusch in das kleine Zimmer glitt. Leise singend schwebten die Geisterchen des Lichts, und ich mit ihnen, über den Fußboden hin, jagten sich um den Schatten des Rosenbusches auf den Boden, küßten das bleiche Kindergesicht auf dem Bettchen und die ebenso bleichen Züge der darüber hingebeugten, armen, sorgenvollen Mutter. ›Wir bringen Hoffnung, wir bringen Genesung, wir bringen Leben!‹ flüsterten die Geister. Das kranke Kind legte seine magern Händchen lächelnd in den zitternden Strahl auf seinem Kissen. ›Wir bringen Hoffnung, Genesung, wir bringen Leben‹, sang ich mit im Chor, und fast widerstrebend folgte ich dem zurückweichenden Strahl. Noch einen letzten Blick konnte ich zurück ins Zimmer werfen, und im nächsten Augenblick schwebte ich schon wieder in der Gasse. Die Tante aber mußte jetzt wohl nach Haus gekommen sein, denn plötzlich mischten sich die Töne ihres Flügels in den Reigen; ich hörte, wie der alte Marquart drunten vor seinem Keller die Jungen zur Ruhe ermahnte. Aber mein Abenteuer war noch nicht zu Ende. Wir waren jetzt vor dem Fenster des ersten Stockes unseres Nachbarhauses; ein heller Lampenschein drang aus dem Zimmer hervor, und über ein Glas mit Goldfischen und das Strickzeug in den Händen der Frau Hofrätin Zehrbein schwebten wir hinein lustig und glänzend ohne eine Ahnung des Schrecklichen, welches uns bevorstand. ›Mein Fräulein‹, lispelte eine Stimme, in deren Inhaber ich den Assessor Kluckhuhn erkannte. ›Mein Fräulein, inkommodiert Sie diese abominable schwüle Luft nicht zu sehr, bitte, so lassen Sie uns noch einmal jene köstliche Barcarole aus Haydée hören.‹ – Um Gottes willen! dachte ich, aber schon war's zu spät, meinen winzigen Begleitern das Drohende mitzuteilen und zu schneller Flucht zu raten; schon hatte Eulalia begonnen:

> ›Das Lido-Fest ist heute,
> Lust und Vergnügen ringsum lächelt...‹

Entsetzen faßte die Geisterschar; ihre schillernden, glänzenden Farben verblichen; von dem Resonanzboden des ächzenden Musikkastens (wie Gustav sagt) und zwischen den Lippen der Sängerin entwickelte sich eine mißgestaltete Gnomenschar, die, gespenstisch kreischend und jammernd, sich in der Luft überstürzte und überschlug und grimmig über die Geister des Lichts herfiel. Es war schrecklich! Schon fühlte ich mich von einem koboldartigen C, welches mich an dem Hals gepackt hielt, halb erdrosselt und zappelte wie eine unglückliche Mücke in den Krallen der Spinne; da – erhob sich die Frau Hofrätin; die weiße Gardine sank herab: wie ein elektrischer Schlag durchzuckte es mich und das ganze Heer des Lichts! Gerettet! – An der Außenseite des Tuchs hing der Strahl mit seinen Kindern, bleich und angegriffen; drinnen aber tönte es fort:

> ›Ein schöner Herr, ein holder Jüngling,
> Mit mildem, liebendem Aug
> Umflattert mich, mit schmeichelnder Zunge!...‹

Schnell und schneller sank jetzt der Strahl herab, und eben berührte er die Erde, da – erwachte ich, und Gustav, dicht vor mir, den Kopf auf beide Fäuste gestützt, grinste mich an. – (Au! Nein, du hast mich nicht angegrinst?) Eine dicke schwarze Wolke stand vor dem Mond, und mein Traum war zu Ende, mein Märchen ist zu Ende!«

Das Märchen war zu Ende, aber noch nicht unser Mondscheinabend damals.

»Und nun, Gustav, Quälgeist... hier... da«...

Mit diesen Worten greift Elise in das Wasserbecken neben ihr und schleudert eine Handvoll blitzender Tropfen ihrem nichts ahnenden Gefährten ins Gesicht. Erschrocken und prustend springt dieser zur Seite, worauf die Übeltäterin, böse Folgen ahnend, sogleich, um das Becken herum, die Flucht ergreift.

»Ihr seid Zeugen, daß *sie* angefangen hat!« ruft Gustav, ebenfalls die Hand ins Wasser tauchend und Elisen nacheilend.

»Tante! Tante! – Onkel, Hülfe!« schreit diese, mit der abgebundenen Schürze den Verfolger im Rennen abwehrend und ihn mit der andern, freien Hand unaufhörlich bespritzend.

»Warte, Wasserjungfer!« ruft Gustav und bemächtigt sich der Schürze. »Das sollst du büßen, Verräterin!«

Mit einem Schrei läßt Elise ihre Ägide fahren, und – wie ein Reh ist sie seitwärts im Gebüsch hinter den Holundersträuchern verschwunden, doch nicht, ohne ihren durchnäßten Verfolger auf den Fersen zu haben.

»Diese Wildfänge!« seufzt die Tante Helene, auf eine Bank sinkend, während ich Taschentuch, Arbeitskörbchen und umherrollende Äpfel, welches alles das Frauenzimmer, den Ausgang ihres Attentats vorhersehend, sogleich zu Boden geworfen hat, aufsuche, wie es einem guten Onkel und Vormund geziemt. »Hören Sie nur, wie das Mädchen kreischt!«

Indem wir noch der wilden Jagd zwischen den Büschen lauschen, belebt sich plötzlich die Szene, und andere Figuren kommen durch die Monddämmerung. Mädchen- und Männerstimmen, kichernd und summend und

Opernmelodien pfeifend! Jetzt treten die Kommenden aus dem Schatten in den hellern Lichtkreis um das Fontänenbecken: »Der Onkel Wachholder!« rufen verwundert mehrere Stimmen, und im nächsten Augenblick sind wir von den Nachtschwärmern und Abendfaltern umgeben und erkennen in ihnen wohlbekannte Freunde und Freundinnen von Gustav und Elise. Ein Gewirr von Begrüßungen und Fragen erhebt sich nun. »Wo ist Fräulein Ralff, wo ist Lieschen, wo ist die Liese, wo ist Herr Gustav, wo steckt der Mensch?« schwirrt das durcheinander und wird beantwortet, bis endlich Gustav und Elise zurückkommen von ihrer wilden Jagd, keuchend und rot, die Haare in Unordnung, Elise mit einem großen Riß im Kleide, aber beide Arm in Arm wie artige, verträgliche Kinder. – Jetzt geht der Jubel erst recht an! »Das ist schön, das ist prächtig, das ist ausgezeichnet; guten Abend, Natalie; guten Abend, Ida; ich grüße Sie, mein Fräulein; wo kommt ihr her, ihr Herumtreiber, usw. usw.«

Wie ist doch die Jugend so schön; wie wenig bedarf sie, um glücklich zu sein! Ein bißchen Mondschein, ein paar klingende Wassertropfen, die Strophe eines Liedes, und die jungen Herzen fühlen Gedichte, wie sie noch nie dem Papier anvertraut werden konnten. Ich, der alte Mann, welch ein Dichter, welch ein Maler müßte ich sein, wenn ich alle diese frischen, blühenden Gestalten, die da heute an diesem einsamen Abend wieder um mich her auftauchen, mit ihrem fröhlichen Lachen, ihren kleinen Sorgen und Freuden, ihren kleinen Sünden und Tugenden, mit ihren verstohlenen Seufzern, noch verstohleneren Zärtlichkeiten und ihren lauten Neckereien auf die Blätter dieser Chronik fest bannen wollte! Wie abgeblaßt und schal sieht alles aus, was ich bis jetzt zusammengetragen und niedergeschrieben habe; wie farbenbunt und frisch erlebte es sich!

Aber wo war auf einmal der Mond geblieben? Die dunkeln Wolkenmassen, die im Süden lange genug gedroht hatten, hatten sich unbemerkt herangewälzt; es grollte und murrte in der Ferne, und schwere warme Regentropfen schlugen vereinzelt in die lenes susurros sub noctem, in das leise Geflüster im Schatten der Nacht.

Kennt ihr das »Rette sich wer kann!« bei einem plötzlich hereinbrechenden Gewitter in einer großen Stadt? Alle Gruppen lösen sich – Schürzen werden über den Kopf, Taschentücher über die Hüte gebunden; hier flüchtet ein Pärchen unter eine laubige Akazie, dort ein dicker alter Herr unter den Vorsprung eines Hauses; hier schlüpft leichtfüßig ein junges Mädchen dicht an den Häuserwänden hin, dort wandelt langsam und gleichmütig ein Naturmensch daher, nichts vor dem Regen schützend als seine glühende Zigarre.

Die Droschken scheinen sich zu vervielfältigen, und – »süß ist's, vom sichern Hafen Schiffbrüchige zu sehen« – an allen Fenstern erscheinen lachende Gesichter. Studenten, Referendare, junge Theologen usw. wischen ihre Brillen ab; Maler verlassen ihre Paletten und Staffeleien und machen Studien nach dem Leben; Tanten und Mütter schelten über Indezenz. – Platsch, platsch! Alle Dachrinnen senden wie hämische Ungeheuer ihre Wassergüsse der dahertrabenden Menschheit in den Nacken. Es ist lächerlich-schrecklich bei Tage, schrecklich bei Nacht!

»Siehst du, Lieschen, das hast du erst gewollt – so lange hast du mit dem Wasser gespielt! Das kommt davon!« ruft ärgerlich die Tante Helene. Gustavs Jubel erreicht den höchsten Grad, und lachend schleppt er seine Mutter nach, während diesmal ich mit Liesen vorauslaufe. Nach allen Seiten haben sich unsere Freunde und Freundinnen von vorhin zerstreut. Das Gewitter kommt immer näher, der Donner brummt ganz artig, und die Blitze sind gar nicht übel. Selbst Gustav meint: »Gottlob, da ist die Sperlingsgasse!« Welche Überschwemmung! – Gute

Nacht und keine langen Worte! – Gustav verschwindet mit seiner Mutter hinter ihrer Haustür, und auch wir erreichen glücklich die unsrige.

»Gott, Herr Wachholder, was habe ich für 'ne Angst gehabt!« ruft die alte Martha uns von der Treppe entgegen.

Lieschen pustet und ächzt und lacht, hält Arme und Hände weit ab vom Leibe und wird so schnell als möglich ins Bett geschickt. Gustav ruft natürlich von drüben noch einige Fragen herüber, auf welche wir aber nicht antworten, und der Mondschein-Spaziergang ist zu Ende.

Am 15. April.

Der April, der einst mensis novarum hieß, ist der wahre Monat des Humors. Regen und Sonnenschein, Lachen und Weinen trägt er in *einem* Sack; und Regenschauer und Sonnenblicke, Gelächter und Tränen brachte er auch diesmal mit, und manch einer bekam sein Teil davon. Ich liebe diesen janusköpfigen Monat, welcher mit dem einen Gesichte grau und mürrisch in den endenden Winter zurückschaut, mit dem andern jugendlich fröhlich dem nahen Frühling entgegenlächelt. Wie ein Gedicht Jean Pauls greift er hinein in seine Schätze und schlingt ineinander Reif und keimendes Grün, verirrte Schneeflocken und kleine Marienblümchen, Regentropfen und Veilchenknospen, flackerndes Ofenfeuer und Schneeglöckchen, Aschermittwochsklagen und Auferstehungsglocken. Ich liebe den April, den sie den Veränderlichen, den Unbeständigen nennen und den sie mit »Herrengunst und Frauenlieb« in einen so böswilligen Reim gebracht haben. –

Ich wurde diesen Morgen schon ziemlich früh durch das Geräusch des Regens, der an meine Fenster schlug, erweckt, blieb aber noch eine geraume Zeit liegen und träumte zwischen Schlaf und Wachen in diese monotone Musik hinein. Das benutzte ein schadenfroher Dämon des Trübsinns und des Ärgernisses, um mich in ein Netz trauriger, regenfarbiger Gedanken einzuspinnen, welches mir Welt und Leben in einem so jämmerlichen Lichte vorspiegelte und so drückend wurde, daß ich mich zuletzt nur durch einen herzhaften Sprung aus dem Bette daraus erretten konnte. – Aprilwetter! Die Hosen zog ich – wie weiland Freund Yorick – bereits wieder als ein Philosoph an, und der erste Sonnenblick, der pfeilschnell über die Fenster der gegenüberliegenden Häuser und die Nase des mir zuwinkenden Strobels glitt, vertrieb alle die Nebel, welche auf meiner Seele gelastet hatten. Frischen Mutes konnte ich mich wieder an meine Vanitas setzen, und als ich gar in einem der schweinsledernen, verstaubten Tröster, die ich gestern von der Königlichen Bibliothek mitgebracht hatte, eine alte vertrocknete Blume aus einem vergangenen Frühling fand, konnte ich schon wieder die seltsamsten Mutmaßungen über die Art und Weise, wie das tote Frühlingskind zwischen diese Blätter kam, anstellen. Hatte sie vielleicht an einem lang vergangenen Feiertage ein uralter, längst vermoderter Kollege mitgebracht von einem lustigen Feldwege, oder hatte sie vielleicht eins seiner Kinder spielend in dem Folianten des gelehrten Vaters gepreßt? Hatte sie etwa ein Student von der Geliebten erhalten und hier aufbewahrt und vergessen? Welche Vermutungen! Hübsch und anmutig, und um so hübscher und anmutiger, als sie nicht unwahrscheinlich sind.

O, versteht es nur, Blumen zwischen die öden Blätter des Lebens zu legen; fürchtet euch nicht, kindisch zu heißen bei zu klugen Köpfen; ihr werdet keine Reue empfinden, wenn ihr zurückblättert und auf die vergilbten Angedenken trefft!

Sei mir gegrüßt, wechselnder April, du verzogenes Kind der alten Mutter Zeit und – –

»Beschütze deinen Sohn Ulrich Georg Strobel! – Guten Morgen, Meister Wachholder!« sagte eine Stimme hinter mir.

Es war der Karikaturenzeichner, der, den grauen Filz auf dem Kopf, die Reisetasche über der Schulter, den Eichenstock in der Hand, hinter mir stand.

»Ach Gott, nun ist mein Zeit vorbei!« fuhr er lachend fort. »Ich komme, Ihnen Lebewohl zu sagen, alter Herr.«

»Was, Sie wollen fort? Was fällt Ihnen ein?«

> »Kann Deutschland nit finden,
> Rutsch allweil drauf 'rum!«

sang der Zeichner und zeigte auf eine lustige blaue Stelle zwischen den ziehenden Wolken. »Es ist nicht anders; haben Sie einen Gruß an die freie, weite Welt zu bestellen, heraus damit! Oder noch besser: kommen Sie – dort steht Ihr Regenschirm – begleiten Sie mich! Hören Sie, wie lustig der Spatz da ins Fenster pfeift!«

Was sollte ich machen; ich schlug meinen Folianten zu, der tolle Vagabond bot mir seinen Arm, und wir traten hinaus in die Gasse.

»Leben Sie wohl, Mama; viel Glück, mein Fräulein!« rief der Zeichner seiner Hausgenossenschaft zu, die ganz aufgeregt in der Tür stand. »Gott grüß Euch, Freund Marquart; lebt wohl, Mutter Karsten; lebt wohl, Meister und Meisterin; lebt wohl, lebt wohl!« rief er nach rechts und links hinüber. An der Ecke warf er noch einen letzten Blick hinauf nach seiner verlassenen Wohnung, wo die Fenster offenstanden und eine zerrissene Gardine lustig im Frühlingswinde flatterte, und brummte: »Zum Teufel, du Nest!«

»Und wo wollen Sie nun hin?« fragte ich meinen wunderlichen Begleiter.

Der Zeichner lachte. »Was meinen Sie«, sagte er, »wenn ich mir das Völkergewühl im Orient ein wenig ansähe, Kostüme zeichnete und über das Bemühen lachte, einen neu eintretenden Faktor der Menschheitsentwicklung durch Lancasterkanonen und Kriegsschiffe aufhalten zu wollen?«

»Was?!« rief ich mit offnem Munde.

»Wem gilt das ›Was?‹« lachte Strobel. »Meinem Vorhaben oder meiner Meinung?«

»Sie glauben«...

»Ich glaube, daß die Erde jung ist, alter Freund! Wir brauchen frisches Blut und wollen nicht meinen, daß, weil man uns nur Geschichte der Vergangenheit lehrt, es keine der Zukunft geben werde. Wir leben uns gar zu gern in alles ein: in unsern Rock, in unsern Körper, in unsere Familie, in unser Volk; wir freuen uns, wenn ein kleiner verwandter Mitbürger das Licht der Welt erblickt; wir ärgern uns, wenn wir den Rock zerreißen oder ein Krähenauge bekommen; wir betrüben uns, wenn unser Vater, unsere Mutter stirbt; aber wir halten das alles für natürlich – bloß weil wir es leichter übersehen können. Soll nun auf einmal in dem Krähenaugenkriegen, Geborenwerden und Sterben der großen Völkerfamilie der Erde ein Stillstand eintreten, ein deus ex machina mit Manschetten in das ewige Werden fahren und sagen: Stop! Halt da! Entwickelt euch in euch selbst und – entschlaft an Euthanasie? Bah!«

Der Redner blies eine gewaltige Rauchwolke aus seiner Zigarre und fuhr fort, während ich den Kopf bedachtsam schüttelte:

»Es hat den Griechen nichts geholfen, die besten Dichter, Bildhauer und Maler zu sein, die geistreichsten philosophischen Systeme aufstellen zu können: die eisernen Männer Roms klopften an, stellten die griechische Bildung sub hasta, spielten Würfel auf den Gemälden, fabrizierten korinthisches Erz aus den Metallstatuen, und – die Weltgeschichte ging einen Schritt vorwärts. Es hat den Römern nichts geholfen, die größten Kriegs- und Verwaltungskünstler zu sein – Zündnadelgewehre und Lancasterkanonen sind Spielzeug im Kampf gegen die *eine* Macht im Weltall, welche die Gestirne treibt und die Wandervögel und welche die Völker bewegt zur rechten Zeit. Die Barbaren kümmerten sich nicht um Kommandowörter; sie stürmten die Tore Roms, und – die Weltgeschichte ging einen Schritt weiter!«

Ich schüttelte wieder das Haupt und brummte: »Immer zertrümmern, zertrümmern!«

»Meine Mutter starb, indem sie mich gebar!« sagte der Zeichner grimmig und stand still. Wir hatten den Ausgang der Sperlingsgasse erreicht; ein kleiner Handwagen, mit Kisten und Kasten beladen, versperrte uns den Weg. »Jetzt will ich Ihnen auch sagen, wo ich *in der Tat* hin will, wohin ich gehen *könnte*«, sagte Strobel. »Kommen Sie!«

Verwundert folgte ich dem in eine dunkle Kellerwohnung Hinabsteigenden.

So ist das menschliche Leben. Lange, lange Jahre hatte ich in dieser Gasse gewohnt, täglich fast war ich vor diesem Hause, vor diesen trüben Fenstern vorbeigegangen, und heute, am letzten Tage, den die arme hier wohnende Familie dahinter zubringt, steige ich zum ersten Male die feuchten Stufen hinab zu ihr. Der Zeichner stellte mich dem Hausherrn vor, dem Schuhmacher Burger, einem Manne, welchem eine ganze Passionsgeschichte vom Gesichte abzulesen war. Heute abend führt ihn und die Seinigen die Eisenbahn der Seestadt zu, von wo sie ein Schiff nach einer neuen Heimat, nach dem jungen Amerika bringen soll; und der Zeichner – will die Familie begleiten nach Hamburg.

Die wenigen des Mitnehmens werten Habseligkeiten der ärmlichen Wohnung waren schon zusammengepackt; die bleichen, traurigen Gesichter der Eltern, das teilnahmlose der alten Großmutter, die auch heute noch am gewohnten Platz hinter dem Ofen spann, die Kinder, welche verwundert in den Winkel kauerten, alles machte einen tiefen wehmütigen Eindruck auf mich.

Es ist nicht mehr die alte germanische Wander- und Abenteuerlust, welche das Volk forttreibt von Haus und Hof, aus den Städten und vom Lande, die den Köhler aus seinem Walde, den Bergmann aus seinem dunkeln

Schacht reißt, die den Hirten herabzieht von seinen Alpenweiden und sie alle fortwirbelt, dem fernen Westen zu: Not, Elend und Druck sind's, welche jetzt das Volk geißeln, daß es mit blutendem Herzen die Heimat verläßt. Mit blutendem Herzen; denn trotz der Stammzerrissenheit, trotz aller Biegsamkeit des Nationalcharakters, der so leicht sich fremden Eigentümlichkeiten anschmiegt und unterwirft – worin übrigens in diesem Augenblick vielleicht allein die welthistorische Bedeutung Deutschlands liegt –, trotz alledem hängt kein Volk so an seinem Vaterland als das deutsche.

In englischen Schriften läuft Deutschland öfters als »the fatherland« κατ' ἐξοχήν. Das wird zwar mit einem gewissen »sneer« gesagt, aber es ist eine Ehre für unsere Nation, und wir können stolz darauf sein.

O ihr Dichter und Schriftsteller Deutschlands, sagt und schreibt nichts, euer Volk zu entmutigen, wie es leider von euch, die ihr die stolzesten Namen in Poesie und Wissenschaften führt, so oft geschieht! Scheltet, spottet, geißelt, aber hütet euch, jene schwächliche Resignation, von welcher der nächste Schritt zur Gleichgültigkeit führt, zu befördern oder gar sie hervorrufen zu wollen.

Als die Juden an den Wassern zu Babel saßen und ihre Harfen an die Weiden hingen, weinten sie, aber sie riefen:

»Vergesse ich dein, Jerusalem, so werde meiner Rechten vergessen!«

Die Worte waren kräftig genug, selbst die zuckenden Glieder eines Volkes durch die Jahrtausende zu erhalten.

Ihr habt die Gewohnheit, ihr Prediger und Vormünder des Volks, den Wegziehenden einen Bibelvers in das Gesangbuch des Heimatdorfs zu schreiben; schreibt:

»Vergesse ich dein, Deutschland, großes Vaterland: so werde meiner Rechten vergessen!«

Der Spruch in aller Herzen, und – das Vaterland *ist* ewig!

Das letzte Hausgerät war zusammengebunden und auf den kleinen Wagen in der Gasse gelegt. Traurig schauten sich die armen Leute in ihrer verödeten Wohnung, die alle Leiden und Freuden der Familie gesehen hatte, um.

»'s ist 'n hart Ding, 's ist 'n hart Ding!« sagte seufzend der Meister, und Strobel klopfte ihn leise auf die Schulter.

»Es ist Zeit, Mann! Faßt Euch ein Herz, geht Eurer Frau mit einem guten Beispiel voran.«

»Der Totengräber hat versprochen, er will unseres Fritzen Hügel draußen nicht verrotten lassen!« schluchzte die Frau.

Burger wischte sich mit dem Ärmel über die Augen, erhob sich aus seinem Hinbrüten und ging, seine alte Mutter hinaufzuführen auf die Gasse; seine Frau weinte laut, brach einen Zweig von der verkümmerten Myrte im Fenster, legte ihn in ihr Gebetbuch und nahm ihr jüngstes Kind auf den Arm, während sich die andern an ihre Schürze und ihren Rock hingen. Die Familie stieg die enge, schwarze Treppe, welche auf die Straße führte, hinauf – sie hatte ihren langen Weg begonnen!

Draußen wechselte Regen mit Sonnenschein, wie der April es mit sich brachte. Der Meister zog seinen Wagen voraus, wir andern folgten. Einen letzten Blick werft zurück in die enge, dunkle, arme Sperlingsgasse – ihr werdet wohl oft genug an sie denken – und dann hinaus in die weite Welt, ihr Wanderer!

Bis an das Tor brachte ich den Zeichner und seine Schützlinge. Ein letzter Händedruck, ein letzter Gruß! Wer weiß, ob wir nicht noch einmal uns wieder sehen, Strobel! Lebt wohl, lebt wohl! – Und wieder einmal konnte ich einsam und allein zurückkehren, einsam und allein dies Blatt der Chronik der Sperlingsgasse aufzuzeichnen.

Am 1. Mai. Abend.

Ich saß heute nachmittag draußen im Park in den warmen Sonnenstrahlen, die hell und lustig durch die noch kahlen Zweige der höheren Bäume und durch das mit zartem, frischem Grün bedeckte niedere Gesträuch fielen. Kinder mit Sträußen von Frühlingsblumen zogen an mir vorüber; ein Maikäfer, mit einem Zwirnfaden am Bein, hing schlaftrunken an einem Zweige mir zur Seite, und ein stubengesichtiger junger Mann, dem ein Buch hinten aus der Rocktasche guckte, grub sorgsam eine Pflanze aus. Es war ein prächtiger Frühlingsnachmittag. Da begannen auf einmal in der Stadt die Glocken zu läuten, den morgenden Sonntag zu verkünden, und wieder schwebte, von den »Himmelstönen« getragen, eine süße Erinnerung heran.

Es war auch ein erster Mai. Da war der Frühling gekommen mit jungem Grün, bauenden Schwalben und einem – Hochzeitstage in der alten, dunklen Sperlingsgasse. Sie hatten Blumen gestreut, und mit Blumen und Laubkränzen die Pfosten umwunden; sie hatten Sonntagskleider angezogen in der Sperlingsgasse, und alle hatten fröhliche, fröhliche Gesichter. Und der Himmel war blau, und die Sonne schien strahlend durch den Efeu, welchen vor so langen Jahren Marie Ralff im Ulfeldener Walde ausgegraben hatte; aber weder Himmelsblau noch Sonnenschein kamen an heiliger Reinheit dem Gesichtchen gleich, das sich an jenem ersten Mai an meine Schulter schmiegte und durch Tränen lächelnd zu mir aufschaute. Das Bild der Mutter sah aus seinem Rahmen und den Kränzen, die es heute umwanden, ebenfalls lächelnd auf uns herab. Lächeln, Lächeln überall! Und als das junge Herzchen an meiner Brust pochte, auf der andern Seite Gustav mir den Arm um die Schulter legte, als Helene weinend der jungen Braut den Kranz in die Locken drückte, da war es mir, als sei nun ein lange dunkles Rätsel gelöst, und ich senkte das Haupt vor der geheimnisvollen Macht, welche die Geschicke lenkt und ein

173

Auge hat für das Kind in der Wiege und die Nation im Todeskampf. Wie die Fäden laufen mußten, um hier in der armen Gasse sich zusammenzuschürzen zu einem neuen Bunde! Wie so viele Herzen fast brechen wollten, um ein neues Glück aufsprießen zu lassen! Das ist die große, ewige Melodie, welche der Weltgeist greift auf der Harfe des Lebens und welche die Mutter im Lächeln ihres Kindes, der Denker in den Blättern der Natur und Geschichte wahrnimmt. –

Wir sprachen an jenem Tage nicht viel! Das Glück ist stumm, und was die Liebe – die wahre Offenbarung Gottes – sich zuflüstert, hat noch kein Dichter auf Papyrus, Pergament oder Papier festgehalten. Die kleine Kirche war gar feierlich heilig, als der junge Maler – er dachte in dem Augenblick gewiß nicht an sein gefeiertes Bild: Milton, den Galilei im Gefängnis zu Rom besuchend –, als der junge Maler seine schöne Braut hineinführte an den geschmückten, lichterglänzenden Altar. Und niemand fehlte in dem Kreise teilnehmender Gesichter umher! Da war das Atelier, da waren Elisens Freundinnen, da war vor allem die alte Martha und die Hausgenossenschaft und Nachbarschaft der Sperlingsgasse. Die Orgel begann den Choral – und die Jungfrau Elise Johanna Ralff und Herr Gustav Theodor Maximilian Berg wurden durch ein ganz leises, leises Ja und ein anderes viel lauteres auf eine gar verfängliche Frage Mann und Frau! –

Die Chronik der Gasse nähert sich ihrem Ende. Was sollte ich auch noch viel erzählen? Unsere Kinder sind glücklich in dem schönen Italien; die alte Martha schläft nicht weit von Mariens Grabe auf dem Johanniskirchhofe; ich bin alt und grau. Wenn ein Paket von Rom gekommen ist, so gehe ich hinüber zu der freundlichen, schönen, weißhaarigen Frau, die da drüben in Nr. zwölf gewöhnlich strickend am Fenster sitzt, und unsere alten Herzen schlagen höher bei dem frischen Lebensglück,

welches uns aus den engbeschriebenen Bogen entgegen-
leuchtet. Wir folgen den Kindern durch alle die alten und
neuen Herrlichkeiten, wir stehen mit ihnen vor dem
Laokoon, wir steigen mit ihnen zum Kapitol hinauf,
unsere Schritte hallen an ihrer Seite in den Sälen des
Vatikans, in den Loggien Raffaels wider. Wie eine reizende Märchenarabeske ist jeder Brief: blauer Himmel
und Sonne und ein fröhliches Lachen auf jeder Seite!

Es ist spät in der Nacht, als ich dieses schreibe; tiefe
Dunkelheit herrscht in der Gasse; kein einziges erhelltes
Fenster ist zu erblicken. Der einzige Laut, den ich ver-
nehme, ist das Schlagen der Turmuhren oder der Pfiff des
Nachtwächters. Da liegen alle die bekritzelten Bogen vor
mir – bunt genug sehen sie aus! –

Was sollte ich noch viel hinzufügen? Wenn die alten
Chronikenschreiber ihre Aufzeichnungen bis zu ihren
Tagen fortgeführt und ihr Werk beendet hatten, hefteten
sie noch einige weiße Bogen hinten an, damit der künftige Besitzer die »wenigen« Ereignisse, welche vor dem
Untergang der Welt noch geschehen würden, darauf
nachtragen könne. Das nachzuahmen habe ich nicht im
Sinn. Diese Erde wird sich noch lange drehen, in dieser
engen Gasse wird noch manches Kind geboren werden,
manche Leiche wird man hinaustragen und unter den
letzteren vielleicht in nicht langer Zeit auch den, welchen
sie Johannes Wachholder nannten. – Was die paar Tage,
die mir noch übrig sind, bringen werden, will ich in
Ruhe erwarten; viel Neues können sie mir nicht zeigen. –

Ich öffne das Fenster und blicke in die dunkle, stille,
warme Nacht hinaus. Hier und da flimmert ein einsamer
Stern an der schwarzen Himmelsdecke. Wie feierlich der
Glockenton in der Nacht klingt! Zwölf Uhr. In wieviel
Träume mag sich dieser Schall verschlingen? Der grü-
belnde Gelehrte wird von seinem Buche verwirrt auf-
sehen, das junge Mädchen wird von Tanz- und Ballmusik
träumen, der arme Kranke wird von dem kommenden

Tage Genesung erflehen, die Mutter wird im Schlaf ihr kleines Kind fester an sich drücken, und der Herrscher, die Stirn wund vom Druck einer Krone des Zeitalters der Revolution, wird das Haupt in die Kissen senken und seufzen: Ein neuer Tag! –

Meine Lampe flackert und ist dem Erlöschen nahe. Mit müder Hand schließe ich das Fenster und schreibe diese letzten Zeilen nieder:

Seid gegrüßt, alle ihr Herzen bei Tage und bei Nacht; sei gegrüßt, du großes, träumendes Vaterland; sei gegrüßt, du kleine, enge, dunkle Gasse; sei gegrüßt, du große, schaffende Gewalt, die du die ewige *Liebe* bist! – Amen! Das sei das Ende der Chronik der Sperlingsgasse! – –

Anmerkungen

Der Text der vorliegenden Ausgabe folgt dem Druck im 1. Band der Braunschweiger historisch-kritischen Gesamtausgabe (Wilhelm Raabe, »Sämtliche Werke«, im Auftrag der Braunschweigischen Wissenschaftlichen Gesellschaft hrsg. von Karl Hoppe, Freiburg/ Braunschweig 1951–59, Göttingen 1960 ff., zitiert als BA mit Angabe der Bd.-Nr.).

Auch Karl Hoppes Anmerkungen zur »Chronik der Sperlingsgasse« werden im folgenden dankbar übernommen. Der veränderten Zielsetzung einer Taschenbuchausgabe entsprechend, wurden sie z. T. neu gefaßt, ergänzt, in einigen Fällen gekürzt. Die den Titeln literarischer Werke hinzugefügten Zeitangaben bezeichnen, wenn nicht anders vermerkt, das Jahr des Erstdrucks.   *U. K.*

Pro domo

3,1 *Pro domo:* (lat.) für das Haus, übertragen: in eigener Sache, zum eigenen Nutzen; ursprünglicher Titel der Rede »De domo sua ad pontifices« (57 v. Chr.) des römischen Staatsmannes und Schriftstellers Marcus Tullius Cicero (106–43 v. Chr.). – Raabe schrieb dieses Vorwort für die 3. Auflage der »Chronik« 1864.

3,6 f. *Als vor zehn Jahren ... aufeinanderschlugen:* Anspielung auf den Krimkrieg zwischen Rußland und der Türkei 1853–56, unter Verwendung eines Zitats aus Goethes »Faust« I, V. 862 f.: »Wenn hinten, weit, in der Türkei, / Die Völker aufeinanderschlagen«.

3,17 *Hartmann von der Aue:* H. v. A. (um 1165 – um 1210), mittelhochdeutscher Epiker, der seine Verslegende »Der arme Heinrich« (entstanden um 1195) schrieb, »dâ mite er swaere stunde möhte senfter machen«.

3,20 *Nun hängen wieder die Wolken drohend herab:* 1864 führten Österreich und Preußen Krieg gegen Dänemark.

3,30–32 *Es soll niemand ... fallen lassen:* vgl. die Schlußworte von Raabes 1864, kurz vor Abfassung dieses Vorworts beendetem Roman »Der Hungerpastor«: »Gib *deine* Waffen weiter, Hans Unwirrsch!« (BA 6, S. 463).

Am 15. November.

5,1 *Am 15. November:* Am 15. November 1854 begann Raabe mit der Niederschrift der »Chronik«. Er bezeichnete in späteren

Jahren dieses Datum des Beginns seiner Schriftstellerlaufbahn als »Federansetzungstag«.

5,4 f. *Auf der Ferne liegen ... die Donnerwolken des Krieges:* vgl. Anm. zu 3,6 f.

5,5–7 *über die Nähe ... Schleier gelegt:* Um die Mitte des letzten Jh.s kam es in Deutschland zu Epidemien (vor allem Cholera) und Hungersnöten.

5,17 *Chodowiecki:* Daniel Ch. (1726–1801), Maler und berühmtester Kupferstecher seiner Zeit.

5,18 *Asmus omnia sua secum portans:* (lat.) Asmus, alles Seinige mit sich tragend; unter diesem Titel erschienen »Sämmtliche Werke des Wandsbecker Bothen« von Matthias Claudius (1740–1815) zwischen 1775 und 1812. Raabe besaß Teil 1–7 in der 1774 ff. (in Breslau bei Gottlieb Löwe?) erschienenen Ausgabe.

5,20 *homme de lettres:* (frz.) Schriftsteller; vgl. die mit »Asmus« unterzeichnete Einleitung der »Sämmtlichen Werke«: »[...] so ersuche ich die gütigen Herren, die sich mit Subscriptionsammeln bemüht haben, ihre Briefe an meinen Vetter ›Matthias Claudius Homme de lettres‹ zu adreßiren« (S. XV).

6,2 *Vetter:* Asmus nennt Claudius im »Wandsbecker Bothen« seinen Vetter.
Freund Hein: als Bezeichnung für den Tod seit der 2. Hälfte des 18. Jh.s gebräuchlich. Claudius empfand den Tod als vertrauten Begleiter, als Freund des Menschen; auf dem ersten Kupferstich des »Wandsbecker Bothen« ist er als menschliches Skelett mit einer Sense dargestellt: »Das erste Kupfer ist Freund Hain. Ihm dedicir ich mein Buch, und Er soll als Schutzheiliger und Hausgott vorn an der Hausthüre des Buchs stehen« (I, S. VII).

6,3 *Invaliden Görgel:* Reminiszenz von Claudius an seine Darmstädter Zeit, in der er an einer Zeitung mitarbeitete, die von einem Invalideninstitut ausging; vgl. die »Görgeliana« im 3. Teil der »Sämmtlichen Werke« (III, S. 43 ff.): »[...] Görgel ist eigentlich ein alter lahmer Invalide, der sich in seinen alten Tagen noch auf die Feder applicirte [...].«

6,4 *die neue Kanone:* von Asmus angeschafft, um »Geburthstag, Kindtaufe oder sonst was zu canoniren«; Anspielung auf den »Brief an Andres wegen den Geburtstägen im August 1777« im 3. Teil des »Wandsbecker Bothen«.

6,4 f. *das Ohr des schuftigen Hofmarschalls Albiboghoi:* vgl. »Nachricht von meiner Audienz bey'm Kayser von Japan«, ebenfalls im 3. Teil.

6,8–12 *ein großer Gedanke ... jung und alt:* vgl. den Abschnitt
»Neue Erfindung« im 4. Teil des »Wandsbecker Bothen«: »[...]
gestern als ich im Garten gehe und an nichts weniger denke,
schießen mir mit einmal zwey neue Festtage aufs Herz, der
Herbstling und der *Eiszäpfel*, beide gar erfreulich und nützlich
zu feyern. Der Herbstling ist nur kurz, und wird durch Bratäpfeln gefeyert. Nämlich: wenn im Herbst der erste Schnee
fällt [...].«

6,32 *die Sperlingsgasse:* Raabe nahm die Spreegasse in Berlin, die
einen Spreearm mit der Brüderstraße verband, zum Vorbild für
die Sperlingsgasse. In der Spreegasse lebte er während seines
zweijährigen Berliner Studienaufenthaltes. Sie wurde 1931 aus
Anlaß der 100. Wiederkehr seines Geburtstages in »Sperlingsgasse« umbenannt, 1964 im Zuge einer städtebaulichen Neuordnung
eingeebnet.

7,2 *Hypochondrie:* (griech.) die organisch nicht begründbare Überzeugung oder Befürchtung, krank zu sein.

7,23 f. *Quartanten und Folianten:* Bezeichnung für Bücherformate;
beim Folianten wird der Druckbogen einmal gebrochen (ergibt 4
Seiten), beim Quartanten zweimal (ergibt 8 Seiten).

7,25 *Allongeperückengesicht:* Allongeperücke: langlockige, im 17.
und 18. Jh. besonders in Frankreich am Hof Ludwigs XIV.
verbreitete Perücke.

7,28 *Eine Chronik der Sperlingsgasse:* Zur »Chronik« wird das
Bilderbuch der Sperlingsgasse, das Wachholder schreiben will,
durch die nach Art von Chroniken gewählte zeitliche Gliederung
der Aufzeichnungen und durch die damit ermöglichte Vielfalt der
Motive (vgl. 9,13–28): *Eine Chronik aber nenne ich ... Ranken
schlingen.*

7,34 *Folio und Quarto:* vgl. Anm. zu 7,23 f.
Aldinen und Elzevire: kostbare, kleinformatige Druckwerke des
venezianischen Druckers Aldus Manutius und seiner Nachfolger
(15. und 16. Jh.) und der niederländischen Buchhändler-, Druk-
ker- und Verlegerfamilie Elsevier, die im 17. Jh. führend im
westeuropäischen Buchgewerbe war.

8,1 *ein Buch Papier:* Buch: altes Zählmaß = 25 Bogen Schreibpapier.

10,1 *Kontrapunkt:* Begriff aus der Kompositionslehre; bezeichnet
eine Satztechnik, in der die einzelnen Stimmen gleichberechtigt
nebeneinander herlaufen, im Gegensatz zum homophonen Satz,
in dem es eine Hauptstimme gibt.

10,6 *kompiliere:* (lat.) trage aus verschiedenen Büchern zusammen.

10,7 *De vanitate hominum:* (lat.) Über die Nichtigkeit des menschlichen Daseins; ein in Anlehnung an die stoische Philosophie vielbehandeltes Thema in der älteren Literatur. Um die Mitte des 19. Jh.s hatte der englische Autor William M. Thackeray (1811–63) aus verwandter Einstellung großen Erfolg mit seinen Romanen »Vanity Fair« (1847/48, dt. »Jahrmarkt der Eitelkeit«, 1849) und »Arthur Pendennis« (1850) erzielt. Raabe hatte, um diese Werke im Original lesen zu können, Englisch gelernt (vgl. BA Erg.-Bd. 2, S. 484).

Am 20. November.

10,14 *Kartaunen:* schwere Vorderladergeschütze des 16. und 17. Jh.s.

10,14 f. *Feldschlangen:* spätmittelalterliche, bis ins 17. Jh. verwendete Feldgeschütze kleineren Kalibers mit verhältnismäßig langem Rohr.

11,25 f. *in einer Dachstube:* Raabes Beschreibung des Dichterdaseins erinnert an Carl Spitzwegs (1808–85) Gemälde »Der arme Poet« (1839) und stellt eine Poetisierung der Wirklichkeit im Stil des Biedermeier dar. Die im folgenden genannten Autoren lebten zwar kaum in Dachstuben, wohl aber vielfach in beengten Verhältnissen.

11,27–32 *Wineoffice Court ... Wakefield:* Die Anekdote über die Umstände, unter denen der englische Literaturkritiker Samuel Johnson (1709–84) von Oliver Goldsmith (1728–74) das Manuskript von dessen Roman »The Vicar of Wakefield« (1766, dt. »Der Landprediger von Wakefield«) erhielt, ist verbürgt.

11,33 *Jean Jacques Rousseau:* J.-J. R. (1712–78), französisch-schweizerischer Philosoph.

11,35–37 *Armenadvokat Siebenkäs ... Leben Fibels:* Anspielungen auf Werke Jean Pauls (d. i. Johann Paul Friedrich Richter, 1763–1825): auf den humoristischen Roman »Blumen- Frucht- und Dornenstükke oder Ehestand, Tod und Hochzeit des Armenadvokaten F. St. Siebenkäs im Reichsmarktflecken Kuhschnappel« (1796/97 erschienen), »Leben des vergnügten Schulmeisterlein Maria Wuz in Auenthal« (1793) und das »Leben Fibels« (1811).

12,9 *Antinomien:* (griech./lat.) Widerspruch eines Satzes in sich selbst oder zweier Sätze, von denen jeder Gültigkeit beanspruchen kann.

12,18 f. *Kants Kritik der reinen Vernunft:* Anspielung auf eines der

Hauptwerke (1781) des deutschen Philosophen Immanuel Kant (1724–1804).

12,27 *ombra adorata:* (ital.) angebeteter Schatten; Titel eines Aufsatzes in Ernst Theodor Amadeus Hoffmanns (1776–1822) »Kreisleriana«. In ihm nahm Hoffmann Abschied von Julia Marc, deren Liebe einem anderen Manne galt. Das Gegenstück hierzu bildet Wachholders Verzicht auf Marie zugunsten von Franz Ralff.

Am 30. November.

13,16 *Laterna magica:* (griech./lat.) Zauberlaterne; im 17. Jh. erfundener Apparat zur Projektion von Zeichnungen und Bildern in vergrößerter Form.

14,10 *Ulfelden:* Als Vorbild stand Raabe Stadtoldendorf vor Augen, wo er prägende Jahre seiner Kindheit verbracht hat (1842–45).

15,14 *die große Stadt:* Gemeint ist Berlin, wo Raabe 1854–56 studierte.

16,20 *Sirenensang:* Der griechischen Mythologie zufolge locken Sirenen, göttliche Mischwesen aus Vogel- und Mädchenleibern, auf einer sagenhaften Insel die vorüberfahrenden Seeleute durch ihren bezaubernden Gesang an, um sie dann zu töten. Odysseus schützte sich vor ihnen, indem er seinen Gefährten die Ohren mit Wachs verstopfte und sich selbst am Mast des Schiffes festbinden ließ (vgl. Homers «Odyssee«, 12. Gesang).

16,23 *Armidengärten:* Zaubergärten der Fee Armida im 16. Gesang des Epos »Das befreite Jerusalem« (1581) von Torquato Tasso (1544–95).

Am 2. Dezember.

18,22 *Ulrich Strobel:* Strobel weist Wesenszüge auf, die unverkennbar auf Raabe hindeuten. Dies gilt insbesondere von seiner Zeichenbegabung. Vgl. dazu die Ausführungen Karl Hoppes (BA 1, S. 464, sowie Hoppe, »Raabe als Zeichner«, Göttingen 1960).

Am Nachmittag.

20,35 *Morales:* Luis de M. (um 1509–86), spanischer Maler, der nur Gemälde mit christlichen Motiven schuf und deshalb den Beinamen *el divino* (›der Göttliche‹) erhielt.

21,28–30 *O cara ... vale:* (lat.) O liebe, liebe Maria, lebe wohl!
(usw.); Herkunft des Zitats bislang nicht nachgewiesen.

23,2 *Süßes der Süßen:* Mit diesen Worten streut in Shakespeares
»Hamlet« (V,1) die Königin Blumen auf Ophelias Grab.

23,15 *Reliquiarium:* (kirchenlat.) Behältnis zur Aufbewahrung von
Gebeinen oder Attributen der Heiligen.

24,6 *Equipage:* (frz.) elegante Kutsche.

25,30–35 *Ergreift die Schaufeln ... in den Bart:* Anspielung auf die
Totengräber-Szene in Shakespeares »Hamlet« (V,1): Die Toten-
gräber kommentieren ihre Arbeit mit witzigen Reden, bei
Yaughan (im Wirtshaus) holen sie ihren Branntwein.

26,18 f. *Verkehrt auf dem grauen Esel »Zeit« sitzend:* Nach altem
Rechtsbrauch wurden Übeltäter dadurch, daß sie verkehrt auf
einem Esel sitzen mußten, dem Gespött preisgegeben.

26,21 *Tiaren:* (pers./griech./lat.) Ursprünglich die Kopfbedeckung
der altpersischen Könige, bezeichnet die Tiara heute die dreifache
Krone des Papstes.

26,21 f. *phrygische Mützen:* Die nach vorn überfallende Phrygische
Mütze war Vorbild der Jakobinermütze und wurde zum Frei-
heitssymbol der Französischen Revolution.

26,30 *Ein Traum ist das Leben der Menschheit:* im Anklang an den
deutschen Titel des Dramas »La vida es sueño« des spanischen
Dichters Pedro Calderón de la Barca (1600–81): »Das Leben ein
Traum«.

26,33 f. *eines volkstümlichen Tonkünstlers:* Gemeint ist Albert
Lortzing, Komponist von Spielopern (1801–51); die Verse auf
seinem Grabstein stammen von seinem Biographen Philipp Dü-
ringer.

27,19 f. *Viktualienladens:* (lat.) Lebensmittelladens.

27,35 *Eros:* griechischer Liebesgott.

28,1 *Anteros:* Bruder des Eros.

28,2 *antediluvianischen:* (nlat.) vorsintflutlichen.
Abälards: Petrus Abaelardus (1079–1142), französischer Philosoph und Theologe; hier wird auf seine tragische Liebe zu Héloise
angespielt.

28,2 f. *Egmonts:* Lamoral Graf von Egmont, Fürst von Gavre
(1522–68), Held der niederländischen Befreiungskriege; Raabe
spielt hier auf seine Liebe zu Klärchen in Goethes »Egmont« an.

28,20 f. *Guter Mond, du gehst so stille:* anonymes Volkslied (Ende des 18. Jh.s).

28,34 f. *Justinus Kerners kakodämonischen Magnetismus:* Der schwäbische Dichter und Arzt Justinus Kerner (1786–1862) verfaßte neben anderen Schriften aus dem Bereich des Okkultismus »Geschichten Besessener neuerer Zeit. Beobachtungen aus dem Gebiet kakodämonisch-magnetischer Erscheinungen« (1834). Die übernatürlich-mediale Einwirkung (Magnetismus) eines entfernten feindlichen Prinzips (Kakodämon) auf hochsensible Menschen gehört zu den meistdiskutierten Problemen romantischer Poesie und Naturphilosophie.

29,8 *Quadrupeden:* (lat.) Vierfüßler.

29,13 f. *Rokokozeit:* ›Rokoko‹ bezeichnet einen zierlich-spielerischen europäischen Kunststil aus der Zeit von etwa 1730 bis 1770/80.

29,17 f. *o horror:* (lat.) o Graus!

29,21 *Ziegenhainer:* Spazierstock aus dem Holz der Kornelkirsche in Ziegenhain bei Jena hergestellt; zunächst nur unter jenaischen Studenten gebräuchlich, war er später weit verbreitet.

29,26 *Pandämonium:* (griech./nlat.) Gesamtheit aller mythischen Geister; hier: Satansreich.

30,23 f. *Ce que femme veut, Dieu le veut:* (frz.) Was eine Frau will, das will auch Gott; französisches Sprichwort. Vgl. Carl Friedrich Wilhelm Wander, »Deutsches Sprichwörter-Lexikon«, Leipzig 1867–80, Bd. 1, Sp. 1132.

30,30 f. *Athaumasie:* (griech.) das Sich-nicht-Verwundern.
Apathie: (griech.) Leidenschaftslosigkeit; beides Grundforderungen der auf Wahrung der Gemütsruhe bedachten Stoiker.

31,1 *taliter qualiter:* (lat.) mit Einschränkung, gewissermaßen.

31,22 *Galläpfel:* Anspielung auf Strobels Berufselixier, die (kritische) Tinte, die zur damaligen Zeit noch nicht eine synthetisch hergestellte, sondern die aus Galläpfeln gewonnene Eisengallustinte war.

33,2 *Signore:* (ital.) Herr.

Am 10. Dezember.

33,25 f. *das Läuten jener im Wald verlorenen Kirche:* Anspielung auf das Gedicht »Die verlorene Kirche« (entstanden 1812) von Ludwig Uhland (1787–1862).

35,26 f. *Tacitus:* Publius Cornelius T. (um 55 – um 120 n. Chr.), römischer Geschichtsschreiber.

36,17 *Scholarch:* (griech.) Vorsteher einer Schule; hier: Rektor.

36,29 f. *Bertuchschen Werks:* Friedrich Justin Bertuch (1747–1822), Buchhändler und Schriftsteller, gab u. a. ein weitverbreitetes und vielgelesenes »Bilderbuch für Kinder« in 12 mit Kupfern versehenen Bänden heraus.

37,10 *Scharlachfriesel:* Friesel: Hautbläschen, Ausschlag.

37,15 *kaustisch:* (griech./nlat.) ätzend, beißend.

40,10 f. *in der Champagne:* Gemeint ist der Feldzug, den 1792 die preußisch-österreichischen Koalitionstruppen unter der Führung von *Herzog* Karl Wilhelm Ferdinand *von Braunschweig* gegen das revolutionäre Frankreich unternahmen und der mit ihrem Rückzug endete. Das *Regiment* der *Weimar-Kürassiere* wurde von Herzog Karl-August von Sachsen-Weimar kommandiert, in dessen Begleitung auch Goethe an der »Campagne in Frankreich« teilnahm.

40,13 *retirieren:* (frz.) sich zurückziehen.

40,18 *Schwadron:* kleinste Einheit der Kavallerie.

40,24 *Pallasch:* (türk./ungar.) Waffe der Reiterregimenter, Degen.

40,27 *martialisch:* (lat.) kriegerisch.

40,33–35 *Es trägt ... Tagen:* aus dem Volkslied »Kein größer Freud auf Erden ist«, enthalten in der von Ludwig Uhland 1844 herausgegebenen Sammlung »Alte hoch- und niederdeutsche Volkslieder«.

42,22 *Herr Goethe:* Zwar hatte Goethe an dem Frankreich-Feldzug teilgenommen (vgl. Anm. zu 40,10 f.), doch ist die hier eingeflochtene Episode, die das Schicksal Luises zu dem der »dänischen Prinzessin« Ophelia (aus Shakespeares »Hamlet«) in Beziehung setzen soll, erfunden.

44,23 *Versunken und vergessen:* Anklang an den Schluß von Ludwig Uhlands Ballade »Des Sängers Fluch« (entstanden 1814): »Des Königs Namen meldet kein Lied, kein Heldenbuch; / Versunken und vergessen! das ist des Sängers Fluch.«

45,5 *Have, pia anima:* (lat.) Lebe wohl, fromme Seele (Grabinschrift).

Am 24. Dezember.

46,15 *Jean Paul:* vgl. Anm. zu 11,35–37.

46,24 f. *den alten Scrooge des Meister Boz:* In Charles Dickens' (1812–70) Erzählung »Ein Weihnachtslied in Prosa« (1843) verwandelt sich der hartherzige Geizhals Scrooge durch den Einfluß von Weihnachtsgeistern in einen gütigen Menschen. *Boz*: ein Pseudonym von Dickens.

48,31 *Kammerverhandlung:* satirische Anspielung auf die Dispute in den beiden Kammern des preußischen Landtags (Herren- und Abgeordnetenhaus).

49,9 f. *fröhliche, selige, gnadenbringende:* nach dem Lied »O du fröhliche, / o du selige, / gnadenbringende Weihnachtszeit« von Johannes Daniel Falk (1768–1826).

50,12 *Pandämonium:* vgl. Anm. zu 29,26.

50,25 *Pufendorfs:* Samuel Frhr. von Pufendorf (1632–94), deutscher Rechtsgelehrter, Verfasser naturrechtlicher und geschichtlicher Werke.

50,26 *Bayles:* Pierre Bayle (1647–1706), französischer Philosoph, berühmt als Verfasser eines umfangreichen historisch-kritischen Wörterbuchs.

Am 1. Januar.

51,23 *Argus:* (griech.) Argos ist in der griechischen Sage der hundertäugige, von Hera, der Gemahlin des Zeus, bestellte Wächter der Io, einer Geliebten des Zeus.

51,31 *Biber:* Hut aus Biberhaar.

51,34 *manchen-sturm-durchlebten Aussehens:* Anspielung auf den Vers »Hast manchen Sturm erlebt...« aus dem Lied »Schier dreißig Jahre bist du alt« in Karl von Holteis (1798–1880) Schauspiel »Lenore« (1829).

Am 5. Januar.

53,15 *Donnen:* (von ital. donna) Herrinnen, Damen.

54,22 *abgeschnappt:* umgspr. abschnappen ›plötzlich abbrechen‹.

55,12 *östreichischen Landsturm:* »Nur immer langsam voran, / daß der Östreicher Landsturm nachkommen kann«; dem »Krähwinkler Landsturm«, einem Spottlied aus dem Jahre 1813, nachgebildet.

56,2 *sich in die Büsche schlägt:* Anspielung auf den zum geflügelten Wort gewordenen Schlußvers von Johann Gottfried Seumes (1763–1810) Gedicht »Der Wilde« (1793): »Und er schlug sich seitwärts in die Büsche.«

56,17 *Herostratin:* scherzhafte Wortbildung Raabes, die auf Herostratos anspielt, der 356 v. Chr. den Artemis-Tempel zu Ephesus anzündete, um berühmt zu werden.

56,26 *Verzug:* verzogenes Kind.

57,2 f. *die Bretter bedeuteten auch hier eine Welt:* Anspielung auf

Schillers Gedicht »An die Freunde« (1802): »Sehn wir doch das Große *aller* Zeiten / Auf den Brettern, die die Welt bedeuten, / Sinnvoll, still an uns vorübergehn.«

57,12 *Insolenz:* (lat.) Frechheit, Anmaßung.

57,31 *Butter und Wagener am Gänsemarkt:* scherzhafte Anspielung auf einen im Berlin des 19. Jh.s beliebten Künstlertreffpunkt, die Weinstube Lutter und Wegener am Gendarmenmarkt.

59,8 *Felicissima notte:* (ital.) Glücklichste Nacht.

Am 10. Januar.

59,36–60,1 *Sem ... Ham ... Japhet:* Söhne Noahs; vgl. 1. Mose 9.

60,1 *Noahkasten:* ein im 19. Jh. beliebtes Spielzeug: es stellte die Arche Noah in Holz dar und enthielt die Familie Noahs sowie viele Tiere.

60,15 f. *Probatum est:* (lat.) Es ist erprobt.

60,25 f. *die oktroyierte Verfassung:* Anspielung auf die politischen Vorgänge nach 1848: Verfassungen wurden zwar zugestanden, aber nach dem Ermessen der Regierung ›oktroyiert‹, d. h. dem Volke aufgezwungen.

61,4 *Allons:* (frz.) Laßt uns gehen, vorwärts!

64,3–5 *der Swinegel ... um die Wette lief:* Anspielung auf das niederdeutsche Märchen »Der Hase und der Igel« aus der Sammlung der Brüder Grimm.

Am 11. Januar.

67,3 *cela veut dire:* (frz.) das will besagen.

67,4 *eliminito:* vom *Hauptredakteur, der alle Sprachen zu kennen glaubte,* fälschlich gebildetes Part. Perf. von ital. eliminare ›beseitigen‹ anstelle der grammatikalisch korrekten Form ›eliminato‹.

67,6 *Dio mio:* (ital.) Mein Gott!

67,16 *er hatte seinen Lohn dahin:* Anspielung auf Matth. 6,2.

68,2 *Philister:* in der Studentensprache: Nichtstudenten, Bürger.

68,4–6 *wilden Völkerschaften ... Ostrogoten:* Gemeint sind die aus alten Landsmannschaften hervorgegangenen studentischen Verbindungen, benannt nach Volksstämmen der Völkerwanderungszeit.

68,8 *Albertis Komplimentierbuch:* J. J. Alberti, »Neuestes Complimentirbuch. Oder Anweisung, in Gesellschaften und in allen Verhältnissen des Lebens höflich und angemessen zu reden und sich anständig zu betragen [...]«; die 16. Auflage dieses weitverbreiteten Buches erschien 1848.

68,11 *Manichäer:* student.: lästiger Gläubiger.

68,13 f. *Rektor magnificus:* (lat.) Titel des Universitätsrektors; *magnificus:* erhaben.

69,1 f. *östreichischen Landsturm:* vgl. Anm. zu 55,12.

69,30 f. *ein Schiff, dem jungen Amerika entgegensegelnd:* Zum Problem der Auswanderer, deren Zahl seit den zwanziger und dreißiger Jahren des letzten Jh.s. aufgrund der politischen und wirtschaftlichen Entwicklung unter den Deutschen stark zunahm, vgl. in der »Chronik« auch 124,1; 151,9–17; 152,32–34; 170,22–172,35. Auch in anderen Werken Raabes, z. B. in »Die Leute aus dem Walde«, »Zum wilden Mann«, »Prinzessin Fisch«, »Stopfkuchen«, spiegelt sich die Auswanderungsbewegung des 19. Jh.s. wider. (Vgl. das Nachwort zu dieser Ausgabe S. 214.)

71,4 *P. P. C.:* (frz.) Abkürzung von ›pour prendre congé‹: zum Abschied.

71,21 f. *Fumadores regalia:* (span.) Name spanisch-kubanischer Zigarren.

72,1 f. *Mulier taceat in ecclesia:* (lat.) Die Frau schweige in der Gemeinde; in Anlehnung an 1. Kor. 14,34.

72,22 f. *In den böhmischen Wäldern sehen wir uns wieder:* Anspielung auf zwei bekannte Zitate: »Komm mit uns in die böhmischen Wälder« (Schiller, »Die Räuber« I,2) und »Bei Philippi sehen wir uns wieder« (nach Shakespeare, »Julius Caesar« IV,3).

72,24 *P. Scr.:* (lat.) Abkürzung von ›Postscriptum‹: Nachschrift.

72,31 *Diktionärs:* (frz.) Wörterbuchs.

Am 12. Januar.

74,5 *Botanisierbüchse:* Behälter zum Aufbewahren der Pflanzen beim ›Botanisieren‹, dem Sammeln von Pflanzen zu Studienzwecken.

74,31 *Funkes Naturgeschichte:* Karl Philipp Funke (1752–1807), »Naturgeschichte und Technologie für Lehrer in Schulen und für Liebhaber dieser Wissenschaften«; Raabe besaß das zuerst 1790 erschienene Buch in der Auflage von 1812.

75,24–27 *ein Faust zu sein ... lassen:* Anspielung auf Goethes »Faust« I, V. 354 ff. bzw. 1310 ff.

76,3 *Suchet, so werdet ihr ihn finden:* vgl. Matth. 7,7.

77,5 *Penelope:* Während der zwanzig Jahre, die Penelope auf die Rückkehr ihres Gemahls Odysseus aus dem Trojanischen Krieg wartet, hält sie die zahlreichen Freier, die sie umwerben, mit dem Vorwand hin, sie werde sich erst für einen von ihnen entscheiden, sobald sie ein Gewand fertig gewebt habe. Hieran arbeitet sie zwar tagsüber, nachts jedoch trennt sie das Gewebte heimlich auf. Vgl. Homers »Odyssee« 19,149 f.

78,14 *Musenbude:* das 1819–21 von dem Architekten Karl Friedrich Schinkel (1781–1841) erbaute Berliner Schauspielhaus.

78,15 *Pfeffer- und Salzfasse:* volkstümliche Bezeichnung für die beiden am Gendarmenmarkt in Berlin gelegenen, mit gleichartigen Türmen versehenen Kirchen, den französischen und den deutschen Dom.

78,15 f. *ich verachte dich, ein deutscher Zeitungsschreiber:* Anspielung auf Schillers »Kabale und Liebe« (I,7): »Ich verwerfe dich – ein teutscher Jüngling!«

78,20 *ich schüttle deinen Staub von meinen Füßen:* Anspielung auf Matth. 10,14: »Und wo euch jemand nicht annehmen wird noch eure Rede hören, so geht heraus von demselben Hause oder der Stadt und schüttelt den Staub von euren Füßen.«

78,23 *Was-ist-des-Deutschen-Vaterland:* Anspielung auf das bekannte, 1813 entstandene Gedicht »Des Deutschen Vaterland« von Ernst Moritz Arndt (1769–1860).

79,2 *Allons:* (frz.) Gehen wir!

79,7 *gaudeamus igitur:* (lat.) freuen wir uns denn; Anfang eines bekannten Studentenliedes.

79,27 f. *ein Guelfe mit einem Ghibellinen:* Anhänger der im Mittelalter miteinander verfeindeten Welfen und Hohenstaufen bzw. Anhänger der päpstlichen und der kaiserlichen Partei in Italien, besonders Florenz.

79,28 f. *via dei malcontenti:* (ital.) Straße der Unzufriedenen; *in Florenz* längs der Kirche Santa Croce.

79,33 f. *Mihi ... mori:* (lat.) Mir ist bestimmt, im Wirtshaus zu sterben; mittelalterliches Trinklied.

80,3 f. *Leibgeber ... Siebenkäs:* Gestalt in Jean Pauls Roman »Siebenkäs« (vgl. Anm. zu 11,35–37). Im 1. Kapitel trifft Leibgeber nach halbjähriger Trennung zur Hochzeit seines Freundes Siebenkäs ein und gebraucht nur »folgende etwas lange Anrede: ›Guten Morgen, Siebenkäs!‹ – Mehr sagten sie einander nach Jahren nie«.

80,6 *relegiert:* (lat.) von der Hochschule verwiesen.

80,14 *Aconitum:* (lat.) Eisenhut; Giftpflanze, die als Arzneimittel verwendet wird.

81,4 f. *Reineke de Voß:* »Reinke de vos«, niederdeutsches satirisches Tierepos (1498).

81,8–13 *De quad ... loff!:* mit einigen kleinen Abänderungen zitierte Verse aus dem 1. Kapitel des 1. Buchs des »Reinke de vos«. *quad:* Unrecht; *schuwet:* scheut; *kranken loff:* schlimmen Ruf.

82,26 *Exilierung:* (lat.) Verbannung.

83,20–34 *Marienvogel ... Wurm:* nicht nachgewiesen.

85,6 *Lippe-Detmold:* Detmold war Geburts- und Sterbeort des Dramatikers Christian Dietrich Grabbe (1801–36).

85,7 f. *Orientalische Frage ... Navarino:* England, Frankreich und Rußland griffen 1827/28 in den Krieg zwischen Griechenland und der Türkei ein. Der aus preußischen Diensten in russische übergegangene General Diebitsch erzwang den Balkan-Übergang und erhielt dafür den Namen »*Sabalkanskoi*=Überschreiter des Balkan«; bei *Navarino* besiegte 1827 die englisch-französisch-russische Flotte die türkische.

85,10 *Pan:* Ursprünglich ein griechischer Wald- und Weidegott, galt Pan später als Allgott (griech. pan ›all[es]‹).

85,30–32 *Sie – niest ... Omen:* Niesen galt in der Antike als glückverheißend (vgl. Homer, «Odyssee« 17,541–547).

85,36 f. *Drellgedanken:* Drell: gemustertes Leinen- oder Baumwollgewebe für Hauswäsche.

86,17 f. *Ave Luisa:* (lat.) Sei gegrüßt, Luise.

86,29 f. *Herr Gott! ... danken dir:* aus Luthers Übersetzung des Ambrosianischen Lobgesangs »Te deum laudamus«.

86,31 f. *Friede im Himmel und auf Erden und den Menschen ein Wohlgefallen:* nach der bei Luk. 2,14 überlieferten Weihnachtsbotschaft.

90,19 f. *En avant:* (frz.) Vorwärts!

90,24/26 *Smollis ... Fiducit:* (lat.) Zurufe, mit denen nach studentischem Brauch Bruderschaft angeboten und angenommen wurde, häufig auch einfach als Trinkgruß gebraucht.

Am 25. Januar.

91,26 f. *Mein Haus ist meine Burg:* Übersetzung des englischen Sprichworts »My house is my castle«.

91,34 *Julius Cäsar Vanini:* Lucilio V. (1584–1619), pantheistischer Philosoph; er wurde nicht in Rom, sondern in Toulouse verbrannt.

93,17 f. *daß jemand ... hinabgerollt wird:* trifft nur für das Grimmsche Märchen »Die drei Männlein im Walde« zu; von Ottern ist hier allerdings nicht die Rede, dagegen in »Die zwölf Brüder«, aber hier hat das Faß keine Nägel und wird auch nicht den Berg hinuntergerollt.

93,28 f. *Herrn ... holen:* erzählendes Lied wechselnden Inhalts; jede Strophe wiederholt rückwärts die vorhergehende und fügt einen weiteren Vers hinzu.

94,3 *respektiven:* (lat.) jeweiligen.

94,23 f. *das hat sich ja auf einmal ganz umgedreht:* Im Gegensatz etwa zu den Napoleonischen *Befreiungskriegen* haben sich die Koalitionsverhältnisse im Krimkrieg »umgedreht«. Kämpfte 1813 z. B. Frankreich gegen die Verbündeten Preußen, Österreich, Rußland und England, so gehört es jetzt selbst mit zu den *Alliierten* (neben der Türkei, England, Sardinien), die nun gegen Rußland sich zusammengeschlossen haben.

94,31 f. *En avant:* (frz.) Vorwärts!

94,32 *On with you, boys:* (engl.) Voran mit euch, Jungs!

95,2 *Anno sechs:* Am 14. Oktober 1806 hatte die Armee Napoleons in der Doppelschlacht bei Jena und Auerstedt *einen großen Sieg* (95,33) über die Preußen errungen.

95,4–6 *Napoleon ... ein anderer:* Gemeint ist Napoleon III., ein Neffe Napoleons I., 1852–70 Kaiser von Frankreich.

96,6 *weiße Zipfelmütze:* Nach Grimm, »Deutsches Wörterbuch«, Bd. 15, Sp. 1556, bezeichnet die Zipfelmütze unpolitisches Verhalten, das Verschließen der Ohren vor der Unruhe der Tagesereignisse. (Vgl. dazu 100,1 ff.)

97,15 *Ruhe ist die erste Bürgerpflicht:* Aus einem Aufruf des preußischen Ministers Graf von der Schulenburg-Kehnert, nachdem Preußen bei Jena und Auerstedt der Armee Napoleons unterlegen war: »Der König hat eine Bataille verlohren. Jetzt ist Ruhe die erste Bürgerpflicht. Ich fordere die Einwohner Berlins dazu auf. Der König und seine Brüder leben! Berlin, den 17. Oktober 1806.«

97,33 f. *sakermentierten:* von sackerment: Fluch, entstellt aus ›Sakrament‹.

99,16 *Piär:* (frz.) Pierre.

99,28 f. *einmal zogen sie alle hinauf nach Norden:* Gemeint ist Napoleons Rußland-Feldzug im Jahre 1812.

99,30 f. *dann fing's auf einmal an zu rumoren im Lande:* Die Nachricht von der Niederlage Napoleons in Rußland führte in Preußen zu einer Welle patriotischer Begeisterung und zu einem Bündnis Preußens und Rußlands gegen Frankreich.

100,6 *ein Trupp schwarzer Reiter:* Zur Zeit der Befreiungskriege wurden die Mitglieder des Lützowschen Freikorps, die sich aus dem Zusammenschluß patriotisch begeisterter, meist jugendlicher Freiwilliger rekrutierten, ›schwarze Reiter‹ genannt (vgl. u. a.

auch Raabes Roman »Nach dem großen Kriege«, BA 4), so in Theodor Körners (1791–1813) Gedicht »Lützows wilde Jagd«. Die Bezeichnung ›schwarze Reiter‹ – im Volksglauben stehen sie für Gespenster oder auch für den Tod – wurde erstmals verwendet für deutsche Söldner, die in unheimlicher schwarzer Tracht und Rüstung während der französischen Kriege zur Zeit der Hugenottenverfolgungen auf beiden Seiten kämpften.

100,19 *Es war eine große Schlacht gewesen:* die Völkerschlacht bei Leipzig, 16.–19. Oktober 1813, in der die Alliierten die Franzosen besiegten und so deren Rückzug über den Rhein bewirkten.

101,7 *grünen Jägern:* ›Grüne Jäger‹ wurden leichtbewaffnete Soldaten in Jägertracht genannt.

101,37 *ein Berg:* Am 30. März 1814 wurde der Montmartre von den gegen Napoleon verbündeten preußischen und russischen Truppen gestürmt, am Tage darauf kapitulierte die französische Hauptstadt.

103,30 *Gottfried mit dem eisernen Herzen:* Anspielung auf Götz von Berlichingen mit der eisernen Hand (1480–1562).

Am 10. Februar.

105,11 f. *die Sünde ... vierte Glied:* Umkehrung des Bibelwortes 2. Mose 20,5.

105,22 *mauvais sujet:* (frz.) Taugenichts.

105,29 *Beckers Weltgeschichte:* Karl Friedrich Beckers (1777–1806) »Weltgeschichte für Kinder und Kinderlehrer«, in 10 Teilen zwischen 1801 und 1805 erschienen, war im 19. Jh. weit verbreitet.

106,12 *tantalischen Qualen:* quälende Begierde nach Unerreichbarem; so benannt nach den Qualen des Tantalus, dem in der griechischen Sage als Götterstrafe auferlegt ist, halbverhungert die zum Greifen nahen köstlichen Speisen und Getränke nicht erreichen zu können.

107,34–36 *»damit das Ganze ... vielerlei«:* fast wörtlich entnommen dem Artikel »Dämon« in der »Allgemeinen deutschen Real-Encyklopädie für gebildete Stände«, Wien 1825–27, Bd. 3, S. 14 ff.

110,13 *Tertianerlogik:* Tertianer (lat.): Schüler der 4. und 5. Gymnasialklasse.

110,14 *Exerzitium:* (lat.) Übung, Hausarbeit.

110,21 *konfiszieren:* (lat.) für den Fiskus (die Staatskasse) einziehen; hier: beschlagnahmen.

111,34 *scilicet:* (lat.) nämlich, versteht sich.

112,26 *Mons:* (lat.) Berg.

112,28 *Kollaborator:* (nlat.) Hilfslehrer.

112,30 f. *Ita uno tempore quatuor locibus pugnabatur:* (lat.) So schlug man sich zur gleichen Zeit an vier Orten; *locibus:* fehlerhaft für ›locis‹.

113,1 f. *Hannibal ante portas:* (lat., richtig: Hannibal ad portas) Hannibal steht vor den Toren; angeblich Schreckensruf der Römer angesichts der Bedrohung durch die Karthager im Zweiten Punischen Krieg (218–201 v. Chr.); heute redensartlich gebraucht als Ausdruck höchster Gefahr.

113,2 *Triarier, Veliten, Principes:* (lat.) verschieden bewaffnete römische Soldaten; *Triarier:* altgediente Kerntruppen; *Veliten:* Leichtbewaffnete; *Principes:* Schwerbewaffnete.

113,8 *Signifer:* (lat.) Fahnenträger.

114,3 *stillen Freuden:* Anspielung auf Schillers Drama »Die Jungfrau von Orleans« (Prolog, 4. Auftritt): »Ihr Plätze alle meiner stillen Freuden«.

115,12 *Zeus Kronion:* Zeus, Sohn des Kronos, der höchste Gott der Griechen.

115,15 *Nota bene:* (lat.) wohlgemerkt.

115,27 f. *die Erde hat ihn wieder:* Anklang an Goethes »Faust« I, V. 784: »Die Träne quillt, die Erde hat mich wieder!«

Am 28. Februar.

118,1 *mensis purgatorius:* (lat.) Monat der Reinigung und Entsühnung.

118,8 f. *Robinson Krusoe:* »Robinson Crusoe« (1719), Roman von Daniel Defoe (d. i. Daniel Foe, 1660?–1731).

118,25 *Skriptum:* (lat.) Schriftstück.

119,7 *Epitheton:* (griech.) bezeichnendes Beiwort.

119,27 *Othelloin:* scherzhafte Wortbildung Raabes, die auf die Eifersucht Othellos in Shakespeares Tragödie anspielt.

122,14 *vita nuova:* (ital.) neues Leben; Titel eines Werkes von Dante Alighieri (1265–1321), um 1293 entstanden, in dem Dante seine Wandlung durch die Liebe zu *Beatrice* erzählt.

122,15 *Myrmidonen:* griechischer Volksstamm, der als starkes Hilfskontingent (der Name wurde übersetzt als ›Ameisenmenschen‹) unter Achill vor Troja kämpfte; hier: Helfer.

122,17 *bis ins tausendste Glied:* ironisch-kontrastive Anspielung auf den Wortlaut der Luther-Bibel (z. B. 2. Mose 20,5).

122,18 *gentilissima:* (ital.) edelste (Frau); Beiwort für Beatrice (vgl. Anm. zu 122,14).

124,13 *Embonpoint:* (frz.) Körperfülle.

124,24 *das ›Kroop‹:* (niederdt.) das kleine Kind.

125,5 *Zeus:* vgl. Anm. zu 115,12.

125,14 *Nibelungen:* »Nibelungenlied«, mittelhochdeutsches Heldenepos (entstanden um 1200).

125,14 f. *Parzival:* Versroman (entstanden um 1200–10) von Wolfram von Eschenbach (um 1170–um 1220).

125,21 *Yankee doodle doodle dandy:* amerikanisches Marschlied, 1755 von einem englischen Offizier zur Verspottung der Kolonialtruppen verfaßt.

Abends 11 Uhr.

128,1 *Satanella:* (ital.) Teufelin; Titel eines um die Mitte des letzten Jh.s vielgespielten Balletts.

Am 7. März.

129,23 *Zentifolie:* (lat.) wörtl.: *hundert Blumenblätter;* eine Rosenart mit dichtgefüllten Blüten.

129,29 *von Angesicht zu Angesicht:* nach 1. Kor. 13,12.

130,29 f. *ein »denkender« Künstler:* Anspielung auf Lessings Drama »Emilia Galotti« I,4: »Der denkende Künstler ist noch eins so viel wert.«

131,34 *Scylla und Charybdis:* zu beiden Seiten einer Meerenge hausende Ungeheuer der griechischen Sage, die, wie in Homers »Odyssee« (12. Gesang) beschrieben, vorüberfahrende Seeleute zu verschlingen suchten.

133,5 *Schiras:* Stadt in Persien, berühmt durch ihre Rosen.
Schâm: (arab.) Syrien.

133,22 *langtemang:* Verballhornung von frz. lentement ›langsam‹.

133,34 *unierten Kirche:* Vereinigung getrennter protestantischer Kirchen ohne Wechsel der konfessionellen Überzeugungen im 19. Jh.

134,33 *Δαιμονίη:* (griech.) Daimonie: Teufelsweib.

135,10 *Verdikt:* (lat./mlat./engl.) Urteil.

135,15 f. *wir gehen nach dem Wasserhof:* im Anklang an Goethes »Faust« I, V. 811: »Ich rat euch, nach dem Wasserhof zu gehn.« (Die Antwort darauf – »Der Weg dahin ist gar nicht schön« – zitiert Raabe wenig später im Text, vgl. 135,28 f.)

135,16 *bal champêtre:* (frz.) Ball im Freien.

136,15 *Kalabreser:* breitkrempiger, spitz zulaufender Filzhut.

136,19 f. *aptus adliciendis feminarum animis:* (lat.) geschickt, weib-

193

liche Seelen an sich zu ziehen; Zitat aus den »Annalen« des Tacitus (5,2).

136,22 *Ruten und Beile:* Zeichen der Amtsgewalt; im antiken Rom den Konsuln als Insignien ihres Amtes und ihrer Kompetenzen vorangetragen.

136,23 f. *Sekundaner:* (lat.) Schüler der 6. und 7. Gymnasialklasse.

137,6 *Auskultator:* (lat.) veraltet für einen Juristen in Anfangsstellung (Referendar).

137,7 *ambrosisches:* (griech./lat.) göttliches.

137,15 *Peter van Laar:* niederländischer Maler (1592 oder 1595–1642).

137,20 *Mutwillge Sommervögel:* Zitat aus Goethes »Faust« I, V. 3203; Sommervogel: veraltet für ›Schmetterling‹.

138,11 *Fanello:* (ital.) Hänfling.

138,17 *Fapresto:* (ital. fa presto) mach schnell; Beiname des italienischen Malers Luca Giordano (1632–1705), der mit unglaublicher Schnelligkeit gemalt haben soll.

138,26 *séant:* (frz.) Sitzfläche.

138,31 *Bamboccio:* (ital.) mißratener Kerl; Beiname Peter van Laars (vgl. Anm. zu 137,15) wegen seiner verwachsenen Figur.

140,21 f. *Menschenhaß und Reue:* Titel eines Dramas (1789) von August von Kotzebue (1761–1819).

140,31 *Finis mundi:* (lat.) Ende der Welt.

141,3 *Blasphemist:* (griech./nlat.) Gotteslästerer.

141,7 *englische:* hier (nach älterem Sprachgebrauch): engelhafte.

141,17 f. *Contretanz:* (frz. Contredanse) Tanz, bei dem jeweils vier Paare eine bestimmte Figur miteinander ausführen.

142,25–27 *mit dem Gürtel, mit dem Schleier reißt der schöne Wahn entzwei:* Zitat aus Schillers Gedicht »Das Lied von der Glocke«.

Am 14. März.

143,7 *Freund Hein:* vgl. Anm. zu 6,2.

143,30 *Rousseau:* vgl. Anm. zu 11,33.

143,31 f. *Avec … d'un coup:* (frz.) Mit welchem Talent man auch geboren sein mag, die Kunst des Schreibens erlernt sich nicht auf einen Schlag.

144,6 *fiat:* (lat.) es soll geschehen.

144,15 f. *de vanitate:* vgl. Anm. zu 10,7.

144,22 f. *Öl in Ihre Wunden gießen:* vgl. Luk. 10,34.

145,28 *Strobeliana:* Die lat. Pl.-Endung *-iana* mit vorausgehendem Eigennamen bezeichnet Titel von Sammlungen.

146,29 f. *redlicher Greis in gestreifter kalmankener Jacke:* in Anlehnung an die Idylle »Der siebzigste Geburtstag« (1781) von Johann Heinrich Voß (1751–1826).

kalmankener: aus gemustertem Wollstoff.

146,31 *Vogel Dudu:* im 16. Jh. auf der Insel Mauritius entdeckte, im 17. und 18. Jh. von Seefahrern ausgerottete flugunfähige Riesentaube.

146,33 *Kokarde:* (frz.) rosettenartige Bandschleife, zuerst in Frankreich als Parteiabzeichen, später als Nationalzeichen am Hut, dann allgemein vom Militär und von uniformierten Beamten als Hoheitsabzeichen an der Kopfbedeckung getragen.

147,21 *über dem »wechselnden Mond«:* Anspielung auf August von Kotzebues Gedicht »Trost beim Scheiden« (1803): »Es kann ja nicht immer so bleiben / Hier unter dem wechselnden Mond«.

147,34 f. *Ah, ouf ... tout est vie:* (frz.) Ah, uff, was für ein dummer deutscher Kerl! Nun, komme, was da wolle, bis zum Tode bleibt jeder am Leben.

148,7 f. *in den Rinnsteinen der Sperlingsgasse fließt weder Milch noch Honig:* vgl. 2. Mose 3,8.

148,12 *Herodias:* Sie veranlaßte ihre Tochter Salome, vor dem König Herodes Antipas zu tanzen und als Belohnung dafür das Haupt Johannes' des Täufers auf einer Schüssel zu verlangen. In der bildenden Kunst sind Darstellungen der sogenannten Johannes-Schüssel weit verbreitet.

149,17 *dolce far niente:* (ital.) süßes Nichtstun.

149,31 *Panzen:* Panze: kleines Kind, auch: ungezogenes Kind.

antrecken: (niederdt.) anziehen.

150,17 *Gellertsche Fabel:* Christian Fürchtegott Gellert (1715–69) veröffentlichte eine mehrbändige Fabelsammlung.

151,1–3 *Nenn's Glück ... alles:* Zitat aus Goethes »Faust« I, V. 3454 ff.

151,25 *cui Idistaviso nomen:* (lat.) der Idistaviso heißt; nach Tacitus, »Annalen« 2,16.

151,28 *Varus:* Publius Quinctilius V., römischer Statthalter in Germanien, wurde mit drei Legionen 9 n. Chr. von den Germanen unter Führung des *Arminius* geschlagen.

151,30 *Germanicus:* Beiname des römischen Feldherrn Gaius Julius Caesar (15 v. Chr. – 19 n. Chr.); er unternahm 14–16 n. Chr.

verschiedene Feldzüge östlich des Rheins zur Wiedergewinnung der seit 9 n. Chr. verlorenen Gebiete und besiegte 16 n. Chr. am Idistaviso die Germanen, vermochte diesen Sieg aber nicht auszunutzen.

151,32 *turbator Germaniae:* (lat.) der Aufwiegler Germaniens; nach Tacitus, »Annalen« 1,55.

151,33 f. *das Gesicht unkenntlich:* nach Tacitus, »Annalen« 1,17.

151,35 *Cheruska:* Arminius war Führer des germanischen Volksstammes der Cherusker.

151,36 *urbs:* (lat.) die Stadt; hier: die Stadt Rom.

152,1 f. *Pugnam volunt ... senes:* (lat.) Den Kampf wollen sie, nach den Waffen greifen die einfachen Leute, die Vornehmsten, die Jünglinge, die Greise; Zitat aus Tacitus, »Annalen« 2,19.

152,3 *die Puppe:* Spottname für das in den fünfziger Jahren des vorigen Jh.s zwar bereits im Bau befindliche, jedoch erst 1875 fertiggestellte Hermannsdenkmal.

152,7 *Bergdruffel:* Joachim Heinrich *Campe* (1746–1818) verzeichnet in seinem »Wörterbuch der deutschen Sprache« (1807) ›Druffel‹ als Bezeichnung für dicht nebeneinander befindliche Dinge derselben Art und spricht so auch von einer ›Druffel von Bergen‹.

153,11 *Viktualienkeller:* vgl. Anm. zu 27,19 f.

153,13 *Christoffel bei Kassel:* volkstümliche Bezeichnung für das Standbild des Herkules auf Schloß Wilhelmshöhe bei Kassel, gebildet in Anklang an den heiligen Christophorus; das von Fürstenseite errichtete Denkmal steht hier als Sinnbild der Kleinstaaterei, das unvollendete Hermannsdenkmal dagegen als Sinnbild der ersehnten deutschen Einheit.

153,1 *Katten:* Hessen, aus dem Volksstamm der Chatten hervorgegangen.

153,1 f. *mit ihrem Blute bezahlt:* Friedrich II. Landgraf von Hessen-Kassel verkaufte während des Amerikanischen Unabhängigkeitskrieges Soldaten an England, um seine verschwenderische Hofhaltung finanzieren zu können.

153,9 *Rühle:* Dorf bei Bodenwerder an der Weser.

Am 21. März. Abend.

153,17 *Es gibt ein Märchen:* »The haunted man« (»Der verwunschene Mann«) von Charles Dickens (vgl. Anm. zu 46,24 f.).

154,8 *Wie lieblich und heilig ist diese Stätte:* vgl. 1. Mose 28,17: »Wie heilig ist diese Stätte! Hier ist nichts anderes denn Gottes Haus, und hier ist die Pforte des Himmels.«

154,21 f. *O, daß sie ... Liebe!:* Zitat aus Schillers Gedicht »Das Lied von der Glocke«.

155,16 *Süßes Geliebtsein, süßeres Lieben:* nicht ermittelt.

156,5 *kapituliert:* (mlat./frz.) hier: verhandelt.

158,8 *Partisanen:* spießartige Stoßwaffe.

158,17 *Paul und Virginie:* Titelfiguren des gleichnamigen Romans, einer exotischen Liebesgeschichte, von Jacques-Henri Bernardin de Saint-Pierre (1737–1814), erschienen 1788.

158,17 f. *Isle de France:* die heutige Insel Mauritius, Schauplatz des Romans »Paul und Virginie«.

158,19 *Jorinde und Joringel:* aus den Grimmschen »Kinder- und Hausmärchen«.

162,4 *inkommodiert:* (lat.) belästigt.

162,5 *abominable:* (frz.) abscheuliche.

162,6 *Barcarole:* (ital.) Gondellied.

162,7 *Haydée:* Oper (1847) des französischen Komponisten Daniel François Esprit Auber (1782–1871).

163,22 *Ägide:* (griech.) nach dem Schutzschild (Ägis) der griechischen Göttin Athene im übertragenen Sinne ›Schutz‹ (für Elise hier die Schürze).

165,5 f. *lenes susurros sub noctem:* (lat.) zitiert nach Horaz, »Oden« 1,9,19 (im Text übersetzt).

165,18 *süß ist's, vom sichern Hafen Schiffbrüchige zu sehen:* Zitat aus »De rerum natura« (»Über die Natur der Dinge« 2,1 f.) des römischen Dichters Lukrez (98–55 v. Chr.).

165,23 *Indezenz:* (lat.) Unschicklichkeit.

Am 15. April.

166,14 *mensis novarum:* (lat.) Monat des Neubeginns.

166,19 *janusköpfigen:* doppelgesichtigen; nach dem altrömischen Gott Janus, Gott der Tordurchgänge, des Aus- und Eingangs.

166,23 *Jean Pauls:* vgl. Anm. zu 11,35–37.

166,29 f. *Herrengunst und Frauenlieb:* Einer der *böswilligen Reime* lautet: »Herren-Gunst, Frauenlieb und Rosenblätter / Verändern sich wie Aprilenwetter« (nach: Wilhelm Körte, »Die Sprichwörter und sprichwörtlichen Redensarten der Deutschen«, Leipzig 1837, Nr. 2779).

167,7 *Freund Yorick:* Anspielung auf die Hauptfigur in »Eine empfindsame Reise durch Frankreich und Italien« des englischen Schriftstellers Laurence Sterne (1713–68), erschienen 1768. Unter Rückgriff auf die Gestalt Yoricks in Shakespeares »Hamlet« (V,1) hat Sterne sich mit Yorick identifiziert und sich in dieser Rolle als *Philosoph* bezeichnet.

167,13 *Vanitas:* (lat.) Vergänglichkeit, Nichtigkeit.

168,8 f. *Kann Deutschland ... 'rum!:* aus einem nach 1848 politisch umgedeuteten Kinderlied, enthalten in der Volksliedersammlung »Des Knaben Wunderhorn« von Achim von Arnim und Clemens von Brentano (Bd. 3, Heidelberg 1808, S. 316).

168,35 *Lancasterkanonen:* von den Engländern im Krimkrieg (vgl. Anm. zu 3,6 f.) verwendetes Geschütz.

169,18 f. *deus ex machina:* (lat.) der Gott aus der (Theater-) Maschine; übertragen: unerwarteter Helfer in der Not.

169,21 *Euthanasie:* (griech.) leichter Tod, Sterbehilfe.

169,29 *sub hasta:* (lat.) unter dem Speer; übertragen: zur Versteigerung.

171,12 f. *fatherland:* engl. Nachbildung des dt. Wortes ›Vaterland‹.

171,13 κατ' ἐξοχήν: (griech.) katexochen: schlechthin.

171,14 *sneer:* (engl.) Naserümpfen.

171,23–27 *Als die Juden ... vergessen!:* nach Ps. 137,1–5.

Am 1. Mai. Abend.

173,14 *Himmelstönen:* vgl. Goethes »Faust« I, V. 762 f.: Der Klang der »Himmelstöne«, der Osterglocken, erinnert Faust an seine Kindheit.

174,16 f. *Milton, den Galilei im Gefängnis zu Rom besuchend:* Es ist nicht historisch verbürgt, daß der englische Dichter und Staatsmann John Milton (1608–74) Galileo Galilei (1564–1642), der wegen seines Bekenntnisses zur kopernikanischen Lehre 1633 von der Inquisition verurteilt worden war, im Gefängnis besucht hat.

175,4 *Laokoon:* Die berühmte Laokoon-Gruppe, eines der bedeutendsten Werke der spätgriechischen Plastik aus dem 1. Jh. v. Chr., 1506 wiederaufgefunden, befindet sich heute in den Vatikanischen Museen in Rom.

Kapitol: (lat.) Burg des antiken Rom, religiöser und politischer Mittelpunkt des Römischen Reiches.

175,6 *Loggien Raffaels:* von Raffael (1483–1520), dem berühmten italienischen Maler, entworfene Wand- und Deckengemälde in den Loggien des Vatikan.

Literaturhinweise

Texte

Raabe, Wilhelm: Die Chronik der Sperlingsgasse. In: W. R.: Sämtliche Werke. (Braunschweiger Ausgabe [zit. als: BA].) Bd. 1. Bearb. von Karl Hoppe und Max Carstenn. Göttingen: Vandenhoeck & Ruprecht, 1965. 2., durchges. Aufl. 1980. S. 9–171; Apparat S. 425–474.

»In alls gedultig«. Briefe Wilhelm Raabes (1842–1910). Hrsg. von Wilhelm Fehse. Berlin: G. Grote, 1940.

Raabe, Wilhelm: Briefe. In: W. R.: Sämtliche Werke. Erg.-Bd. 2. Bearb. von Karl Hoppe unter Mitarb. von Hans-Werner Peter. Göttingen: Vandenhoeck & Ruprecht, 1975.

Raabe, Wilhelm: Briefwechsel Raabe – Jensen. In: W. R.: Sämtliche Werke. Erg.-Bd. 3. Bearb. von Else Hoppe und Hans Oppermann. Göttingen: Vandenhoeck & Ruprecht, 1970.

Bibliographie

Meyen, Fritz: Wilhelm Raabe Bibliographie. In: W. R.: Sämtliche Werke. Erg.-Bd. 1. 2., völlig umgearb. und erw. Aufl. Göttingen: Vandenhoeck & Ruprecht, 1973.

Vgl. auch die Ergänzungen zur Raabe-Bibliographie von 1973 in: Jahrbuch der Raabe-Gesellschaft 1973 ff.

Forschungsliteratur

Brand, Jürgen: Strukturelle Symmetrien in Raabes »Die Chronik der Sperlingsgasse«. In: Jahrbuch der Raabe-Gesellschaft 1983. S. 49–58.

Denkler, Horst: Neues über Wilhelm Raabe. Zehn Annäherungsversuche an einen verkannten Schriftsteller. Tübingen 1988.

– Wilhelm Raabe. Legende – Leben – Literatur. Tübingen 1989.

Fairley, Barker: Wilhelm Raabe. Eine Deutung seiner Romane. München 1961.

Fehse, Wilhelm: Wilhelm Raabe. Sein Leben und seine Werke. Braunschweig 1937.

Fuld, Werner: Wilhelm Raabe. Eine Biographie. München/Wien 1993.

Goedsche, Charlotte L.: Narrative structure in Wilhelm Raabe's »Die Chronik der Sperlingsgasse«. Frankfurt a. M. / Bern [u. a.] 1989.

Gould, Stephen A.: Ontology and ethics: the rhetorical role of the narrator in Wilhelm Raabe's early novels. Diss. Lincoln (Neb.) 1976.

Helmers, Hermann: Wilhelm Raabe. 2., neubearb. Aufl. Stuttgart 1978. (Sammlung Metzler. 71.)

Klein, Johannes: Wilhelm Raabes »Chronik der Sperlingsgasse«. In: Raabe-Jahrbuch 1949. S. 7–19.

Klotz, Volker: Stadtflucht nach innen. Wilhelm Raabes »Die Chronik der Sperlingsgasse«. In: V. K.: Die erzählte Stadt. München 1969. S. 167–193.

Krüger, Herm[an] Anders: Der junge Raabe. Jugendjahre und Erstlingswerke. Leipzig 1911.

Lensing, Leo A.: Fairy tales in the novel: Generic tension in Wilhelm Raabe's »Die Chronik der Sperlingsgasse«. In: Wilhelm Raabe. Studien zu seinem Leben und Werk. Hrsg. von Leo A. Lensing und Hans-Werner Peter. Braunschweig 1981. S. 14–43.

Maatje, Frank C.: Die unvollständige Duplikation des Raumes in Wilhelm Raabes »Chronik der Sperlingsgasse«. In: F. C. M.: Der Doppelroman. Eine literatursystematische Studie über duplikate Erzählstrukturen. Groningen 1964. S. 37–52.

Manthey, Jürgen: Wilhelm Raabe und das Scheitern des deutschen Liberalismus. In: Jahrbuch der Raabe-Gesellschaft 1976. S. 69 bis 106.

Matschke, Günter: Die Isolation als Mittel der Gesellschaftskritik bei Wilhelm Raabe. Bonn 1975.

Meyer, Herman: Raum und Zeit in Wilhelm Raabes Erzählkunst. In: Hermann Helmers (Hrsg.): Raabe in neuer Sicht. Stuttgart/ Berlin [u. a.] 1968. S. 98–129. [Zuerst veröff. 1953.]

Möhrmann, Renate: Der vereinsamte Mensch. Studien zum Wandel des Einsamkeitsmotivs im Roman von Raabe bis Musil. Bonn 1974.

Oppermann, Hans: Wilhelm Raabe in Selbstzeugnissen und Bilddokumenten. Reinbek bei Hamburg 1970.

Pongs, Hermann: Wilhelm Raabe. Leben und Werk. Heidelberg 1958.

Richter, Helmut: Zwischen Zukunftsglauben und Resignation. Zum Frühwerk Wilhelm Raabes. In: Wissenschaftliche Zeitschrift der Karl-Marx-Universität Leipzig. Gesellschafts- und sprachwissenschaftliche Reihe. Jg. 8 (1958/59) H. 2. S. 397–412.

Richter, Helmut: »Die Chronik der Sperlingsgasse«. In: Hermann Helmers (Hrsg.): Raabe in neuer Sicht. Stuttgart/Berlin [u. a.] 1968. S. 312–316. [Zuerst in: Wilhelm Raabe: Ausgewählte Werke in sechs Bänden. Hrsg. von Peter Goldammer und Helmut Richter. Berlin/Weimar 1966. Bd. 1. S. 31–38.]

Vonhoff, Gert: Erzählen im 19. Jahrhundert. Wilhelm Raabes »Chronik der Sperlingsgasse«. In: Interpretationen zur neueren deutschen Literaturgeschichte. Hrsg. von Thomas Althaus und Stefan Matuschek. Münster [u. a.] 1994. S. 153–177.

Nachwort

Wilhelm Raabes erster Roman *Die Chronik der Sperlings-gasse*, die »Ouvertüre«[1] zu seinen insgesamt 68 Romanen und Erzählungen, entstand zwischen dem 15. November 1854 und Mitte August 1855. Er gehört zu den bekanntesten Werken des Autors und ist nach der Erzählung *Die schwarze Galeere* die am weitesten verbreitete Dichtung Raabes. Anfängliche Absatzschwierigkeiten wurden erst 20 Jahre nach Erscheinen der *Chronik* mit ihrem Übergang in den Grote-Verlag (1876) überwunden, in dessen Besitz sie bis zum Ablauf der Schutzfrist im Jahre 1960 blieb. Ein deutliches Indiz für ihre Popularität sind die Verkaufszahlen: Hatte der Roman bis zu Raabes Tod (1910) eine Auflagenhöhe von »nur« 70 000 Exemplaren erreicht, so wurden anläßlich seines 100. Geburtstages (1931) allein in drei Monaten 120 000 Exemplare verkauft, bis heute mehr als 500 000.[2]

Der Erfolg, den die *Chronik* nach 1876 in der Gunst des Publikums verbuchen konnte – soweit ein solcher an diesen Zahlen ablesbar ist –, bedeutete für den alten Raabe kein Qualitätsmerkmal mehr. Er urteilte 1906: »[...] die Chronik der Sperlingsgasse [...] hilft mir heute noch neben dem Hungerpastor im Erdenhaushalt am meisten zum Leben. Denn nur für die Schriften meiner ersten Schaffensperiode, die bis zum letzterwähnten Buche reicht, habe ich *Leser* gefunden, für den Rest nur *Liebhaber*, aber mit denen, wie ich meine, freilich das allervornehmste Publikum, was das deutsche Volk gegenwärtig aufzuweisen hat.«[3] Aus diesem

---

1 Aus einer Rezension Friedrich Hebbels zur 2. Auflage der *Chronik*, in: *Illustrirte Zeitung*, Bd. 31, Leipzig 1858, Nr. 804, S. 2.
2 Vgl. Dietrich Müller-Grote, »Ein einzigartiges Bücherschicksal« (Nachwort zu Ausgaben der *Chronik*, Hamm 1954 und Rastatt/Baden 1958), sowie Fritz Meyen, »Zur Neuauflage der Wilhelm-Raabe-Bibliographie«, in: *Jahrbuch der Raabe-Gesellschaft*, 1973, S. 115.
3 BA Erg.-Bd. 2, S. 468 (9. 8. 1906).

künstlerischen Selbstverständnis heraus konnte er die geschäftlich erfolgreichen Frühwerke im Jahre 1902 gar als »mir abgestandenen Jugendquark« bezeichnen.[4] Einer derart abschätzigen Beurteilung durch den reifen Autor entgegen stehen außer der Rezeption der *Chronik* durch ein breites Publikum auch die Erkenntnisse der Forschung, die übereinstimmend bereits in diesem Erstling viele Elemente des Spätwerks vorweggenommen sieht. Barker Fairley mißt der *Chronik* hervorragende Bedeutung zu: »Wenn es eine Ausnahme zu der Feststellung gibt, daß der frühere Raabe dem späten nachsteht, dann darf die ›Sperlingsgasse‹ als eine solche betrachtet werden. Es wäre nicht allzu schwer zu zeigen, daß das Werk zu Raabes besten Büchern gehört.«[5]

Raabe schrieb die *Chronik* während seiner zweijährigen Berliner Studienzeit (1854–56). Sie erschien im Oktober 1856, auf 1857 vordatiert, und spielt in der inzwischen (infolge von Kriegsschäden) einer Stadtteilsanierung zum Opfer gefallenen Spreegasse, in der er seit Ostern 1854 ein Zimmer bewohnte. Die Entstehung und Veröffentlichung des Romans beschäftigte Raabe also für die gesamte Dauer seines Aufenthaltes in der preußischen Hauptstadt. Da er kein Abitur abgelegt hatte und ihm deshalb die Universitätsberechtigung nicht zuerkannt wurde, studierte er weniger auf ein bestimmtes Berufsziel hin, als um in »eine ziemliche Menge sehr verworrenen Wissens [...] Ordnung [zu ...] bringen«.[6] Nach der abgebrochenen Schulausbildung und einer Buchhandelslehre in Magdeburg sollte der Erfolg oder Mißerfolg seines ersten Romans die Entscheidung für oder wider eine künftige Existenz als freier Schriftsteller bringen. Anders als den meisten seiner Kollegen, die Schriftstellerei zusätzlich zu einem anderen Beruf ausübten (erinnert sei nur an Keller, Storm oder Fontane), gelang es Raabe, von den

4 Ebd., S. 444 (30. 12. 1902).
5 Barker Fairley, *Wilhelm Raabe. Eine Deutung seiner Romane*, München 1961, S. 172.
6 BA Erg.-Bd. 2, S. 66 (23. 5. 1861).

finanziellen Erträgen seiner Tätigkeit als Autor zu leben:
»Schriftsteller a. D.« nannte er sich im Alter.

I

»Trauerspiele und Gedichte habe ich vorher weder gemacht
noch verbrannt, und mich somit vor manchen Sünden
bewahrt, die andere junge Poeten mit Feder u. Dinte bege-
hen.«[7] Der Dreiundzwanzigjährige hatte sich nicht in übli-
cher Weise auf den Beginn der Niederschrift der *Chronik*,
auf den 15. November 1854, den er in späteren Jahren als
»Federansetzungstag« zur Erinnerung an seinen Eintritt in
den »Schriftstellerberuf« beging, vorbereitet. Während seiner Tätigkeit in Magdeburg hatte Raabe Gelegenheit, die
Publikationsmechanismen des literarischen Marktes seiner
Zeit ausführlich kennenzulernen und seine bereits in der
Jugend erworbene Belesenheit zu erweitern. »Meine Eltern
waren natürlich in der Leihbibliothek und einem Journalzir-
kel abonnirt, und so habe ich schon als 10–11jähriger Junge
die ›Geheimnisse von Paris‹ und den ›Ewigen Juden‹ mit
schauderndem Entzücken gelesen. Nachher Alles, was mir
in die Hände fiel, W. Scott, A. Dumas und was im Deutschen in den dreißiger Jahren noch ziemlich neu lag, Hauff,
E. Th. A. Hoffmann usw. – na, Alles! die englischen Autoren auch mit den andern; speziell mit ihnen und da besonders mit Thackeray habe ich mich erst in Magdeburg
beschäftigt.«[8] Die Genannten bestimmten den Geschmack
des damaligen Lesepublikums. Übersetzungen englischer
und französischer Literatur waren besonders beliebt und
weit verbreitet, zumal sie, nur unvollkommen urheberrecht-
lich geschützt, von deutschen Verlegern ausgesprochen bil-
lig erworben werden konnten. Sie stellten für die zeitgenössischen Autoren eine schwerwiegende Konkurrenz dar.
Leihbibliotheken – bis zum Ende des 19. Jahrhunderts eine
bedeutende Institution – ermöglichten breiten Kreisen der

7 Ebd.
8 Ebd., S. 484 (27. 2. 1909).

Bevölkerung trotz hoher Buchpreise einen Zugang zur Literatur.[9] Ihre Kunden entstammten den unterschiedlichsten Kreisen der Gesellschaft, und ihr Bedarf an großen Mengen neu veröffentlichter Lesestoffe hatte zur Folge, daß die Leihbibliotheken zum wichtigsten Kunden der Romanverleger wurden.[10] Diese besondere Art der Literaturverbreitung wirkte sich auch auf die Arbeit der zeitgenössischen Autoren aus. Eine Tendenz zur epischen Großform ist deutlich festzustellen, die »Romanenwut« griff um sich. Im Interesse einer größtmöglichen Zirkulation der Leihbibliotheksbestände waren vor allem mehrbändige Romane gefragt.[11] Wie die Nachfrage die literarische Produktion beeinflußte, zeigt das Beispiel des Raabe-Zeitgenossen Keller. Er wurde von seinem Verleger Vieweg überredet, den *Grünen Heinrich* in drei Bänden herauszubringen, »für die Leihbibliotheken, welche übrigens damit angeschmiert sind; denn der Stil des Buches ist noch ziemlich breit und willkürlich und der Inhalt monoton und trübselig.«[12] Auch zu einem vierten Band erklärte Keller sich bereit: »Ich nahm [...] etwas mehr Raum für die Jugendgeschichte, als ich sonst beabsichtigt hatte [...].«[13]

Nach englischem und französischem Vorbild waren seit den fünfziger Jahren des vorigen Jahrhunderts in Deutschland Periodika und Zeitschriften verbreitet, die entweder aus-

9 Vgl. Rudolf Schenda, *Volk ohne Buch. Studien zur Sozialgeschichte der populären Lesestoffe 1770–1910*, München 1977, S. 213.

10 Albert Last, »Ueber Romane und Romanverleger. Winke für den Verleger«, in: *Journal für Oesterreich's Leihbibliotheken* 1/14–16 (1864), zit. nach: Max Bucher / Werner Hahl / Georg Jäger / Reinhard Wittmann (Hrsg.), *Realismus und Gründerzeit. Manifeste und Dokumente zur deutschen Literatur 1848–1880*, 2 Bde., Stuttgart 1975, Bd. 2, S. 636.

11 Vgl. etwa Fritz Martini, »Franz Dingelstedt ›Die Amazone‹ (1868). Analyse eines unterhaltenden Gesellschaftsromans im bürgerlichen Realismus«, in: Jörg Thunecke / Eda Sagarra (Hrsg.), *Formen realistischer Erzählkunst. Festschrift für Charlotte Jolles*, Nottingham 1979, S. 129.

12 Keller an Freiligrath (22. 9. 1850), zit. nach: *Dichter über ihre Dichtungen*, Bd. 4: *Gottfried Keller*, hrsg. von Klaus Jeziorkowski, München 1969, S. 90 f.

13 Ebd., S. 110 f. (28. 4. 1853).

schließlich Literatur abdruckten (z. B. die *Romanzeitung*) oder in einem Feuilletonteil literarische Neuerscheinungen in Fortsetzungen veröffentlichten. Das verlangte ebenso wie eine mehrbändige Buchausgabe eine Anpassung der Texte an die besonderen Bedingungen der Publikationsform. Unkomplizierte Handlungsabläufe und einprägsame, klischeehaft gezeichnete Charaktere sind Vorbedingung dafür, daß ein Werk derart zerstückelt rezipierbar ist. Der so entstehende, mit Theatertechniken und -effekten arbeitende Stil, der das Interesse an den folgenden Fortsetzungen aufrechterhalten sollte, wurde in Frankreich um die Mitte des letzten Jahrhunderts vor allem von Dumas und Sue beherrscht. In England erreichte Dickens mit dem Abdruck seiner Romane in billigen Monatsheften, die in Raten bezahlt werden konnten, eine völlig neue, riesige Leserschicht. In seinen Werken, deren Themen den Erwartungen des englischen Massenpublikums zur Zeit der voranschreitenden industriellen Revolution entsprachen, schuf Dickens eine »Kunstform« des Fortsetzungsromans. Anders lagen die Verhältnisse in Deutschland. »Die Beharrlichkeit deutscher Autoren und eines wenig flexiblen, strukturell fast gleichbleibenden Publikums stand Zugeständnissen der Kunstform an eine volkstümliche Darbietung, wie sie von Dickens wirkungsvoll und großartig verwirklicht wurde, fast ausnahmslos im Wege.«[14] Die hier seit den Befreiungskriegen herrschende scheinbare Ruhe des Biedermeier, nach dem Scheitern der 1848er Revolution eher noch verstärkt, führte zu dem Paradoxon, daß graphische und drucktechnische Neuerungen zwar einerseits erstmals Massenauflagen möglich und somit Literatur breiten Kreisen der Bevölkerung zugänglich machten, daß aber andererseits die so verbreitete Literatur im Gegensatz etwa zu den an der gesellschaftlichen Realität orientierten Werken Dickens' die Funktion übernahm, ein idyllisch-friedfertiges Gegenbild zu

14 Albert Klein, *Die Krise des Unterhaltungsromans im 19. Jahrhundert. Ein Beitrag zur Theorie und Geschichte der ästhetisch geringwertigen Literatur*, Bonn 1969, S. 148.

der sich im Zuge der Industrialisierung wandelnden Umwelt zu entwerfen. Unterstützt wurde diese Tendenz durch die in Deutschland entstehenden Familienzeitschriften, deren größte und einflußreichste die *Gartenlaube* werden sollte. Als illustrierte Unterhaltungszeitschriften wandten sie sich mit populärwissenschaftlichen und feuilletonistischen Beiträgen an die ganze Familie. Die große Zahl derartiger Zeitschriften, die sich durch Niveau, politische Tendenz, inhaltliche Schwerpunkte und Auflagenhöhe voneinander unterschieden, bot den Schriftstellern die Chance, gute Honorare und eine große Verbreitung ihrer Werke zu erzielen, sofern sie sich entschließen konnten, »familiengerecht«, d. h. den Wertmaßstäben der guten Sitte folgend, zu schreiben. Der steigenden Nachfrage an literarischer Unterhaltung, bedingt durch zahlreiche Journal-Neugründungen, stand eine gleichfalls anwachsende Zahl von Autoren gegenüber. Ermöglichten derartige Massenpublikationen ihnen einerseits eine ausschließlich auf ihre Schreibtätigkeit gegründete Existenz, so führte andererseits »jenes Mißverhältniß zwischen Produktion und Konsumtion [...] zu den heftigsten literarischen Konkurrenzkämpfen, [...] zur sklavischen Unterwerfung der Schriftsteller unter den wechselnden Modegeschmack«.[15] Die besondere literarische Entwicklung in Deutschland brachte eine Anzahl damals äußerst erfolgreicher Autoren hervor, deren Werke inzwischen längst vergessen sind, während Raabe und viele seiner heute noch bekannten Schriftstellerkollegen wie Hebbel, Otto Ludwig oder Keller zwar auch in den fünfziger Jahren publizierten, doch erst mehr als 30 Jahre später eine breitere Publikumsbeachtung erfuhren.[16]

Leihbibliotheken und Zeitschriften, die Vorabdrucke litera-

15 Edmund Wengraf, »Literatur und Gesellschaft«, in: *Die neue Zeit. Revue des geistigen und öffentlichen Lebens*, Bd. 7, Stuttgart 1889, S. 246. Zur Familienzeitschrift vgl.: Eva-Annemarie Kirschstein, *Die Familienzeitschrift. Ihre Entwicklung und Bedeutung für die deutsche Presse*, Charlottenburg 1937.
16 Samuel Lublinski, *Litteratur und Gesellschaft im 19. Jahrhundert*, Bd. 4, Berlin 1900, S. 9.

rischer Neuerscheinungen enthielten, waren also zur Zeit der Entstehung der *Chronik* entscheidend für die Distribution von (Unterhaltungs-)Literatur. War der mehrbändige Roman eine dem Vertriebsgebaren der Leihbibliotheken entsprechende literarische Form, so verlangten die Familienzeitschriften mit ihrem populärwissenschaftlich-literarisch gemischten Programm nach weniger umfangreichen Texten. Sie bewirkten eine deutliche Zunahme der Novelle und kürzerer erzählender Prosa.[17] Obwohl mit Beginn der Massenproduktion eine Senkung der Bücherpreise möglich geworden war und nunmehr eine wesentliche Voraussetzung für einen verstärkten Buchabsatz bestand, waren vor allem Zeitschriften verbreitet, während der Buchhandel zunächst gar eine Krise zu verzeichnen hatte.[18] Erst allmählich gelang es verschiedenen Verlagsunternehmen, einen privaten Bucherwerb in größerem Umfang anzuregen. Anstelle der vielbändigen Romane erhielten schmale einbändige Werke den Vorzug, die in Reihen erschienen und so den Leser zu weiteren Käufen motivieren sollten. Es gab sehr preiswerte Heft-Reihen, die sich an literarisch Interessierte wandten, z. B. Reclams Universal-Bibliothek,[19] oder aufwendig gestaltete Buchreihen, die aus Repräsentationsgründen gekauft wurden, weil der »Besitz einer gewählten Bibliothek [in] jedem geordneten Hauswesen« als Bildungsattribut galt.[20]

17 Vgl. Fritz Martini, »Die deutsche Novelle im ›bürgerlichen Realismus‹. Überlegungen zur geschichtlichen Bestimmung des Formtypus«, in: Josef Kunz (Hrsg.), *Novelle*, Darmstadt ²1973, S. 363. Vgl. auch Raabes Brief an Grote: BA Erg.-Bd. 2, S. 176 f. (20. 10. 1874).

18 Reinhard Wittmann, »Das literarische Leben 1848–1880«, in: Bucher/Hahl/Jäger/Wittmann, Bd. 1, S. 166.

19 Vgl. Raabes positive Äußerungen über diese Reihe: BA Erg.-Bd. 2, S. 180 (26. 2. 1875), S. 388 (17. 12. 1896) u. ö.

20 Entsprechend dem Motto, das der Berliner Verleger Pfeilstücker über eine Aufstellung der »besten Bücher aller Zeiten und Litteraturen« (1889 erschienen) setzte, die er nach »Äußerungen deutscher Schriftsteller« (Raabe lehnte eine Beteiligung ab) zusammengestellt hatte und zu Werbezwecken nutzte. Vgl. Dietrich Wilhelm Grobe, »Eine englische ›Liste der besten hundert

Unter diesen Bedingungen des literarischen Marktes begann Raabe seine Tätigkeit als freier Schriftsteller mit der Veröffentlichung der *Chronik*.

II

Die Chronik der Sperlingsgasse erschien im Herbst 1856. Als ihr Autor zeichnete Jakob Corvinus. Dieses Pseudonym behielt Raabe zunächst bei, so auch noch für die erste Ausgabe seines zweiten, im folgenden Jahre veröffentlichten Romans (*Ein Frühling*. Von Jakob Corvinus, Verfasser der *Chronik der Sperlingsgasse*). Besprechungen der *Chronik* in verschiedenen Zeitschriften zeigen, daß das Werk von der Kritik positiv aufgenommen wurde.[21] Durch die Versendung einer großen Anzahl von Rezensionsexemplaren erlangte Corvinus-Raabe bei Verlegern rasch einen gewissen Bekanntheitsgrad, der ihm die Möglichkeit sicherte, neue Geschäftsverbindungen anzuknüpfen. Der große Erfolg beim Publikum blieb jedoch zunächst aus.[22] Weshalb errang die *Chronik* erst mit mehr als zwanzigjähriger Verspätung, dann aber um so nachhaltiger, die Gunst des Publikums? Widersprach sie den Erwartungen, die das Lesepublikum ihrer Entstehungszeit an Literatur stellte? War sie unzeitgemäß, ihrer Zeit voraus?

Raabes Erstlingswerk hob sich vom literarischen Umfeld deutlich ab als eine »Kampfansage« an seine Kollegen:

Bücher aller Zeiten und Litteraturen'. Ihr Verfasser, ihr Inhalt und ihre Auswirkung in Deutschland«, in: *Das Antiquariat*, Jg. 13 (1957) Nr. 2, S. 37 ff.

21 Vgl. den Kommentar zur *Chronik* von Karl Hoppe in BA 1, hier besonders: »Veröffentlichung und Aufnahme«, S. 430 ff.

22 In der Sekundärliteratur wird häufig pauschal vom großen Erfolg der *Chronik* gesprochen und nicht berücksichtigt, daß dieser erst nach 1876 einsetzte. Vgl. Helmut Richter, »Zwischen Zukunftsglauben und Resignation. Zum Frühwerk Wilhelm Raabes«, in: *Wissenschaftliche Zeitschrift der Karl-Marx-Universität Leipzig*, Jg. 8 (1958/59), Gesellschafts- und sprachwissenschaftliche Reihe, H. 2, S. 406; *Geschichte der deutschen Literatur von den Anfängen bis zur Gegenwart*, Bd. 8,1: *Von 1830 bis zum Ausgang des 19. Jahrhunderts*, hrsg. von Kurt Böttcher, Berlin [Ost] 1975, S. 529.

»Einen alten Mann, der an einem großen Werk über die Eitelkeit des menschlichen Lebens kompiliert, läßt er die Geschichte einer kleinen Berliner Gasse und ihrer Bewohner schreiben, die mit Not und Armut zu kämpfen haben und deren Schicksale mit den großen Ereignissen der deutschen und europäischen Geschichte unlösbar verbunden sind; er gibt ein wirklichkeitsgetreues Bild der deutschen Gegenwart und schließt mit einem beschwörenden Appell an die Dichter und Schriftsteller, die nationale Verantwortung ihres Berufes niemals zu vergessen, mit einem Aufruf, der Kritik und Programm zugleich enthält.«[23] Bereits die Form, die Beteuerung des Erzählers Wachholder, keinen Roman, sondern ein »Bilderbuch«, eine »Chronik« schreiben zu wollen und seine erklärte Absicht, auf »den schriftstellerischen Kontrapunkt« (9 f.) verzichten zu wollen, mußte für zeitgenössische Leser zunächst befremdlich wirken. Das Urteil des ersten (fiktionalen) Lesers der *Chronik*, des Karikaturisten Ulrich Strobel, zeugt von Unverständnis und spiegelt mögliche Reaktionen anderer (realer) Leser. Mag der Roman auch einem »Gebäude aus den bunten Steinen eines Kinderbaukastens« (143) ähneln, so darf man doch »in Raabes Chronik [...] nichts auslassen, weil [...] trotz ein paar Vorsprüngen und Überkanten am Ende jeder Stein und jedes Steinchen nötig waren, den ganzen Bau in seiner Fülle und in seiner Einheit erscheinen zu lassen«.[24] Das anscheinend formlose Gebilde erweist sich als ein streng durchkomponiertes Werk, dessen Erzähler ständig zwischen der Erzählzeit und der erzählten Zeit, der Gegenwart und verschiedenen Vergangenheitsstufen, wechselt und dessen »episches Verfahren [...] in vollem Umfang [...] erst im 20. Jahrhundert Schule gemacht hat«.[25] In den Berichten des sich erin-

23 Helmut Richter, »»Die Chronik der Sperlingsgasse«‹, in: Hermann Helmers (Hrsg.), *Raabe in neuer Sicht*, Stuttgart/Berlin [usw.] 1968, S. 312.
24 Heinrich Spiero, *Raabe. Leben – Werk – Wirkung*, Darmstadt 1924, S. 29.
25 Volker Klotz, »Stadtflucht nach innen. Wilhelm Raabes ›Die Chronik der Sperlingsgasse«‹, in: V. K.: *Die erzählte Stadt*, München 1969, S. 171.

nernden Ich-Erzählers Wachholder, in denen »von der Vergangenheit im Präsens und von der Gegenwart im Imperfektum« (145) gesprochen wird, läßt Raabe zunächst anscheinend resignative Tendenzen vorherrschen. Für Wachholder tritt »die Erinnerung an die Stelle der Hoffnung« (8). Was zunächst als eine von Sentimentalität verklärte Rückwendung ins Private erscheinen könnte, weitet sich aus zu einer Rekapitulation der Historie seit der Französischen Revolution, an deren Ende nicht Trauer oder Verzweiflung steht, sondern ein Ausblick in die Zukunft: »Ein neuer Tag!« (176).

»O ihr Dichter und Schriftsteller Deutschlands, sagt und schreibt nichts, euer Volk zu entmutigen, wie es leider von euch, die ihr die stolzesten Namen in Poesie und Wissenschaften führt, so oft geschieht! Scheltet, spottet, geißelt, aber hütet euch, jene schwächliche Resignation, von welcher der nächste Schritt zur Gleichgültigkeit führt, zu befördern oder gar sie hervorrufen zu wollen« (171), schreibt Wachholder gegen Ende des Romans und verkündet damit für den Autor Raabe dessen Vorstellung von der Aufgabe des Schriftstellers, die er als gesellschaftlich bestimmt verstand. Im Gegensatz zu vielen seiner Kollegen – und zu Doktor Wimmer in der *Chronik* – verfaßte Raabe weder bloße Unterhaltungsromane noch politische Artikel oder Stellungnahmen. Das Bestreben, »als sein eigener freier Herr und in Niemandes Dienstbarkeit«[26] zu leben, wie Raabe es 1883 formulierte, klingt in diesem Frühwerk bereits in der Kritik an denjenigen Schriftstellern an, die sich von den jeweils herrschenden »Tendenzen« vereinnahmen lassen (148). Mit der Reduzierung der »Bühne des Weltlebens« (12) auf den überschaubaren Raum der Sperlingsgasse und mit der Gestaltung des persönlich beteiligten Erzählers gelingt es dem jungen Autor, die aktuellen Zeitprobleme zu erfassen, ohne deshalb einen umfassenden »großen Zeitroman« zu schreiben.[27] Die Folge der einzelnen, zu unterschiedlichen Zeiten entstande-

26 BA Erg.-Bd. 2, S. 240 (12. 2. 1883).
27 Ebd., S. 165 (15. 10. 1871).

nen Blätter der *Chronik* – Wachholders Aufzeichnungen werden ergänzt von denen anderer an der Romanhandlung beteiligter Personen – wird zusammengehalten durch die Sperlingsgasse, mit der alle geschilderten Ereignisse und handelnden Personen verbunden sind. Dieses Verfahren gestattet es, persönliche Schicksale und Historie eng miteinander zu verknüpfen.

Die Erzählzeit, die Zeit der Niederschrift der *Chronik*, ist die der 1848er Revolution folgende Epoche, im Bereich der Innenpolitik geprägt von der Enttäuschung über die gescheiterten politischen Hoffnungen auf die Einheit eines Deutschen Reiches, im Bereich der Außenpolitik von den Auseinandersetzungen des Krimkrieges. Weite Teile Europas waren gleichzeitig von Cholera-Epidemien und wirtschaftlicher Not bedroht. Die Probleme der Gegenwart nimmt Wachholder-Raabe zum Anlaß eines Geschichtsüberblicks, um zu zeigen, »wie [...] die historischen Umbrüche und Entwicklungen aussahen, durch die die Verhältnisse der Menschen [...] so unbefriedigend geworden sind«.[28]

Die Ereignisse der neuesten Geschichte, die Revolution von 1848, werden nur mittelbar in ihren Auswirkungen erwähnt. So heißt es vom Lehrer Roder: »[...] sie haben ihn im Jahr Achtzehnhundertundneunundvierzig nach Amerika gejagt, *sie fürchteten* sich gewaltig vor ihm« (123 f.). Die zunehmend resignative Haltung vormals demokratisch gesinnter, von der Entwicklung nach 1848 enttäuschter Bürger zeichnet Raabe in der Person des Doktor Wimmer nach. Als Redakteur wegen einer respektlosen Äußerung über die Regierung aus Preußen ausgewiesen, zieht er sich in München ins Familienleben zurück. Die wachsende Zunahme seines Leibesumfangs korreliert mit der Abnahme seines politischen Engagements.

Die Ursachen für die politischen Probleme der Gegenwart liegen für Raabe bereits in den Befreiungskriegen begründet. Diese Zeit führt er in der Erzählung der Großmutter Kar-

---

28 Hans-Jürgen Schrader, »Zur Vergegenwärtigung und Interpretation der Geschichte bei Raabe«, in: *Jahrbuch der Raabe-Gesellschaft*, 1973, S. 45.

sten als »erinnerte Geschichte« vor. Anders als den meisten seiner Schriftstellerkollegen, die, dem Zeitgeschmack entsprechend, historische Romane und Erzählungen verfaßten, wird bereits in der *Chronik* deutlich, daß es Raabe hier wie in seinen zahlreichen später entstandenen historischen Werken kaum um die Vermittlung historischer Fakten geht. Das individuelle Erleben der Geschichte und die für Menschen sich in einzelnen Situationen ergebenden Konflikte nachzuzeichnen, um aus ihnen »Wissen« für die Zukunft abzuleiten, nicht eine Verherrlichung der Vergangenheit ist sein Anliegen. Diese Intention ist allerdings vielfach verkannt worden. In lange Zeit verbreiteten, nationalistisch gefärbten Deutungen, die das Bild Raabes als »Verherrlicher deutscher Innerlichkeit und kämpferischer deutscher Geschichtsmächtigkeit«[29] verzerrt darstellten, wurde bis ins 20. Jahrhundert hinein gerade diese Episode der *Chronik* fehlinterpretiert. Der alte Tischler Karsten zeigt zu Beginn der französischen Einquartierung ein merkwürdiges Verhalten. Er weigert sich, gemeinsam mit anderen Bürgern eine »Depentatschon« oder andere Zeichen der Ergebenheit an die Franzosen zu senden, und zieht sich statt dessen unter seine Zipfelmütze, das Zeichen unpolitischen Verhaltens, zurück. Er verhehlt allerdings nicht, daß ihm die Soldaten durchaus willkommen sind: »Das ist die rechte Sorte! [...] Solche mußten's sein! Wenn nur genug von ihnen da sind!« (97). Meister Karsten erhofft sich von den Franzosen eine Änderung der politischen Verhältnisse in Deutschland, war doch Frankreich erst vor einigen Jahren »der Plackerei und Adelswirtschaft müde geworden« und hatte »reinen Tisch« gemacht (40), wie der alte Burchard mit deutlicher Sympathie für die Französische Revolution berichtet hatte (obwohl er selbst Angehöriger der preußisch-österreichischen Koalitionstruppen war, die gegen das revolutionäre Frankreich kämpften). Brachte einerseits die Besetzung durch die fran-

29 Eberhard Rohse, »Raabe und der junge Brecht. Zur Rezeption früher historischer Erzählungen Wilhelm Raabes in Bertolt Brechts Gymnasiasten-Drama ›Die Bibel‹«, in: *Jahrbuch der Raabe-Gesellschaft*, 1978, S. 27.

zösischen Truppen unter Napoleon, der vielen als Träger des politischen und sozialen Fortschritts erschien, den Anstoß zur Beseitigung mancher bestehender Mißstände, wie einen Versuch, die territoriale Zersplitterung abzubauen, und Reformen des Rechtswesens, so wird es dem Meister Karsten doch deutlich, daß nicht von den Franzosen die erhoffte freiheitliche Entwicklung herbeigeführt werden wird. Als diese auf die Frage »wie lange denkt ihr denn eigentlich noch in Deutschland zu bleiben?« mit »Immer bleiben wir da!« antworten (98), hat das für Karsten die Konsequenz, Partei zu ergreifen. Er verbrennt seine Zipfelmütze und schickt nacheinander seine beiden Söhne in den Befreiungskampf gegen die Franzosen. Eine Veränderung der politischen Verhältnisse hat keine Chance, wenn sie von außen hereingetragen, importiert wird, doch in der gemeinsamen Erhebung aller deutschen Patrioten gegen die Fremdherrschaft kann der Partikularismus überwunden und so die wichtigste Voraussetzung für einen vereinigten und freiheitlichen Staat geschaffen werden. Der weitere Verlauf der Geschichte zeigt, daß die Napoleonische Herrschaft zwar abgeschüttelt, statt einer deutschen Einigung aber nach Abschluß des Krieges vom Wiener Kongreß im Gegenteil die Herrschaft der Fürsten sanktioniert wurde: »[...] man richtete sich aufs neue ›auf alle Ewigkeit‹ in dem zertrampelten, blutbespritzten Europa ein. Über die Blutflecke fuhren die Kongreß-Herren mit ihren Pinseln voll blauer, grüner, gelber Farbe, zeichneten Grenzen und teilten Nationen im Namen der Einen und unteilbaren Dreieinigkeit und forderten die Völker auf, demütig Gott zu preisen und ihm Lob zu singen. Sie selbst freilich priesen nur ihre eigene Schlauheit und Gewandtheit; Gott aber sah, daß nicht alles gut war.«[30] Karsten, der »Gottfried mit dem eisernen Herzen« (103), ist zunächst stolz über den Heldentod seiner Söhne, doch diese Haltung verwandelt sich in Beschämung und dann in Erleichterung, als die Gedenktafel mit den Namen der

30 Wilhelm Raabe, *Die Leute aus dem Walde*, 1862 erschienen, in: BA 5, hier: S. 84.

Gefallenen einem Brand zum Opfer fällt. Die Erfahrung der weiteren restaurativen Entwicklung hat gezeigt, daß zum Stolz noch kein Grund besteht.

(Materielle) »Not, Elend und Druck« (171) bestimmen die Verhältnisse in Deutschland während der folgenden Zeit. Reaktion darauf war eine zunehmende Zahl von Auswanderern. Schildert der Autor die »Passionsgeschichte« der Schuhmacherfamilie aus der Sperlingsgasse mit Anteilnahme und Ernst, so ist in der Beschreibung, die der Zeichner Strobel von einem die Weser hinabfahrenden Auswandererschiff gibt, ein leicht sarkastischer Unterton nicht zu überhören. Die Wahrnehmung der Gegenwart vermischt sich mit Reminiszenzen an die Geschichte. Arminius wird genannt, der im Kampf gegen die Römer sein Volk in die Freiheit geführt hatte. Das Schiff trägt Arminius' deutschen Namen »Hermann« und verweist auf die Hoffnungen, die sich an den Aufbau einer neuen Existenz in Übersee knüpfen. Die »Katten«, die Hessen, erinnern in doppelter Hinsicht an die dagegen auf deutschem Boden noch immer bestehende Fürstenherrschaft. Das Standbild des »großen Christoffel« in Kassel, das Strobel von seinem Standort aus sehen kann, wurde einst von einem Herrscher errichtet, der zur Finanzierung seiner aufwendigen Hofhaltung Untertanen während des Amerikanischen Unabhängigkeitskrieges als Soldaten verkaufte. In der Gegenwart weichen hessische Untertanen nach dem erfolglosen Versuch der Stände, die auf die gescheiterte Revolution hin einsetzenden Reaktionsbestrebungen des Kurfürsten zu verhindern, in die vermeintliche Freiheit Amerikas aus, die zu bekämpfen ihre Vorfahren einige Jahrzehnte zuvor gezwungen worden waren. Während das Kasseler Standbild, für Strobel Sinnbild der Fürstenherrschaft, die Jahre überdauert hat, verzögert sich die Vollendung des Hermannsdenkmals, für ihn Sinnbild eines freiheitlichen Staates. Insgesamt sind die »Strobeliana«, trotz des Karikaturenzeichners Verärgerung über die politische Lage, von einer deutlich positiven Welteinstellung geprägt. Daß auch die Erinnerungshaltung des alten Wachholder nicht resignativ gemeint ist, zeigen »die Symbole für das Neue, die Sinnbilder der Veränderung wie Liebe, Jugend, Frühling [...], die] häufig der Welt des organischen Wachstums entlehnt [sind]«,[31] und bekräftigend betont Strobel die Notwendigkeit einer »janusköpfigen« Perspektive (166), die Vergangenheit und Zukunft gleichermaßen berücksichtigt: »Wir [...] wollen nicht meinen, daß, weil man uns nur Geschichte der Vergangenheit lehrt, es keine der Zukunft geben werde« (169). Die Geschichte der Zukunft wird eingeleitet durch die »sozialen Umwälzungen« und »das Heraufkommen des vierten Standes«,[32] was Raabe unter den zeitgenössischen Schriftstellern als einziger erkennt und benennt. Die Stadt als der Ort dieser Veränderungen, als auch die Sperlingsgasse umgebender Raum, wird in der *Chronik* weitgehend ausgespart und nur während einzelner Ausflüge aus der festgefügten Ordnung der Straße in den Roman einbezogen.[33] Trotz einiger Hinweise auf deren topographische Lage innerhalb der Stadt und verschiedener Indizien, die es dem Leser ermöglichen, diese als Berlin zu identifizieren, bleibt die Silhouette schemenhaft. Eine nicht näher definierte, unheimliche, unbekannte Welt, heißt sie in der *Chronik* wie auch später im *Hungerpastor* nur »die Stadt«. Obwohl sie im Roman nicht beschrieben wird – es sei denn aus der Ferne –, ist sie als Gegenbild zum überschaubaren Raum der Sperlingsgasse für Autor, Chronisten und aufmerksamen Leser stets präsent, denn die Auswirkungen der großen Stadt, die Folgen des Fortschritts, reichen bis in die Sperlingsgasse. Das Schicksal der armen Tänzerin, des zur Auswanderung gezwungenen Schuhmachers oder des ausgewiesenen »Dichter-Journalisten«[34] Wimmer beweist es. Zuweilen verläßt der Chronist

---

31 Jürgen Manthey, »Wilhelm Raabe und das Scheitern des deutschen Liberalismus«, in: *Jahrbuch der Raabe-Gesellschaft*, 1976, S. 79.

32 Hans Oppermann, *Wilhelm Raabe in Selbstzeugnissen und Bilddokumenten*, Reinbek bei Hamburg 1970, S. 37 f.

33 Vgl. Klotz (Anm. 25).

34 BA Erg.-Bd. 2, S. 183 (2. 3. 1875), von Raabe im Brief auf seinen Schriftstellerkollegen Spielhagen bezogen.

seine vertraute Umgebung. Er nimmt das zum Anlaß, auf das herrschende soziale Elend hinzuweisen. Erscheint uns heute die Thematisierung der sozialen Probleme in der *Chronik* als unzureichend, so darf das nicht darüber hinwegtäuschen, daß deren Darstellung in der Literatur zur damaligen Zeit noch durchaus unüblich war und Raabes Erstling gerade auch deshalb besondere Bedeutung zukommt. Trotz seines Blicks für die bestehenden Mißstände stand er deren Lösung durch die Betroffenen (und einer damit womöglich verbundenen politischen Umwälzung) allerdings skeptisch gegenüber.[35]

Möglicherweise hat die Lesergenerationen hindurch hartnäckig beibehaltene Interpretation der *Chronik* als Idylle ihren Grund in eben dieser plakativen Beschreibung der sozialen Verhältnisse in Deutschland zur Zeit der beginnenden industriellen Revolution, die der Leser als bloß illustrierend auffassen und deren eigentliche Funktion er überlesen kann. Unterstützt wird diese Rezeptionsmöglichkeit durch Raabes Neigung, die Komplexität und Vielschichtigkeit menschlicher Schicksale stark verkürzt darzustellen, wohl mit dem Ziel, ihre Lehrhaftigkeit oder ihren Verweisungscharakter hervorzuheben. »De vanitate hominum« – Über die Nichtigkeit des menschlichen Daseins: der Titel des Werkes, an dem der alte Wachholder arbeitet, wird auch zum Thema der *Chronik*. Als Bilderbuch der Sperlingsgasse ist sie gleichzeitig ein Buch des Lebens.

III

Der Erzähler Wachholder beteuert, die *Chronik* für sich zu verfassen: »[...] die aufsteigenden Kobolde und Quälgeister des Greisenalters zu verscheuchen [...] schreibe ich die folgenden Blätter« (9). Sie werde »eine Welt von Langeweile für den Fremden, den Unberufenen, dem einmal diese Blätter in die Hände fallen sollten«, bedeuten (13). Der Autor

35 In der *Chronik* finden sich dafür Belege S. 60 und S. 64. Vgl. dazu auch Schrader, S. 30.

Raabe hingegen schrieb die *Chronik* in Hinblick auf eine angestrebte Existenz als freier Schriftsteller. Eine gewisse Erfolgsgarantie für seinen ersten Roman schien die Orientierung an den Erwartungen der Literaturkonsumenten und der Verleger zu gewährleisten. Aus »autor- und leserpsychologischen Gründen«,[36] wohl kaum aus Mangel an Originalität oder Unvermögen eines Anfängers, finden sich deshalb in der *Chronik* durchaus Konzessionen an den Zeitgeschmack. Sie zeigen sich zunächst im sprachlichen Befund.

In seiner gefühlsbetonten Ausdrucksweise mit Tendenz zur Idealisierung und Verklärung unterscheidet sich Raabe kaum von anderen Autoren der fünfziger Jahre. Wiederholt ist in der Forschung darauf hingewiesen worden, daß dieses Erstlingswerk vom »Familienblattstil der Zeit«[37] geprägt ist und daß es den Versuch darstellt, »einen Bestandteil der populären Romanschreiberei weltbildlich bedeutsam zu machen«.[38] Die Verwendung bestimmter Stilmittel, Klischees und inhaltlicher Versatzstücke läßt denn auch erkennen, daß die *Chronik* literarischen Vorbildern, und zwar nicht nur denen bedeutender Autoren wie Sterne, Jean Paul, Thackeray oder Andersen, sondern auch solchen aus dem Bereich der Unterhaltungsliteratur der damaligen Zeit verhaftet ist. Zitate beispielsweise – die *Chronik* enthält knapp einhundert[39] – finden sich als Ausdruck von Bildungseklektizismus häufig in zeitgenössischen Romanen.[40] Allerdings verwendet Raabe sie bereits in diesem Frühwerk weniger mit der Funktion, Bildung zu demonstrieren. Das beweisen die vielen Anspielungen, die der Leser nicht ohne weiteres entschlüsseln kann. Sie sind eher »Erzählstützen« vergleich-

---

36 Schenda, S. 437.
37 So von Hermann Pongs, *Wilhelm Raabe. Leben und Werk*, Heidelberg 1958, S. 88.
38 Johannes Klein, »Wilhelm Raabes ›Chronik der Sperlingsgasse‹«, in: *Raabe-Jahrbuch*, 1949, S. 11.
39 Vgl. Fritz Jensch, *Wilhelm Raabes Zitatenschatz*, Wolfenbüttel 1925.
40 Vgl. Martini, »Franz Dingelstedt ›Die Amazone‹«, S. 128, und Pongs, S. 91.

bar[41] und verweisen schon auf den strukturbildenden Charakter, den sie in späteren Werken Raabes einnehmen werden.[42] Herman Meyer hat nachgewiesen, daß »der gefühlvolle Blick [des Erzählers Wachholder] vom umfriedeten Raum aus durchs Fenster« sich in der Literatur und Malerei des 19. Jahrhunderts gleichermaßen häufig findet. »Der junge Raabe ist noch keineswegs der eigenwillige Einzelgänger, der er später werden sollte.«[43] Daß der Autor unbestritten einen »Gesamteindruck der ökonomischen und politischen Lage Deutschlands«[44] in diesem Roman liefert, kann ein auf bloße Unterhaltung ausgerichteter Konsument überlesen. Die emotional betonte Darstellung der gesellschaftlichen Verhältnisse mag für einen Teil des Publikums die angesprochene Problematik verdecken. Die Auswahl einzelner Personentypen – Waisenkind, verarmte Witwe, Tänzerin – erscheint klischeehaft. Die Geschichte des Malers Ralff kann man als eine Konzession an zeitgenössische Leser- und Verlegererwartungen interpretieren. Sie kommt einem auf triviale Schicksalsdarstellungen ausgerichteten Publikumsgeschmack entgegen. Mit der Wahl der Kulisse entspricht der Autor der herrschenden Mode der Dorfgeschichte, sie unterstreicht zusätzlich die Schwarz-Weiß-Zeichnung einiger handelnder Personen. Das Försterhaus als Handlungsort verweist per se schon auf den wackeren Förster, den Antagonisten der Waldfrevler und Wilddiebe, und überläßt dem adligen Verführer die Rolle des Unehrenhaften.[45]

41 Marie-Luise Gansberg, *Der Prosa-Wortschatz des deutschen Realismus. Unter besonderer Berücksichtigung des vorausgehenden Sprachwandels 1835–1855*, Bonn 1964, S. 72.
42 Grundlegend zum Zitat-Problem: Herman Meyer, *Das Zitat in der Erzählkunst. Zur Geschichte und Poetik des deutschen Romans*, 2., durchges. Aufl. Stuttgart 1967.
43 Herman Meyer, »Raum und Zeit in Wilhelm Raabes Erzählkunst«, in: Helmers (Hrsg.), *Raabe in neuer Sicht*, S. 106.
44 Helmut Richter, Nachwort zur *Chronik*, in: Wilhelm Raabe, *Die Chronik der Sperlingsgasse*, Leipzig 1962, S. 178.
45 Vgl. Schenda, S. 410, sowie: Uwe Baur, *Dorfgeschichte. Zur Entstehung und gesellschaftlichen Funktion einer literarischen Gattung im Vormärz*, München 1978.

Die große Verbreitung der *Chronik* scheint jedoch weder in den Konzessionen des Autors an den literarischen Geschmack des Familienblatt- und Leihbibliothekenpublikums noch in dem aktuellen Bezug auf soziale und politische Probleme ihrer Entstehungszeit begründet zu sein, denn erst nach 1876 setzte sich das Werk in der Gunst der Leser durch. Möglicherweise waren die Bedingungen des literarischen Marktes nicht ohne Einfluß auf diese Entwicklung. Für eine Veröffentlichung als Fortsetzungsroman in einer Zeitschrift war die *Chronik* in ihrer ungewöhnlichen und unzeitgemäßen Form nicht geeignet. Als Buchausgabe entsprach sie von ihrem Umfang her nicht den Anforderungen der Leihbibliotheken, sie konnte deshalb nicht auf eine große Zahl von Lesern rechnen. Dennoch war eine Publikation in Buchform für den jungen Autor von Vorteil, denn anders als eine Zeitschriftenveröffentlichung wurde diese rezensiert. Rezensionen aber waren geeignet, den Namen des Autors vor allem in Verlegerkreisen bekannt zu machen. Der Verlagsbuchhändler Stage in Berlin fand sich bereit, die *Chronik* zu publizieren. Über die Bedingungen schrieb Raabe rückblickend: »Sie wissen, daß ich den Vertrag den der seel. Stage mit mir machte, unter Glas u Rahmen als eine Merkwürdigkeit aufhängen könnte über mein. Schreibtisch.«[46] Stage bestand auf einer Textänderung und verlangte einen Druckkostenzuschuß von 50 Talern. Statt eines Honorars erhielt Raabe 50 Freiexemplare.[47] Positive Kritiken bewogen den Verleger, Raabe bereits im November 1856 zu ermuntern, in ähnlicher Art weiterzuschaffen, mit »reiner szenischer Detailmalerei, in kurzen Abrissen«.[48] Der günstigen Aufnahme der *Chronik* hatte Raabe es zu verdanken, daß sein zweiter Roman im Jahre 1857 in einem der renommiertesten deutschen Verlage, bei Vieweg in Braun-

46 BA Erg.-Bd. 2, S. 73 (2. 10. 1861).
47 Vgl. BA 1, S. 430 ff.
48 Ebd., S. 477.

schweig, erschien. Der buchhändlerische Erfolg der *Chronik* ließ gleichwohl noch immer auf sich warten. Nachdem der Verleger Stage im Mai 1857 verstorben war, wurde sie nacheinander von drei verschiedenen Verlagen betreut. Es gelang jedoch auch unter Ausnutzung der unterschiedlichsten Marktmechanismen (billige Ausgaben, neue Aufmachung) nicht, den Verkauf des Buches zu fördern. Auch der Versuch des Stuttgarter Verlegers Ebner, die *Chronik* in einer Reihe »Hausschatz deutscher Erzählungen« auf dem Weg der Kolportage und nicht über den Buchhandel vertreiben zu lassen, um ein breiteres Publikum zu erreichen, scheiterte.[49] »Was nun die Chronik anbelangt, so gestehe ich offen, daß ich dieselbe eigentlich aufgegeben habe. Sie hat mir schnell in der Kritik einen kleinen Namen gemacht, u das ist mit der Mühe u dem Ärger, welchen sie mir verursacht hat, gewiß nicht zu theuer bezahlt«, urteilte Raabe bereits 1858.[50] Im Jahre 1876 übernahm der Grote-Verlag den Roman, um ihn 1877 in der Reihe »Grotesche Sammlung von Werken zeitgenössischer Schriftsteller« wieder erscheinen zu lassen, deren Konzeption der Verleger den sich wandelnden Anforderungen des literarischen Marktes entsprechend angelegt hatte. Die zunehmende Verbreitung von Büchern einplanend, nutzte Grote für seine Reihe ein Element, das wesentlich zum Erfolg der Familienzeitschriften beigetragen hatte: die Illustration. So erschien die *Chronik* 1877 wie schon der 1876 von Grote verlegte Roman *Horacker* in einer illustrierten Ausgabe. Bereits 1881 konnte man Raabe eine Verdoppelung des Honorars anbieten. In der Obhut des etablierten Verlags, der im Vergleich zum Kolportagebuchhandel ein anderes, gehobenes Publikum ansprach, und unter den veränderten, gegenüber 1856 günstigeren Bedingungen für den Buchabsatz gelang dem

---

49 Als ›Kolportagebuchhandel‹ bezeichnet man das Hausieren mit (literarischen) Druckerzeugnissen. Er erreichte vor allem den Teil der Bevölkerung, der aus eigener Initiative keine Buchhandlung betrat (Phänomen der ›Schwellenangst‹). Vgl. zum Kolportagehandel ausführlich: Schenda, S. 228 ff.
50 BA Erg.-Bd. 2, S. 18 (21. 3. 1858).

Roman nun doch noch der Durchbruch. Der Zeitgeist, den einzufangen Raabe in der *Chronik* gelungen war, dürfte für diesen zwanzig Jahre nach dem ersten Erscheinen einsetzenden Erfolg nicht ausschlaggebend gewesen sein. Nicht als Werk der Zeit nach 1848, in der er wie viele andere trotz der gescheiterten politischen Hoffnungen noch auf deren künftige Verwirklichung hoffte, sondern als »Klassiker« eines in den sechziger Jahren vor allem mit dem *Hungerpastor* bekannt gewordenen Autors erschien die Grotesche Ausgabe nach der Gründung des Deutschen Reiches zu einem Zeitpunkt, da Raabe sich zunehmend über eine Mißachtung seiner Werke durch Leser und Kritik beklagte.[51] Da das Publikum nicht willig und wohl auch nicht fähig war, sich mit dem seit Erscheinen des Romans *Abu Telfan* (1867) deutlich kritischer werdenden Grundtenor der Raabeschen Werke auseinanderzusetzen, erlebte der Autor in den siebziger Jahren eine Wirkungskrise, die endgültig erst in den neunziger Jahren überwunden wurde. Während der 1876 unter gleichen Bedingungen und in gleicher Ausstattung wie die ein Jahr darauf folgende *Chronik* bei Grote erschienene Roman *Horacker* sich nicht durchsetzen konnte, entsprach Raabes erster Roman den Erwartungen des Publikums, das gegen Ende des Jahrhunderts die bildungsmäßigen und finanziellen Voraussetzungen erfüllte, Zielgruppe des Buchverlages zu sein. Die ursprüngliche Intention Raabes, eng verbunden mit den aktuellen Ereignissen der Entstehungszeit, nach der inzwischen erfolgten Reichsgründung anscheinend ohnehin nicht mehr zeitgemäß, wurde dabei geflissentlich überlesen und die *Chronik* reduziert interpretiert als ein »herziges, sinniges Buch«, »von einem gemüthvollen Deutschen geschrieben« mit dem Thema »Schicksal, Freude und Leiden, Liebe, Trennung, Wiedersehen, Leben und Sterben«.[52]

Daß diese Fehlinterpretation der *Chronik* sich zu einer

---

51 *»In all's geduldig«. Briefe Wilhelm Raabes (1842–1910)*, hrsg. von Wilhelm Fehse, Berlin 1940, S. 155 (8. 3. 1877).
52 So in einer Kritik der *Romanzeitung* von 1864, zit. nach: BA 1, S. 438.

Tradition eines Fehlurteils ausweitete und das Bild des Autors für breite Kreise des Publikums entscheidend prägte, ist ebenso wie der außergewöhnliche Erfolg dieses Romans und seine große Verbreitung bis in unser Jahrhundert möglicherweise die Folge davon, daß dieses Werk mehr als achtzig Jahre lang als »zeitloser Klassiker« vertrieben wurde. Ein Blick auf die Entstehungsbedingungen zeigt jedoch, daß Raabes erster Roman nichts weniger als das ist. Seine Bedeutung liegt vielmehr gerade in seiner Zeitgemäßheit, seinem aktuellen Bezug auf politische und soziale Verhältnisse der Entstehungszeit, und in seiner unzeitgemäßen, weil zukunftsweisenden Form.

Ulrike Koller

Inhalt